蔣經國先生傳

作者：小谷豪冶郎 著
陳鵬仁 譯著

蘭臺出版社

蔣故主席經國先生遺像

攝於一九六九年中國國民黨第十次全國代表大會一中全會中山樓會場。自左至右為陳鵬仁、周至柔、蔣經國、王叔銘。

蔣經國的照片都是深入群眾的活動照，或是與群眾合影，少數人合照則不多見。在會議期間，因蔣經國身分特殊，沒人敢坐在他旁邊的座位，但蔣經國經常召見陳鵬仁詢問談話，所以陳鵬仁很自然地陪他坐。當時為了元首的安全，僅有記者能攜帶相機進入會場，陳鵬仁的好友倪文炯因其相機體積小，得以攜入會場。中場休息時，倪文炯手持相機找他合影留念。蔣經國看到他們二人在拍照，正好周至柔、王叔銘站在附近，就找來合影，留下歷史性的貴重照片。

目錄

目錄

提要

本書由陳鵬仁教授翻譯小谷豪冶郎的日文著作《蔣經國傳：現代中国八十年史の証言》。原書於一九九〇由東京都的プレジデント出版社發行日文版，同年由臺北的中央日報發行中文版。二〇一七年，蘭臺出版社重新發行中文版。本書總頁數五〇四頁，包括：〈蔣經國先生傳〉三三九頁、〈紀念蔣經國先生逝世十周年口述歷史座談會〉一五二頁、陳鵬仁撰寫有關蔣經國的文章七頁。

蔣經國在中國近代史及臺灣戰後史上地位舉足輕重，他逝世後，人們給予他不同評價，相關的史書與史料繁多，本書與其他的書籍不同之處，有下列三項：

一、是外國人寫的傳記。目前蔣經國傳的作者都是臺灣學者或作家，該書作者小谷豪冶郎為日本人，以外國人的角度撰寫，在評論的立場有所不同，更能彰顯蔣經國在歷史上評價。

二、以中國國民黨黨史會的史料編撰。小谷豪冶郎在編撰時，特別到黨史會收集資料，由當時的黨史會陳鵬仁主任接待，並提供完整的史料。

三、本書除了將日文翻譯為中文之外，另附錄黨史會在蔣經國逝世十周年座談會的紀錄。

小谷豪冶郎（一九二〇年～二〇〇二年十二月十八日）生於長崎市。畢業於京都大學農學系，曾經到美國學習，擔任過南山大學講師、國防培訓學院院士、京都產業大學教授、京都外國語大學教授。小谷是日本和美國關係，韓國和臺灣局勢的安全專家，為日本著名的國際政治學者。

譯作者陳鵬仁，原名陳鼎正，以筆名行。一九三〇年十二月二日，出生於臺南市山上區南洲里。日本明治大學經濟學士、政治學碩士、美國西東大學文學碩士、東京大學國際關係學博士。任職亞東關係協會東京辦事處多年，曾任中國文化大學日文系所教授兼主任所長、中國國民黨中央黨史委員會主任委員。現任中國文化大學日研所、史學所講座教授。專研近代中日關係史、中日外交史、日本政治社會文學歷史文化等問題。

一九六四年一月十八日，臺灣發生白河大地震，陳鵬仁正在日本讀書，原本報名參加救國團舉辦的留學生返鄉過年專機，為了修繕被震倒的臺南祖屋，只好把機票錢一百美金，寄給母親作為修繕費。當時救國團蔣經國主任查閱返鄉留學生名冊時，就問到陳鵬仁為何報名但沒有搭機返鄉，工作人員據實以告。蔣經國就派員到陳鵬仁家中慰問。等到陳鵬仁回臺灣之後，蔣經國立即召見，並詢問其家中狀況。此後蔣經國很照顧陳鵬仁，只要陳鵬仁每次由美日回臺灣，蔣經國必定召見，詢問國內外與民間的意見。陳鵬仁為了回報蔣經國，每次召見都是知無不言。陳鵬仁有感蔣經國用心治國，以及提攜照顧之恩，所以在小谷豪治郎撰寫本書時，提供黨史會的珍貴史料，並將日文翻譯為中文出版。

序章　領導者的條件

——對經國先生的嚮慕——

據說，中國古代的書籍，譬如司馬遷的「史記」和班固的「漢書」，其序文都寫在最後面。尤其是本書所參考的後漢許慎的「說文解字」，全部十五篇當中，第十五篇就是它的序文。當然，我沒有資格談論序文要寫在後面的理由或者其意義，不過我之所以拘泥於此事，是因為撰寫本書時，我曾盼望如果能由一位跟經國先生很熟悉，而又能全面地瞰望過去中華民國的苦難和光榮之中華民國的權威學者賜寫序文。若是，我自己只寫等於序文的「跋」就行了。

因為如果我在序文寫出我對於蔣經國先生親密的感情和嚮慕之念頭，我深怕即使我很誠實地刻畫，可能還有人會以為我有所隱瞞對經國先生不利的事，避而不談，「情人眼裡出西施」一般地只寫其優點。老實說，這既然是傳記，自不可能歪曲具體的事實，如果資料不全，我寧肯以不知爲不知。不過反過來說，我有此種考慮，或許因爲對經國先生有所偏愛的作祟。

但我還是要按照現今一般的習慣，在這序文，老老實實地把我的想法全盤托出，以就教於各位讀者。而如後面所說，正因爲我對經國先生有一分特殊的感情，所以我才敢不自量力地要撰寫蔣經國先生的傳記，雖然我寫得很辛苦，但我還是以能寫他的傳記爲榮。

既然是序文，我就必須說明我爲什麼要寫這本書。當然，經國先生在國際上的孤立情勢中，大大地發展了中華民國的經濟，解除了多年來的戒嚴，促進政治的更民主化等等，都將是本書重要內容的一部分。換句話說，在這裡，我不必細說我尊敬和嚮慕這位偉大人物的心情，而直截了當地說因爲他偉大，所以我才要寫這本書就夠了。但我還是覺得，我應該把我對經國先生的特殊感情寫出來才對。

衆所周知，經國先生是日本人必須感恩的蔣中正總統的長公子，後來成爲中華民國總統的經國先生，有些日本人也許會覺得他是高不可攀的一位中國人也說不定。其實從許多文獻和事實，我們可以知道他是非常平易近人的一個人。本書的照片，或能證明其事實於萬一。從他似乎忘記了時間，而與鄉下人暢談，以享受人生的表情，我們可以窺悉他的平易近人。而且他的這種作風，不是爲了政治目的，這是我在台灣確認過的。關於這一點，後面將另行細說。

並且，肩負國家安全之重大任務的他，常常訪問能夠眺望中國大陸的金門，與最前線的士兵同歡樂。譬如他曾經訪問過金門一百二十三次，在金門停留過三百五十二天。（註一）據說，中國人以七十歲誕辰爲大慶，家人親友歡聚祝賀。他在這一天，則婉拒一切祝壽活動，而由當時的總統府秘書長，曾任海軍總司令的馬紀壯，以軍艦訪問最前線的馬祖，在軍艦上和馬祖的士兵同過其生日。（註二）

說實在話，不管其對象爲人物或者樹木，對於「巨大」的存在，我都會肅然起敬。對於經國先生，除此種感情外，我還有一點點羨慕和嫉妒的心情。所謂嫉妒之情，乃是指我沒有從家父得到嚴格的教訓和知識，而經國先生卻從童年時代到成人，一直獲得父親教訓。各位如果看完本文，或能體會我意。

我覺得使用尊敬二字，不見得能夠十分表達我的本意，因此也許不是很恰當，我遂以包含一些嫉妒之情的嚮慕可能比較接近，而加上「對經國先生的嚮慕」這個副題。要之，我撰寫本書，乃是我「思念」經國先生這種複雜的嚮慕之情所驅使。

但對於經國先生，在還沒準備撰寫本書以前，我覺得他是距離我很遠的一個人。無需說，他是外國的元首，自不可能隨便與之交談。我雖然跟他見過一次面，有過談話的機會，但對於作爲中華民國的領導者，他所推行的政策，當時我並沒有予以正確評估的意願和資料。那個時候，我只有遠遠地看他。但現在情況完全變了。今日，我一心一意，很想把所以使他偉大的一切全部寫出來。

現在，我想來說明我關心經國先生的經過。對於他，很早以前，以他爲深受蔣中正總統很大影響的人物，我一直有些關心。迨至日本摒棄中華民國，將承認中共時，我更加關心經國先生。

我在大學裡教的是國際政治，它的常識是，摒除國家利益這個概念，國際政治學是不能成立的。我一直以這個不可移易的經典來看國際政治，而且這種看法是相當客觀的。惟由於個人的意識形態和信念，對於若干國際政治上的問題，往往會參雜主觀的判斷，從而發生一些偏差，我個人年齡將屆古稀，尚且免不了這種錯誤。

譬如我對於越戰的判斷和評估，就犯了這種錯誤。爲了分析越戰，我曾經前往越南七次，前後待了一個月的時間。我親自看到在美軍現代武器之火力面前，越共的確束手無策，但最後，美軍卻屈服於越共。換言之，我有美國是世界的超級强國，以核子保護著日本的美國，絕不會輸於越共的信念，加上我個人的願望，而終於對越戰的結果，作了錯誤的判斷。

同樣地，我就日本對中華民國政策的判斷，也犯了很大的錯誤。對於二次大戰後，蔣中正總統的「以德報怨」政策，日本政府的反應固然是各種因素複合的影響，但無論如何它卻很快地就轉變到「以怨報德」的政策。我的判斷之所以錯誤，是因爲在二次大戰時，日本是唯一孤軍奮鬥到底的國家，因此我遂相信即使全世界的國家承認了中共，日本政府將承認中華民國到底。當然我知道，「國家利益」和「國家理性」是一個國家的外交所不可或缺的要素，但在另一方面，我又非常盼望蔣中正總統在世一天，日本政府能夠孤軍奮鬥一天。

我很清楚，這種想法與權力政治的現實是不相容的。這等於說，就日本對中國政策的推進，回顧我自己的看法，對於日本政府改變其態度的速度，我著實犯了極大的錯誤。也正因爲如此，所以我便以行動絕對反對日本政府的對中共政策，盡力維護和發展與中華民國的友好關係，雖然我知道，我這個立場在日本不是屬於多數。從應該是非常現實這個國際政治學家的立場來說，我也很想到中國大陸去看看，但我還是不去。

我自己在大連過了我的少年時代。因此中國大陸是我的第二故鄉。我小學和中學時代的同學，一個一個地到大連去訪問，並邀我一道去，但我絕對不去。以我個人的心情，這或許是故意逞强。但比諸盼望以三民主義統一中國之在台灣的中國朋友來說，我的想念東北之情，簡直是一種奢侈。所以中華民國政府統一中國大陸時，我很願意去看看我少年時代住過的大連。

因此，欲早日以三民主義統一中國的願望，與我的想法是完全一致的。而這就是以經國先生爲國家元首之中華民國政府的指導理念。我個人的想法與願望，姑暫不談，從最近大陸中共政權一連串的統治失敗這個事實看來，以三民主義統一中國的可能性，絕不是幻想。與此同時，我們也可以知道，作爲國家的指導理念，堅持馬列主義是如何地不符合現實，在世界大多數的人們心目中，這簡直是白晝作夢。堅持馬列主義爲大陸中國人帶來多少災難和不幸，已經有很多事實作證明，而這次天安門事件更明確地證實了這一點。

海峽兩岸，三民主義與馬列主義之統治原理的競爭，早已歸於前者的勝利。那一種主義最能爲其國民帶來幸福，是非常明顯的。它明明白白地證實：三民主義優於馬列共產主義。在馬克思時代，具有徘徊性的共產主義思想，今日能徘徊的地方（空間），愈來愈小了。我相信在不久的將來，恐怕只有在圖書館才能找得到共產主義思想。這等於說，我在日本屬於少數派的正確性，將獲得證明。

如此這般，我日漸關心經國先生，並研讀他的言論集和著作，因而經國先生自遠遠眺望的人物，變成我專心研究的人物。但與此同時，我發現我的能力太有限了。因爲欲瞭解經國先生的思想，則必須有中國古典的素養。

如果只是要把經國先生的功績，按時代順序予以記述，則並不很困難。只要看「蔣總統經國先生哀思錄」第三編的年表就夠了。但問題在於如何發現年表背後之經國先生的深奧思想，和他行動力的根源，以及怎樣表達它。因此，我把重點擺在研讀出自經國先生的口而所紀錄下來的各種資料。

我雖然使用這種方法撰寫本書，但我卻不敢說我的研究達到了正確的目的。我更不敢說因爲這樣而正確無誤地刻畫了經國先生的真面貌。相反地，我面對經國先生的著作和演講集等龐大資料，實在不知所措。加以手上有些資料還沒看，和明明知道有這個資料，但到現在還沒拿到這項資料，所以只有怨嘆自己能力之不足。

因此本書的內容，或許會使贊成我撰寫本書並賜予各種支持的先生和女士們失望。若是，我就得在這裡先致歉意。

但有一點我敢斷言的是，我以目前屬於日本的少數派爲榮，經國先生的想法和作法，日漸受到更多大陸中國人的肯定，以三民主義統一中國的可能性愈來愈大這種信念刻畫經國先生，並正在做這種努力。

我撰寫本書時，我儘量地和很忠實地根據了原文，並註明它的出處。我希望本書能成爲日後人們研究這位偉大而平易近人的經國先生的開端。多年來以寫文章過日子的我，在這裡敢大膽地說，作爲學問的研究對象，經國先生實具有道不盡的魅力。

註釋

（註一）民國七十八年十月二十一日「中央日報」，「蔣經國先生紀念館落成」。

（註二）蔣總統經國先生哀思錄編纂小組編：「蔣總統經國先生哀思錄」，第三篇，「蔣總統經國先生年表」，八四三頁。

第一章　字如其人

——從誕生到留俄——

經國先生於一九一〇年四月二十七日（農曆三月十八日），降生於浙江省奉化縣溪口鎮。從整個世界來說，這一年是出現了哈雷彗星，白瀨矗中尉出發南極去從事探險；於日本，德川好敏上尉在東京代代木的練兵場，首次成功地駕機飛行三千公尺的一年。對外上，也是日本簽訂併吞朝鮮之條約，大倉喜八郎創設中日合資之本溪湖煤鐵公司的一年。

在中國大陸，義和團事變以後，清廷雖然擁戴著其最後的幼帝，但無法挽回其劣勢，則已經非常明顯。此年，黃興等中國革命同盟會分子起事，從湖南長沙到長江流域發生糧米騷動，翌年爆發辛亥革命，革命的烽火蔓延於全國。因此我們可以說，經國先生乃與革命同時降世。

經國先生的母親是毛福梅夫人。她在家裡祀觀音菩薩，日夜祭拜，是位極其虔誠的佛教徒。祖母王太夫人，非常高興經國先生的出生。

當時二十四歲的父親蔣中正先生，是在日本高田市的第十三師團野砲兵第十九聯隊的軍官見習生。次年，利用暑假回國的蔣先生，才初次看到他的公子。蔣先生回到日本以後，得悉革命軍於一九一一年十月十日在武昌起義，蔣先生趕緊回國，並親率革命軍敢死隊光復了杭州。

經國先生出生的浙江省奉化縣溪口鎮是，面向甬江上游錦溪的清流，背向歷史上著名的武嶺，景色美麗的地方。在日本也馳名的無名氏（真名卜乃夫），曾於五年前的五月份訪問過這條溪水，並於一九八八年一月二十八日，在「青年日報」發表了哀悼經國先生仙逝的安魂曲「從剡溪到大溪」。經國先生安葬於台北郊外的大溪，無名氏寫此文時還沒去過大溪。他寫著：

「我不禁懷念溪口，那長達數十里的剡溪，是你生命的開始。奉化溪水有一百多條，剡溪是三大名溪之一，直通奉化江，夙讚『剡水鏡涵』。」（註一）

經國先生有回憶六歲時候的紀錄。這不是有關他自己的事，而是關於他伯父蔣錫侯的事。伯父錫侯穿上母親（即經國先生的祖母王太夫人）給他做的短棉襖出去，外邊很冷，但他回來時卻沒穿那件棉襖。錫侯對經國先生說，他看到一個沒穿冬天衣服的可憐人，故把棉襖送給他。

經國先生以爲祖母會罵伯父錫侯，而爲其伯父耽心，但那天晚上他祖母卻只講了一句話：「你做了一件好事」。過幾天其祖母又爲其伯父做了一件新的棉襖（註二）。無疑地，就經國先生來講，這個回憶確成爲他日後做人處事的重要指針。孫中山先生弔唁王太夫人說：「慈愛異常母，督責如嚴師」。（註三）又，蔣錫侯公於一九二一年五月，曾任廣東省英德縣縣長。

一九一六年（民國五年三月二十四日）七歲的春天，經國先生上了溪口鎮的武山小學，老師是同鄉的周東。此外，這個學校還有其母親娘家岩頭村出身的老師毛頌南，在學校他被稱爲同福先生，是位受到經國先生非常尊敬的老師。（註四）肄業此校兩年後，經國先生轉到龍津小學。十三歲時（一九二二年二月），蔣中正先生以農村的風氣「閉鎖，不能提高見識」，而令經國先生結束在家鄉的求學，經由寧波，轉學到上海的萬竹高等小學（註五）。並於一九二四年冬天，畢業該校。

經國先生在故鄉的小學讀書時，祖母王太夫人竟於一九二一年六月十四日，與世長辭。雖然有醫生的預告，但蔣家的人還是非常傷心。按照中國自古以來的習慣，蔣中正先生應該穿孝三年，惟因孫中山先生馳電堅邀，乃將王太夫人葬於附近的飛鳳山，匆匆前往前線，參

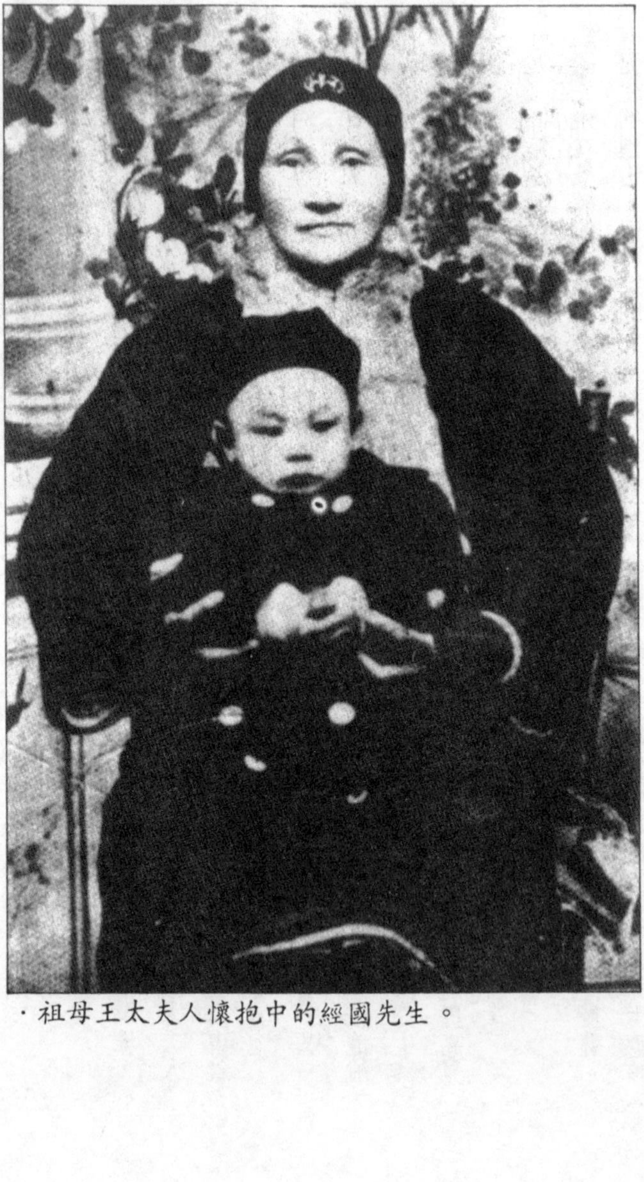

·祖母王太夫人懷抱中的經國先生。

加作戰。根據「蔣總統秘錄」，該年十一月二十八日，蔣先生曾為經國、緯國兄弟寫了如下的條示：（註六）

「余葬母既畢，為人子者，一生之大事已盡，此後乃可一心致力革命，更無其他之掛繫。余十八歲立志革命以來，本已早置生死榮辱於度外，惟每念老母在堂，總不使以余不肖之罪戾，牽連家中老少，故每於革命臨難決死之前，必託友好代致留母遺稟，以冀余死後聊解親心於萬一，今後既與家人脫離關係，可無此念，而望爾兄弟二人親親和愛，承志繼先，以報爾祖母在生撫育之深恩，亦即此以代余慰藉慈親在天之靈也。余此去何日與爾等重敘天倫，實不可知，余所望於爾等者，惟此而已，特此條示經、緯兩兒，謹誌毋忘，並留為永久紀念。父泐」。

經國先生畢業萬竹小學高級部的一九二四年，是中國政局可以南北對決這種公式理解的情勢。九月，第二次奉直戰爭開始；孫中山先生經由日本前往北平，主張召開國民會議，意圖建設統一的中國。不幸，翌年三月十二日去世於北平。

在此之前，出任創立於黃埔之陸軍軍官學校校長的蔣中正先生，兼任粵軍總司令部參謀長，指揮討伐擬奪取廣州之陳炯明的東征作戰，與此同時，在上海日本在華紡織工廠所發生的勞資糾紛，爾後演變爲所謂五・卅運動，更發展爲反帝國主義的運動。因此以日本爲首，英、美、法、義等國便增派軍艦到上海，並在長江沿岸的幾個城市發生了流血事件。尤其是上海的勞工運動，特別緊張。

在這樣氣氛之下的經國先生，於十六歲的春季（一九二五年），進入了上海的浦東中學。我認爲，經國先生的愛國心，就是在此種情勢之下養成的。上海民衆的排外運動日趨高漲，他們高喊「打倒帝國主義」、「廢除不平等條約」，以遊行示威。日後經國先生說，他被同學們推爲浦東中學遊行隊伍的監督，並監督排斥外國商品的隊伍，參加了四次的愛國運動。（註七）

由於上述的原因，蔣中正先生以上海非爲少年人長居之地，而令經國先生轉學到北平的海外補習學校。「孟母三遷」，熱心於子弟教育的蔣中正先生，雖然過著奔走國事的忙碌日子，但卻時時刻刻關心經國先生的學習環境。就教育環境，經國先生這樣寫著：（註八）

「父親對我的教育，很注意接近環境。所謂『近朱者赤，近墨者黑。』記得我小時候住在家鄉，父親認爲鄉下的風氣太閉塞，見識不廣，要我到上海去住。後來又覺得上海是繁華的世界，罪惡淵藪；少年人住久了，將有不良的影響，故又送我到北平去。」

·民國二十六年十一月，經國先生與毛太夫人及表兄宋繼修合影於南昌。

新上的海外補習學校的創辦人吳稚暉先生，是對於少年時代經國先生，予以最大影響的人。他倆的師生關係，到了台灣以後，仍然繼續。現在，台北有吳稚暉先生的銅像。

經國先生在上龍津小學的時候，當時三十四歲的蔣中正先生正在上海自習俄文。同時也在研讀有關中國哲學史、世界大戰史、軍制學和經濟學的書籍。更閱讀唐宋時代的詩文，「水滸傳」、「儒林外史」等書，一年之內，竟讀了七十二本。

因此，蔣中正先生之非常關心兒女的讀書是很自然的事。根據一九二〇年九月四日蔣先生的信，他曾寄後漢許慎的「説文解字」四冊給經國先生，一年之後，又寄了比「説文解字」還要古老但著者不詳，且被譽爲「字義之字典之祖宗」的「爾雅」給經國先生。

這封信這樣寫著：將九千三百五十三字分成五百四十部的「此書每日識得十字，則三年內必可讀完，一生受用不盡矣。」（註九）這封信不但提到應該怎樣認識字，對於獻身革命，對於經常不在家的蔣先生來説，實含有要經國先生在家盡孝的意義。

經國先生不僅把「説文解字」用於自習自學，更邀請王歐聲先生來家裡受教。此時的課程，乃由蔣先生所定。蔣先生又替經國先生買來了段玉裁的「説文解字注」，蔣先生認爲，「説文解字」對於經國先生太簡略，因而買段玉裁注，供其隨時參考。

「康熙辭典」是依清朝第四代皇帝康熙帝的勅命，化費五年工夫，於一七一六年所編纂，中國最大和最有權威的辭典。而於西曆一〇〇年所出版的「説文解字」，也是「康熙辭典」的重要基礎資料之一。近代日本漢字的印刷，係以「康熙辭典」的鉛字彫刻爲原本，一直使用，因此以漢字爲媒介，中國與日本在文化層面上，實具有絕不可分割的關係。

談到「說文解字」這本書，我想順便談談此書對我的影響。我認爲，如果不理解這部古典的重要性，則無從正確瞭解以漢字爲經的中日兩國的歷史關係。說實在話，自從傾慕經國先生以還，在閱讀各種各樣資料的過程中，我邂逅了文字學的經典「說文解字」。我覺得，要寫「蔣經國先生傳」，即非先看「說文解字」不可。我所以懂得由中國自古以來木、火、土、金、水五種要素所構成的「五行思想」，乃繫於文字的排列和解釋，實得之許愼的「說文解字」。

經國先生此時非常努力於認識文字，但蔣先生告訴他：「讀書第一要當心聽講，認識一字，須要曉得一字之解說，不可讀過就算。」（註一〇）十四歲的時候，寫給父親的信，寫了錯字而被糾正。蔣先生教著說：「以後遇有寫錯的字，雖落筆已發覺，亦應寫個完全，再爲抹去。」（註一一）

關於此事，經國先生這樣寫著：「這種訓示，雖是教我寫字，其實也是教導我們做事不可苟且，不可虎頭蛇尾，定要有始有終。一個人如果沒有毅力，是不會成功的。」（註一二）蔣先生對經國先生的教育，給他這樣深刻的印象。

「字者人也」。一個人所寫的字，確有如其人。經國先生在其所著「風雨中的寧靜」中說，當年擔任黃埔「中央軍事政治學校」校長的蔣先生，寫信教他說：「寫字筆劃宜清楚，且要字字分明，切不可潦草糊塗。寫信的字，亦要像我寫的一樣大，不可太小。」（註一三）

連對於墨的濃淡也很講究。蔣先生的信又教著說：「你的字已稍有進步，但用墨尚欠講究，時有過濃過淡之病，筆力亦欠雄壯。須間日書寫一次，要在古帖中之橫、直、鉤、點、撇、捺處體會。」（註一四）

經國先生在幼小時代受過父親這樣的教育，實在令人羨慕不已。我之所以羨慕經國先生，是羨慕他們父子的感情。在中國人看來，這種父子關係也許不算什麼，但我卻覺得非常美好而難得。

年紀一大把的我，所以要大書特書我所沒有受過的教育，或許有人會認爲我在把自己教養不夠的責任推給別人。但我只是把我的真心話說出來而已。由於這種原因，雖然有些晚，我開始關心文字和語言，而看有關這方面的書時，竟發現了許多以往所不知道的事。譬如韓國文字是，李王朝的世宗皇帝於一四四六年，在「訓民正音」的名目下公布的，我一直認爲其成立過程，很有獨創性，而且是十全的合乎圖形構造的「標音文字」。

但專家卻說，在實際上韓國文字是，「得到漢字的暗示而發達起來的，與其橫寫，毋寧以直寫爲一般的習慣（當然也可以橫寫），更可以使用毛筆，因此自可把它看成漢字」。（

註一五）韓國文字既然是這樣，日本的「假名」和「平假名」文字，當然也可以把它當做漢字看待。

我更得知漢字在歷史上形成中國方言所扮演的重要角色。地理上的中國，據說擁有上百種的方言，這些方言，幾乎都具有「中國語圈內的外語」的性質。因此如果沒有漢字，既不可能溝通，中國更不可能統一。

是即那麼廣大的土地，其所以能夠保持統一，乃因爲雖聽不懂彼此的方言，但卻透過漢字這個文字符號而能夠溝通所導致。在這種意義上，作爲溝通之工具的漢字的發明，實在太重要了。（註一六）

經國先生對於文字的使用，非常用心。現在舉一個例子。他曾在江西贛南地區負責政治工作六年，當時給貧民免費吃粥的處所叫做「貧民施粥廠」，給貧民免費藥品的地方稱爲「施藥處」，但經國先生卻將其改名爲「平民食堂」和「平民醫療所」。他說，「施」、「貧」這種字眼不大好。（註一七）

不僅對於文字和措詞，蔣先生對於指導經國先生如何讀書也非常仔細和費心。譬如在一九二二年十月十三日，蔣先生給經國先生的信這樣寫著：（註一八）

「我明日由甬上起程，要到福建去了，你在上海，須要勤奮讀書；你的字還沒有什麼進步。每日早起，須要學草字一百個，楷書五十個，既要學像，又要學快。聞你所讀過的孟子，多已忘記了，為什麼這樣不當心呢？孟子須熟理重讀，論語亦要請王先生講解一遍，你再自習，總要以徹底明白書中的意義為止。你於中文如能懂得一部四書的意義，又能熟讀一冊左孟莊騷菁華，則以後作文就能自在了。每篇總要讀三百遍，那就不會忘記了。」

這封信還提到英文、算學的重要，以及用功的態度。一個普通的父親對兒子的感情，溢於言表。蔣先生的信很高興地又說：「你上半年沒有脫課，是最好的好處，我很喜歡，以後還要這樣才好。」（註一九）

以上我們談到，蔣先生欲以中國的古典把經國先生教育為典型的中國人，以窺悉經國先生父子的關係，而這種關係成為經國先生成長過程中的精神糧食，並一貫經國先生的生涯。的確，經國先生一直把乃父的教導奉為金科玉律，以鍛鍊自己，同時以此為榮。因此我非常羨慕這種父子關係。譬如經國先生四十歲生日時，蔣先生便以熟讀多年「孟子」「養氣」章所得十六字最後的句子「寓理帥氣」四個字相贈，以為紀念。（註二〇）

但這種父子關係，應該說是不幸，還是長遠地來看應該說是萬幸，一時中斷了。這對國家和他的家庭來講，意味著波折的連續。經國先生把當時的情況說成「動盪」。在國家方面，如所周知，中國共產黨與蘇聯共產黨的合作，在鮑羅廷的指導下，日趨鞏固，並抓住孫中山先生去世的機會，意圖分裂中國國民黨，俾奪取國民黨的領導權。

一九二五年六月十四日，胡漢民在廣州召集國民黨中央政治委員會議，於七月一日雖然成立了國民政府，惟因鮑羅廷的作戰奏效，擬爲操縱的人物汪精衛當選了國民政府主席。而且，自中國革命同盟會成立以來的實力者廖仲愷被暗殺，共黨分子將其暗殺的責任推給國民黨右派的重鎮，終於把胡漢民趕到蘇俄去。甚至於把當時的中國國民黨黨軍司令的蔣先生趕走。

在家庭方面，蔣家並不無問題。如前面說過，突然失去可敬的祖母，這對少年經國先生的人生，自是一種很大的考驗。加以父親爲革命東奔西走，因此與看家的母親，有時候在感情上發生齟齬是難免的。有的文章在說些從今日的倫理觀簡直不可能理解的事情。因而有些人認爲，其父母的感情並不好。這種事，對於感受性很强的十來歲的少年，自會有很大的影響。

國家的政治情勢和家庭的氣氛，似乎使經國少年不太熱中於學校的功課，而很想有所行動。十六歲的經國先生想學法文，以便到法國去。那時，經國先生好像這個也想做，那個也想試。

惟此時，革命形勢瀰漫全國，因此經國先生很想獻身革命軍。尤其他的父親是革命軍的最高負責人，所以他便利用暑假前往革命聖地的廣州，去晉見黃埔軍官學校校長的父親。

廣州的革命形勢，比所想像還要高漲。軍校牆壁上貼滿了「聯俄」、「與共黨合作」、「聯合工農」等標語。也有許多俄國人，他們說，俄國人才是中國人的真正朋友。他們更强調說，俄國已經沒有皇帝，工人和農民是俄國的主人翁。

但此時蔣先生並沒有同意經國少年的請求，而要他回北平去繼續讀書。在北平待機的時候，透過當時住在俄國大使館的中共頭子李大釗的介紹，而認識了許多俄國人。這些人鼓勵經國少年到俄國留學，而他自己也很想瞭解俄國的政治組織，因此準備留學莫斯科的孫逸仙大學。一九二五年十月，經國先生從上海前往蘇俄，動身前，他到上海市環龍路四十四號中國國民黨中央執行委員會上海執行部去宣誓，正式做了中國國民黨的黨員。十六歲的秋天，他成爲革命組織的一分子。

註釋

（註一）無名氏：「從剡溪到大溪」，民國七十七年二月十日台北「文訊」月刊社編「在每一分鐘的時光中」，七頁。

（註二）李元平撰：「平凡、平淡、平實的蔣經國先生」，日文版「人間蔣經國」編纂委員會編著「人間蔣經國」，世界日報社，一九八三年十月十日，四二——四三頁。

（註三）產經新聞社，改訂新版「蔣介石秘錄」，（上）三三六頁。

（註四）毛昭飛：「蔣家父子的兩位先生」，一九八九年四月一日，「傳記文學」，三七頁。
（註五）「蔣總統經國先生言論著述彙編」第四集，黎明文化事業股份有限公司，民國七十二年二月，台北，六六四頁。蔣經國著「我的父親」，新人物往來社，一九七五年二月四日，一五六頁。
（註六）前述，「蔣介石秘錄」（上），三三七頁。
（註七）前引「傳記文學」；蔣經國著，克來恩夫婦譯「在蘇聯的日子」，七四——七五頁。
（註八）前述，「蔣總統經國先生言論著述彙編」第四集，六六四頁。
（註九）「蔣總統經國先生言論著述彙編」第四集，六五七頁。
（註一〇）同右。
（註一一）同右。
（註一二）同右，六五八頁。
（註一三）同右。
（註一四）同右，日譯本，一四四頁。
（註一五）譬如鈴木修次著「漢字」。講談社現代新書，一九七八年二月，一八三頁。
（註一六）同右，五二頁。
（註一七）黃寄慈編「常言實錄」，民國四十八年五月九日，台北，二五頁。此外，也把「貧民產院」改爲「新生產院」，將「遊民教養所」易名爲「生活學校」，把「貧民食堂」改名「大同食堂」，將「貧民醫療所」改爲「大衆醫療所」，「養老院」改爲「百壽堂」。
（註一八）「蔣總統經國先生言論著述彙編」第四集，六七五頁。
（註一九）同右。
（註二〇）前述，「蔣總統經國先生言論著述彙編」第二集，五九八頁。這十六個字是「無聲無臭，惟虛惟微，至善至中，寓理帥氣」。秦孝儀故宮博物院院長說，所謂「寓理帥氣」是，大家心性中有理與氣，理即在自己心性之中，以理帶領氣，氣就不會浮囂，自然歸於至大至剛。因而「寓理帥氣」可以克服一切外來的橫逆，消滅一切紛歧的毒素思想。「無聲無臭」意味着天理，「惟虛惟微」是道心，「至善」指天理之至善，「至中」爲道心之至中。故「寓理帥氣」是至中之道心與至善之天理的意思。（根據陳鵬仁副主任委員譯）

第二章　在蘇聯的生活

——最悲慘但最豐富的經驗——

經國先生於一九二五年十月十九日從上海出發，經由海參崴前往莫斯科，在蘇俄住過幾個地方，然後又回到海參崴，並於一九三七年四月十九日，經由航路，歸抵杭州。在蘇聯，他前後生活了十二年。在這期間，可能是斷斷續續，以俄文寫日記，記錄他各種各樣的經驗。回到祖國，在溪口鎮經過七個月，以其日記爲基礎，用中文寫成了一本留俄回憶錄。（註一）。

它題名「在蘇聯的日子」。一九六三年，整理書架時，經國先生重新發現這本回憶錄。（註二）。

經國先生曾經令人把這本回憶錄譯成英文，但覺得不滿意，因此於一九六三年，請教他英文的美國中央情報局台北分處處長克萊恩夫人翻譯。翻譯完成印好以後，經國先生決定「

暫時不發表」，因而其一部分稿子，仍然留存在克萊恩夫人手裡。經國先生逝世以後，克萊恩夫人以經國先生和蔣中正先生都已經不在人間，而準備將其出版，但至今尚未見其問世。但其一部分摘要，已刊載於「聯合報」和「傳記文學」。本書擬根據這兩者所刊登的內容，以敍述經國先生在蘇聯的活動及其思想。（註三）

在前一章我們說過，經國先生於北京與住在蘇聯大使館的中國共產黨黨員李大釗有所接觸，更因爲李的介紹，而認識了不少俄國人。由這個事實我們可以知道，中國共產黨有這樣的政治企圖：當時勢力很小的中國共產黨，藉著蘇聯之手，一方面積極培養中國國民黨黨員成爲親蘇派，俾分化國民黨，另方面謀求擴大中共的政治勢力。而且，蘇聯也想盡辦法給予中共一切援助和支持。因此，令黃埔軍校蔣中正校長的大公子留學蘇聯，無論對中共和俄共來說，都是求之不得的事。並且，其本人也希望到蘇聯留學，所以這個政治企圖更容易掩蓋。

對於我以經國先生的留俄，背後有政治企圖的說法，也許有人以爲不然。但是，如後面所述，經國先生在莫斯科時受盡中共代表各種花樣的欺凌，以及在蘇聯期間，被捲入中共所編造「僞信」事件的漩渦等等看來，我們不能把爲「冰雪」所困的艱苦生活，視爲單純的被蘇聯强制的蘇聯留學。加以經國先生自己後來也寫得很清楚，蘇聯把他當做「人質」，因此，他的留學蘇聯，的確爲共產主義者利用爲其政治企圖的手段。（註四）

經國先生決心留學時，年僅十六，故對於中國國民黨與中國共產黨，以及由蘇聯派來的人之中，表面上充滿「友誼氣氛」的「政治環境」背後有陰謀，不可能了解。動身前，他曾經前往請教其母校海外補習學校校長吳稚暉先生，有關他擬留學蘇聯的意見。對於本來希望留學法國的經國先生，吳先生問說：「你到俄國去幹什麼？」（註五）經國先生答說：「革命去。」吳先生笑道：「革命就是造反，難道你不怕？」「不怕。」吳先生又說：「革命不是這麼簡單的！你再去考慮一下。」兩個星期後，經國先生決定前往俄國，並去向吳先生報告。吳先生見其赴俄意志堅決，便說：「你去試試也好，青年人多嘗試一次，都是好的。」臨走時，吳先生還送他到火車站，並祝福他一路平安。（註六）

經國先生從上海搭乘貨輪，船艙原是用於運家畜的，所以騷味很重，令人反胃，他幾乎要暈倒。當該輪停靠黃埔江五、六小時之時，他曾想回家。但看到許多同伴留在船上，而以「身爲黃埔軍校校長之子，如果我中途開溜，一定會引起嚴厲批評。爲此，我强制自己留在船上。」（註七）作爲蔣家哲嗣的自尊心，在赴俄之前，已經發揮無遺了。

在這條貨輪上，大約有九十名中國留學生，分成幾個小組，一起交談、學習、飲食。（註八）就經國先生來說，這種團體生活是完全新的生活方式，似乎也象徵著新的人生的開始。經國先生認爲這種生活方式有許多優點。（註九）當大家熱烈討論時，他便忘記船艙的臭味。在船上，他看過等於國民黨黨員的聖經，孫中山先生的「三民主義」，以及布哈林的

·經國先生留學俄國時與同學通電話留影。

「共產主義ABC」等許多書。「共產主義ABC」是經國先生所看的第一部共產主義思想書籍。（註一〇）船抵達海參崴之後，他們換乘火車，大約經過二十五天，於一九二五年十一月底的黃昏到達了莫斯科。

與「共產主義ABC」的接觸，雖然是一種偶然，但也是很特別的。因此，經國先生在其回憶錄「在蘇聯的日子」，便特地提到這件事。其著者布哈林，與蘇維埃政權誕生的同時，則擔任「真理報」的總編輯，十月革命時出任俄共中央委員和政治局委員。他尤以俄國共產黨綱領的起草者馳名，「共產主義ABC」就是根據共黨綱領，深入淺出地說明其內容，而成爲「正宗」的共產主義入門書。（註一一）在俄共黨內，他與列寧和史大林非常對立，而被抨擊爲「右翼機會主義者」，並於一九二九年，被開除黨籍。五年後，布哈林雖然恢復了黨籍，但還是被視爲托派，並於一九三八年，以叛亂罪而被處死刑。（註一二）

以布哈林的著作爲開端，經國先生逐漸對托洛茨基發生興趣。詳而言之，「碰巧我的觀點與托洛茨基的政治思想不謀而合，於是許多人認爲我是托洛茨基的同情者。事實上，他們的臆測是正確的。我開始與幾位中國同學研讀托洛茨基學派的秘密著作，對於托洛茨基要『以革命的火炬燒掉舊世界』尤感興趣。後來我越來越熱中托洛茨基學說，終至加入秘密學社。跟隨我的同學日多，並開始視我爲托派的領袖。」（註一三）

可惜，我們完全不知道此時經國先生究竟看了托洛茨基的那些著作。而且，經國先生到達莫斯科那一年的一月，托洛茨基已經被解除軍事人民委員的職務，並被降職去負責電氣、技術開發委員會和工業、科學技術委員會的工作；一九二六年十月，被趕出俄共中央委員會政治局；一九二七年，更失去中央委員的身分，其在中央的權力，實正在江河日下。一九二八年一月，他接到流放中俄國界之阿爾馬．阿達（Alma—Ata）的命令，次年且被驅出俄國。（註一四）在這種情況之下，對托洛斯基深感興趣，表示經國先生非常傾慕托洛茨基。這必然地意味著他不能認同史大林的思想和行動，同時對史大林也要有所反抗。而經國先生在俄國的苦難生活，實肇始於此。尤其屬於托派，勢必面臨史大林派亦即俄國政府和俄國共產黨冷酷無情的鎮壓。（註一五）

現在，我得對於布哈林和托洛茨基的關係，作些歷史性的交代。第一次大戰爆發後，俄國因爲革命而成立了布爾什維克政權，第二次蘇維埃大會，爲著早日收拾戰爭，呼籲不合併、不賠償的即時停戰，結果在布格河畔的布勒斯特．利特夫斯克（Brest—Litovsk）開始交涉停戰，並與德國單獨媾和。在這期間，布哈林等人主張徹底抗戰；托洛茨基表示「不戰爭，也不媾和」的態度；列寧的立場是要接受媾和條件，因此，三者之間有過極其激烈的辯論。布哈林曾經一時獲得俄共政治局的支持；俄共中央委員會和左翼社會革命黨的聯席會議也通過托洛茨基的方案；但最後還是決定了即使苛酷的條件也要接受列寧的提案。（註一六）

對於創建俄國勞農紅軍有過很大貢獻的軍事革命委員會委員長之托洛茨基的權勢，以喀琅斯塔得叛亂和處理轉移到新經濟政策的問題爲轉機，迅速開始下降，迨至列寧去世，托洛茨基更加孤立。而在以史大林的「一國社會主義論」和托洛茨基的「永久革命論」之對立爲背景以展開的新經濟政策上，布哈林與史大林合作，惟因史大林轉變到極左，布哈林被開刀，但布哈林得到托洛茨基的支持，最後史大林掌握獨裁權力，布哈林和托洛茨基終於分別被處死刑和暗殺。（註一七）亦即托洛茨基於一九二八年被流放國內，次年驅逐出境，一九三二年被剝奪國籍，一九四〇年在墨西哥被暗殺。

經國先生於一九二八年一月，因托洛茨基被流放到阿爾馬·阿達，更因爲同學的勸告，曾經表明脫離托派。理由是，當時經國先生對於托洛茨基的基本理論並不十分熟悉，同時在中共嚴格監視之下，政治活動不如以前那麼自由。（註一八）現在，我們來看看經國先生到達莫斯科，進入孫逸仙大學時候的情形。

當時與經國先生一起到達莫斯科的中國留學生，大多是國民黨黨員，其中一些人是受中共影響的。那時候，莫斯科有中國共產黨支部，對其黨員監督嚴格，他們的活動要受其指揮，生活樸素，也很有規律。經國先生抵達莫斯科幾個星期之後，對其活動感覺有趣，而加入了所謂「共產主義青年團」。（註一九）

這說明了經國先生性格的直情行徑和年輕人的衝勁。如前面所說，留俄之前，他已經加入了中國國民黨，所以他這種作法是很大膽的。不過從歷史上來看，在「聯俄容共」的風潮瀰滿中國的那個時代，那麼嚴格地分清楚中國國民黨和中國共產黨，也許沒有太大的意義。事實上，在一九二二年一月，召開於莫斯科的遠東民族會議，列寧和中共代表張國燾談過中國共產黨與中國國民黨的「合作問題」，中共二中大會通過國共的「聯合戰線」及其方針，該年孫中山應陳獨秀之請求，答應中共黨員以個人身分參加中國國民黨。中共總書記陳獨秀，且被指定爲中國國民黨改造起草委員會的委員。（註二〇）中共甚至於造謠，黃埔軍校校長蔣中正加入了共產黨，以利拉攏黃埔軍校學生參加共黨。（註二一）

孫逸仙大學可以說是所謂「聯俄容共」時代的產物。中國共產黨一直意圖掌握中國國民黨的領導權，因此於一九二五年三月十二日，中國國民黨的領袖孫中山逝世時，認爲這是最好的機會。而俄國則一方面指導中共，另方面爲使情勢有利於中共，遂在莫斯科的阿羅罕街創立紀念孫中山的「孫逸仙大學」（以下簡稱孫大）。在此以前，俄國爲培養各國的共黨勢力，史大林於一九二〇年以後創辦「東方勞動大學」（以下簡稱東大），以專門訓練亞洲各國派來的工作幹部，這所「大學」，不僅亞洲國家，連歐洲和美國，也派有留學生。（註二二）而瞿秋白、張太雷等中共的領導者，便在此受過教育。（註二三）

「孫大」和「東大」皆直屬於俄國共產黨國際部，其教育方針和內容是相同的，只是後者的學生，比前者多而已。授課內容，包括唯物史觀、政治經濟、西方革命史、俄國革命

史、社會形態發展史等等。（註二四）

進「孫大」以後，爲學習俄文，據說經國先生曾經費了好大心血，惟年紀尚輕，所以在短期內便有很大進步。因此，入學不到一年，則應邀對三千聽衆，以俄文演講「中國北伐的目的及其最後的成功」，一星期後又對三千五百鐵路工人演說「偉大的孫中山先生」，獲得熱烈的歡迎，而且常常去演講。（註二五）

他的演講之所以如此順利，也許因爲他是蔣中正將軍的公子而佔了些便宜，但最主要的還是由於他個人的魅力和積極性所導致。他對於俄國人的這種安排，從沒懷疑過他們的動機。著實，十七歲的少年，是不可能去懷疑俄國人的企圖的。

「孫大」的校長是經國先生的中國史老師芮德克（有人將其譯爲拉迪克——譯者），他對中國的種種問題很熱中，下課後時常與經國先生討論。他是托派的領導者之一。可能因爲跟他接觸，才使經國先生醉心於托洛茨基。芮德克對經國先生說，「要做一位年輕的革命志士，首先你得勇敢。其次，你必須苦幹，積極進取。……第三，你永遠都不得屈服或退却。托洛茨基是位勇武的革命志士典範。」（註二六）日後，經國先生在贛南訓練中國國民黨黨員時，就非常强調芮德克所說的這些條件。儘管思想不同，但在俄國和中國，對於革命鬥士所要求者都是一樣的。

經國先生在「孫大」念了兩年多，於一九二七年四月畢業。包括經國先生一起畢業的同學們曾向俄國當局要求回國，但沒有得到許可。俄共說：「讓蔣經國回國，他一定會成爲蔣介石的得力助手。所以我們要他留在蘇聯。」（註二七）

因爲大約一年以前，率領十萬國民革命軍的蔣中正總司令，已經開始北伐，並發表了「革命戰爭之目的，在造成獨立之國家，以三民主義爲基礎，維護國家及人民之利益」的北伐宣言。（註二八）革命軍勢如破竹北上，收復了武昌、上海、南京，但中共卻處處破壞，並在南昌發動暴動，於是國共關係，宣告破裂。「聯俄容共」政策，至此完全告吹。

隨中國國內情勢對中共不利，被留在俄國的經國先生也隨之逐漸失去自由。譬如從前經過檢查後可與親友通信，但現在卻被禁止。（註二九）一再地請求回國，但都被拒絕。失望之餘，經國先生申請加入蘇聯紅軍，並獲准被派駐莫斯科的第一師，首次過起軍人生涯。（註三〇）

一九二八年，蘇聯政府保送經國先生進列寧格勒的中央軍事政治研究學院。該學院規定須學習三年課程。（註三一）惟該學院內部規定學生必須是共產黨黨員，所以非黨員的他，不能參加他們的各種會議。這使經國先生感覺非常孤立。（註三二）加以不知道經國先生知悉與否，此時蘇聯與中華民國之間發生了很嚴重的國際關係，那就是「中東路事件」。

一九二九年五月二十七日，在哈爾濱蘇聯領事館舉行過第三國際的秘密會議，得悉它的東三省北部特警管理局遂派遣部隊，前往突襲蘇聯領事館，扣押了其秘密文件，並逮捕了中

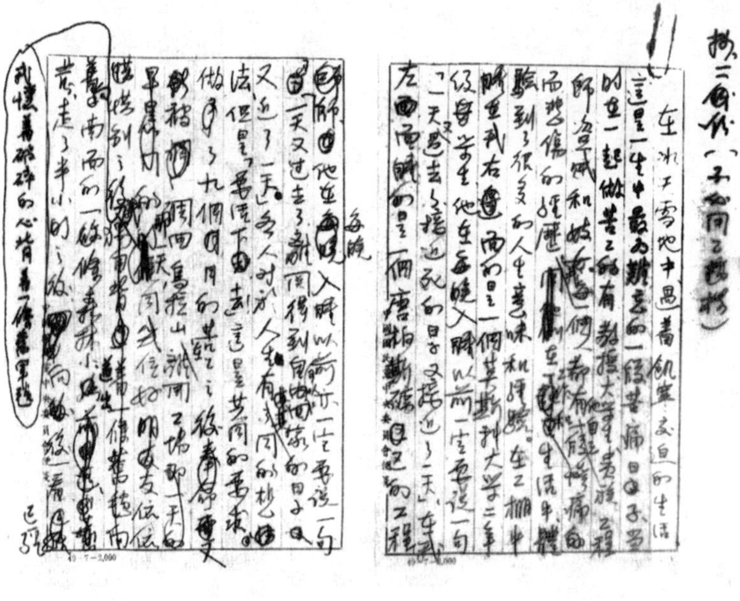

・經國先生回憶在蘇俄那段困苦歲月的生活，撰寫的「留俄回憶」原稿其中兩頁。

共和俄共黨員三十九人。七月十日，為收回中東路，中國當局把俄國人和共產主義者統統趕走。因此，蘇聯遂於七月十八日，對中國斷絕邦交。二十日，出於軍事攻勢。在十一月以前，竟佔領了松花江岸的綏濱、同江、富錦、臚濱和海拉爾等地。（註三三）同年十二月二十二日，成立了「伯力議定書」。（註三四）十二月二十五日，蔣中正先生伉儷回到奉化，祭拜王太夫人墓。三十一日，經國先生母親，提出有沒有什麼辦法能使經國先生從蘇聯回來的問題。對此蔣中正先生答說：（註三五）

「余為國何能顧家，惟無以對先慈愛孫之心耳，雖然，排除赤化，保障國本，亦足以慰先慈於地下矣，伯力紀錄，無異亡國，余寧犧牲一切，雖至滅種，亦誓不承認也。」

經國先生每年參加中央軍事政治研究學院之長達兩個月的大規模野戰演習，完成師和野戰軍團作戰計畫的訓練，仔細研究游擊戰，特別是發動顛覆攻擊和反顛覆攻擊。他還寫了一篇主題「游擊戰戰術」的論文，以測試他自己的學養。在中央軍事政治研究學院，他不但鑽研軍事學，而且研究政治學、經濟學、哲學和唯物辯證法。（註三六）

一九三〇年五月，由軍事政治研究學院畢業以後，經國先生再度要求回國，否則派往軍中實習，但均未獲准。（註三七）迨至六月，經國先生終於被派往前稱孫逸仙大學的列寧大學，擔任中國學生訪問團的助理團長，前往高加索和烏克蘭參觀，並兼任翻譯。（註三八）

前面我們說過，經國先生於一九二八年脫離了托派的團體，但在中央軍事政治研究學院的肄業期間，中共派在莫斯科的代表團卻向蘇聯政府誣告經國先生所參加的「江浙同鄉會」是秘密的反革命團體，說它是受蔣介石指示所成立的組織，在資金上得到蔣某的援助。其目的要蘇聯政府逮捕經國先生，但皆未得逞。（註三九）因此，中共代表發現經國先生寫給其父親的兩封信時，尤感興奮。（註四〇）

這個事件有如下的經緯。則從一九二七年六月至次年八月，經國先生幾乎每隔一、兩天就給其父親寫信，但這些信他自己讀了二、三遍之後，都全毀了。中共代表交給共產國際的那兩封信是，他的同班同學從當時還在經國先生手裡拿走的；這兩封信所寫的是異鄉之情，和對過去荒唐的自責。可是，中共的代表卻利用談及私事的信件，作爲要求蘇聯政府逮捕經國先生的口實。惟由於蘇聯政府没有採納這種愚蠢的行爲，所以中共的代表對經國先生更加懷恨和壓迫。（註四一）

逐漸熟悉於在列寧大學的新工作時，經國先生突然發燒病倒了。在無親朋戚友，而且嚴密被監視的孤立狀況中，病倒的經國先生的苦難，實不言而喻。此次生病，對他在心理上是很大的壓力。通常，一個人生病，沒人照顧孤單過日時，他必然會正視自己。在這個過程中，他大為成長，並克服了他的孤立感和恢復了他的體力。而當他能夠起床時，他又面臨了新的挑戰。即那年十月，他接到新工作的命令。工作地點是莫斯科郊外的狄拿馬電氣工廠，是當學徒。（註四二）

無需說，從大學調到工廠，是由精神（頭腦）勞動轉到肉體勞動，套用共產黨術語，就是「勞動改造」。他們認為，「勞動改造」他，比他照顧中國留學生使其成為親蘇派的工作更重要。而由此，我們也可以窺悉中共之如何欺壓經國先生的一斑。

在狄拿馬電氣工廠的工作，是經國先生從未經驗過而極其苛酷的工作。疾病剛好，突然被派到工廠去當學徒，加以沒有選擇職業的自由，又不能回國，所以如非自己想得開，他的生活必將趨於崩潰。因此經國先生決心無論什麼工作，他都一定要把它做好。但學徒的工資很低，如不另想辦法，勢必挨餓。同時他也很想繼續他的研究。於是經國先生想出如下的辦法：要學為工廠工作所不可或缺的「工學」，它對達成任務有所幫助，所以決定去上夜校。又為著彌補其收入低，他準備抓住機會在工廠內教「軍事學」。這是一舉兩得的辦法。

工人要從上午八時工作到下午五時，中飯時間為一小時，經國先生工作兩天，手就腫起來，腰痠背痛。此時，經國先生決心克服這種痛苦和虛弱的身體，而振作起來。結果，不僅能夠用上他的工學知識，而且又改善了工廠的技術。由此，他的收入大為增加，在工廠內的

聲譽提高，經過一年左右，因爲管理部門的建議，於一九三一年，經國先生被調升爲主管生產管制委員會的副主任。（註四三）

但是，調升副主任的建議，因爲中共代表陳紹禹的反對，而一直沒有奉准，因此經國先生仍然繼續做勞工。一九三一年十月，列寧大學（經國先生住在該大學宿舍裡）掀起了一場政治風波，經國先生在一次會議中公開抨擊陳紹禹。結果共產國際的幹部要他離開莫斯科到西伯利亞阿爾泰的採礦工廠去做工。經國先生以健康上的理由，而向俄國共產黨總部申訴，請求不要把他調到北方去。俄共批准了他的請求，因而非常高興，但陳紹禹卻不顧他的願望，表示反對，於是不得不離開莫斯科。（註四四）

一九三一年十一月，經國先生被派到莫斯科區最落後的鄉村謝可夫。當時，俄國政府正要推行集體農場政策，經國先生在此並沒有擔任特別任務，而只是做一個普通的勞工。這個鄉村的農民，教育水準很低，態度也極其惡劣。經國先生到達謝可夫的頭一天，他們把他當做一個外國人，因此沒人給他地方睡，所以經國先生衹有睡在一所教堂的倉庫裡。（註四五）

第二天早晨，經國先生一起來就到田裏。農民們嘲弄他說：「瞧，這裏來了一個人，他只知道享受麵包，不知道怎樣犁田！」他們給他一匹馬和一些種田的工具。經國先生原以爲犁田很難，但後來發現並沒有所想像那麼困難。但那一天，經國先生沒有騰出時間去吃飯，而一直工作到太陽快要下山。回到倉庫的時候，他覺得很累，渾身疼痛，祇吃一點東西就上床睡覺。不到四小時，天便亮了，雖然身體疼得更厲害，但經國先生照樣起床下田去。（註四六）

經國先生每天這樣做，到第五天，他的表現終於激起了農民們的同情，因而隔天他們便邀請他參加他們的聚會。十天之內，他們就推選經國先生爲他們的代表，去跟鎮上的組織商洽貸款，稅負和農耕工具的採購等問題，爲他們解決了不少問題。幾個月之後，經國先生普遍獲得大家尊敬，並當選農村蘇維埃副主席，因主席臥病，因此由他負實際責任。他利用一切機會學習農村生活的環境，透過實際上的接觸和仔細的觀察，習得經國先生認爲日後對他價值非凡的知識。（註四七）

惟因過度勞累，經國先生終於病倒，而臥病床上一個月。（註四八）爾後經國先生不得不離開謝可夫農村，臨走那一天，全村農民皆來送行，居停女主人八十歲的沙弗亞老農婦揮淚而別。（註四九）日語裡頭有「地獄見佛」這句話（則危難時得到意外救助的意思——譯者），而沙弗亞老農婦的出現，就經國先生來說便是「佛」。他們的邂逅，乃是日後經國先生在台灣，上百次地到農村去視察的主要原因。而他的平易近人，更是爲什麼經國先生那麼受到人民愛戴的最大理由。經國先生與台灣「十一位朋友」的故事，在日本知道的人很少，十一位當中我見過兩位，故我很能瞭解經國先生與沙弗亞老農婦邂逅的意義。關於台灣這十

一位老朋友的故事，我準備在本書後半來敍述，在這裡我只介紹其文獻。（註五〇）

關於沙弗亞老農婦，還有後日譚。經國先生在農村，幫助農民耕種，修理農具。他住在沙弗亞老農婦家裡，老農婦很照顧他，十個月後，他離開了農村。第二年夏天，經國先生回到農村去看老農婦，可是老農婦已於兩個月前死了，因此經國先生在田裡採了許多野花，編成花圈，在老農婦墳墓前追悼，並痛哭了一場。（註五一）

迨至一九三二年十一月，經國先生又面臨了新的考驗。如所周知，在這一年，日本陸軍佔領了錦州，日本海軍陸戰隊在上海開火，日軍在中國大陸積極開始軍事行動，同時承認「滿洲國」，公布李頓報告書，中共「蘇維埃政府」對日本「宣戰」，中俄恢復邦交，並發表宣言。但俄國政府仍然束縛經國先生的自由。這可能由於六月十日國民政府決定第四次剿匪作戰，逐漸被包圍和窮追的中共期待俄國對國民政府行使影響力所致。事實上，中共駐莫斯科的代表，一直要求俄國政府對經國先生採取更嚴厲的態度。

中共堅持要把經國先生調離莫斯科。陳紹禹認爲，讓他留在莫斯科是非常危險的，因爲莫斯科是蘇聯政治活動的中心。因此陳紹禹以密函建議俄共總部：「最好把蔣經國送到距莫斯科幾千里的西伯利亞雅庫特或阿爾泰，在當地金礦工作，但絕不要讓他到遠東去。」惟因同情經國先生處境的華僑很多，如果他留在莫斯科，蘇聯耽心經國先生會煽起不利於陳紹禹的運動，同時他們對陳紹禹還不錯，於是告訴經國先生說：「我們希望你繼續在莫斯科求

學，不過，因爲你與中共代表團不和，爲了你本身的利益，你最好離開這裏。你可以隨意選擇去那裏，我們都會送你去。」（註五二）

於是他們決定要把經國先生送到烏拉山嶺司佛而達夫斯基去。可是經國先生又生病，因而臥病待命。（註五三）一九三三年一月，病癒，在前往司佛而達夫斯基的工廠以前，他暫時被送到阿爾泰山脈的金礦去做工。結果照中共的意思實現了，但這不是單純地換了一個工作地點而已。它們有天淵之別。因爲嚴寒的西伯利亞之旅，意味著一個人的死。嚴冬的西伯利亞之行，名符其實地要置身「冰天雪地」，其困苦是無法以筆墨來形容的。名義上雖然說是「參加生產勞動」，實際上是在「集中營」做苦工。在這個金礦一起做苦工的，還有教授、學生、貴族、工程師、富農和强盜。他們都是莫名其妙地被放逐到此地，並且每個人都做同樣的工作。（註五四）

在冰天雪地重度饑寒交迫之生活的經國先生，在肉體上固然極其痛苦，但相反地，在精神上的鍛鍊卻有過很大的幫助。十六歲時離鄉背井，在異國的迫害日甚一日，此時二十四歲的經國先生忍耐下去了。在阿爾泰金礦的九個月生活，可能是經國先生生涯中最困苦而艱難的日子。生活雖然那麼艱苦，但由阿爾泰要調到烏拉時，他對於留下來的人們卻依依不捨。

一九三三年九月，經國先生被調到司佛而達夫斯基的烏拉山重工業機器製造廠，起初做伐木苦工。（註五五）但在這裡值得我們注目的是，如下一章所詳說，此時，蔣中正委員長

・經國先生在烏拉山重工業機器製造廠服務時與方良女士合影。

所指揮的第五次剿匪作戰，已完成其一切準備，並於十月十六日開始圍剿，包圍瑞金的政府軍攻勢，一刻一刻地展開著對共軍的殲滅戰。次年秋天，中共放棄瑞金，向湖南流竄。中共此種劣勢所導致中國政治環境的變化，自會影響中蘇關係，從而影響俄國對經國先生的態度。

經國先生後來由伐木工人改任副技術師，並進工程夜校讀書。（註五六）但在此地，仍受蘇俄內政部偵探監視，甚爲嚴密，行動毫無自由。（註五七）經國先生自到此地工作以後，一直待在工廠內，遠離政治活動，與共產國際的關係幾乎完全斷絕。（註五八）兩年後，經國先生出任該廠副廠長，並兼任該地「重工業日報」之主筆。（註五九）

經國先生在蘇聯的生活當中，從一九三四到三五年可以說是最正常的。但對於經國先生，仍然面臨可怕的考驗。此時俄國內政部派人監視著他，該年十二月，該部代表立失托夫對經國先生說：「中國政府要求放你回去，可是我們不想放你回去」。（註六〇）以俄國內務部的這個意思爲王牌，陳紹禹便變本加厲地以更積極、直接而具體的方法來整經國先生。「僞信事件」於焉發生。

一九三四年，陳紹禹打電報要經國先生即時前往莫斯科。經國先生一到，陳紹禹便告訴他說：「你父親聽說你已回到中國。他在上海等地的報紙上宣稱：他要逮捕你。」經國先生

問陳紹禹要報紙看，他答說：「這只是我們從中國得到的消息，這兒那來的報紙？」（註六一）

經過兩個月以後，亦即自一九三四年八月到十一月之間，經國先生突然被交給俄國內政部，並予以密切的監視。在這三個月之中，經國先生每天除往來於工廠與宿舍之間外，那裡也沒去過，更不要說訪問朋友。一九三四年十二月，密切監視告一個段落。內政部烏拉山分部主任李希托把經國先生叫到他的辦公室並說：「中國政府要我把你送回去。」經國先生一聽，很是高興，但他卻轉話頭說：「當然決定權在我們。我現在要你寫份聲明給外交部，告訴他們說你不願意回中國。」經國先生拒絕寫這種聲明。

一個月後的一九三五年一月，國際共產黨要經國先生前往莫斯科。此時陳紹禹對他說：「中國謠傳你已在蘇聯遭到逮捕。你該寫封信告訴你母親，你在此間工作，完全自由。」經國先生欣然接受他的建議，因爲經國先生覺得他可以與闊別十年毫無音訊的家人通信了。但經國先生高興得太早了，因爲陳紹禹馬上又加了一句：「我們怕你的中文忘得差不多了，所以我們幫你擬了份草稿。」（註六三）

經國先生看了他們代寫的所謂家書，信中所寫者完全不是經國先生想寫的，因而他拒絕簽字。由於雙方意見僵持不下，他們遂找經國先生的一位朋友來勸解經國先生說：「如果你同意他們代寫家書，你將來或還有機會被送回中國；否則，可能有各種不實的指控扣到你頭

上，你的生命隨時會有危險。」（註六四）

面臨如此重大的壓力，到了第四天，經國先生終於屈服了。經國先生同意他們代擬的家信，但最後加上如下文字的條件：「如果你們想看我，請前往西歐，我們在那兒見面。」（註六五）隔日，經國先生把信交給內政部長，並告訴他此信是如何被迫寫成的，他告訴經國先生說，他也認爲這件事情處理不當。他與陳紹禹商量後，建議把這封信銷毀。（註六六）

後來陳紹禹同意經國先生另外寫。因此，此信與第一封信的內容完全不同，但經國先生對於希望回國事，隻字未提。寫完信後，經國先生要求陳紹禹把第一封信還給他，但陳紹禹卻說：「銷毀了。」經國先生懷疑其中或許有詐，後來發現他果然撒了謊。原來，他已把第一封信寄回國內去了。（註六七）

關於這個僞信事件，根據經國先生的日記「在蘇聯的日子」的記載，乃是不折不扣的中共代表陳紹禹以威迫和欺詐所導演之違反人道的事件。亦即中共所發表的信是，應該早已「燒掉」的那封信，不是經國先生親自寫的。

如果他們發表的是第二封信，此信既然是經國先生所寫，即使被迫的，其內容雖然不得而知，應該還算是經國先生的意思，因爲在第二封信，經國先生故意不提「希望回國」事，而經國先生之所以這樣做，自有經國先生的意圖。進一步來說，當時，經國先生或許覺得他也許不能回國。不過此時，卻有一種希望支持著經國先生的生活，那就是兩個月以後，他將

·民國二十六年經國先生伉儷由俄返國後合影。

與方良女士結婚了。（註六八）

僞信的日期爲一九三五年一月二十三日，但蘇聯「真理報」却把它寫成一九三六年一月，「紐約時報」爲一九三六年二月十二日，日期各不相同。（註六九）但無論如何一九三五年一月二十三日所刊登的信是中文的翻譯，而從前面所述，我們可以知道此信的原文應該是中文。由於這封信是瞭解該年中國重要人物之動靜的重要資料之一，所以中國共產黨史便把它當做重要史料，予以刊載。（註七〇）

這封僞信的內容，非常令人驚訝。尤其與後面所引用陳紹禹在別處發表的報告內容比較，更是顯然。僞信這樣說道：

「蘇聯是世界上最重禮節和最文明的國家，我以住在蘇聯爲非常光榮，蘇聯是我們的祖國，我以我的祖國蘇聯在各方面各部門連破紀錄感覺非常光榮和歡喜，我的祖國蘇聯正在打擊和消滅發展途上的一切障礙，我的祖國蘇聯是一座燈塔，它照著在巨大風浪之海上全世界被壓迫人民鬥爭和勝利的大道，因此我的祖國爲仇敵所憎恨，仇敵更以各種方法和謠言誣蔑蘇維埃國家，我希望一切的人斷斷乎站在革命陣地，鞏固社會主義和全世界無產階級的組織，爭取中國的獨立，爭取在全中國建立蘇維埃政權。」（註七一）

以上所引述開頭的部分，簡直是噴飯，而如後面所說，因爲是宣傳，因此其文字之好壞，暫且不談，確是忠於其目的的作文，而這封信的作者陳紹禹於九一八事變後，對第三國際所寫有關中共的報告：「中共是中國反帝、土地改革唯一的領袖」（刊於一九三四年十二月三十一日的「起來」）一文的下面一節，可以告訴我們陳紹禹寫這封信的意圖在那裡。我們要知道，這封僞信與這分報告幾乎寫於同時。陳紹禹的報告說：

「首先我們要指出，中國革命運動中的一切成績，在其過去更布爾什維克化，政治上組織上更强化、發展具有密切的聯繫。……中國共產黨在其中央領導下，中央毫無動搖且忠實地執行在共產國際指導下所決定的政治總方針，並表現在爲達到既定的目的，不怕任何困難和煩瑣上面。……在無產階級統一的指導下，要打倒帝國主義及其走狗（國民黨、滿洲國政府及一切軍閥官僚）爲在中國樹立全國的蘇維埃式革命工農的民主專制而鬥爭。……爲此即使國民黨、社會民主黨托派、國家主義派等對我們的口號散布反對的謠言，中傷和作武斷的宣傳……我們還是要徹底實行自己的政治方針和基本策略與口號。……『暴露國民黨是出賣民族的政權』……關於我們粉碎國民黨的第五次圍剿以獲得的偉大勝利，我們已經在其他論文說過。」（註七二）

從以上所述，我們可以知道，中共完全在俄國指導之下，誣蔑國民黨為帝國主義的「走狗」，表明要為打倒國民黨和社會民主黨托派而鬥爭，經國先生又說他自己是托派的一分子，因此必然地成為陳紹禹徹底打擊的對象。而且他們已經開始迫害和抹殺托派，所以經國先生的朋友勸他寫信，否則有生命危險是有根據的。又經國先生瞭解這一點，因而才與對方妥協。尤其值得注目的是，陳紹禹以國民政府軍第五次圍剿失敗為中共的「偉大勝利」。他在其所寫偽信中說：「蔣介石在帝國主義援助下前後六次組織『圍剿』，企圖撲滅中國蘇維埃政府」。（註七三）

陳紹禹更於自一九三五年七月二十五日至八月二十日舉行的共產國際大會，當選為共產國際執行委員兼書記處候補書記，但他在其演說中所作對蔣中正先生的批評，與偽信中以經國先生的話批評蔣中正先生的手法，完全同出一轍。陳紹禹在共產國際演講說：「共產主義者從祖國舊傳統和文化中繼承一切好的和有價值的東西，同時我必須說明共產主義者創建新而更高更美的文化和道德以及理解此種道德和倫理的見解與關係」，他更強調：「我們必須讓大家知道孫文是共產主義者，並告訴大家蔣介石和汪精衛等孫文的徒弟不但是對祖國和同胞可惡的犯罪者，而且是孫文遺囑和學說卑鄙的背叛者。」（註七四）而陳紹禹在那封偽信中則說：「據聞蔣介石在宣傳孔子有關孝悌和禮義廉恥的學說。……（他是）賣國、辱國的政府領袖，並屠殺反對帝國主義統治和圖謀中國民族之解放的英雄。這是嘴吧掛著『禮義廉恥』者的真面目。當我寫這幾行時，我便不禁拳頭硬起來，胸膛湧上對仇敵的忿怒和痛恨，痛感這種仇敵必須即時驅除。」（註七五）

要以何種標準理解史大林主義者陳紹禹，厚臉皮地膽敢冒用「道德和倫理」這幾個字眼的這個事實，和脅迫經國先生，以欺詐方法發表僞信之間的矛盾是個問題。但我認爲，從今日在俄國對史大林的批判，我們可以得到其答案。一旦被傷害的名譽和個人自由是無法挽回的。因此，這個問題應該分析日後經國先生的思想和行動，基於對經國先生絕對的信任，作爲一個最「悲慘的經驗」，而把它記錄下來。我們既以對經國先生的特殊感情爲出發點，自當相信「在蘇聯的日子」所寫的事實，並予陳紹禹以最嚴厲的抨擊。

與發生這個僞信事件的同時，經國先生亦開始其新的家庭生活，一九三五年十二月，長公子孝文問世，至此，經國先生似始走上普通人的道路。但經國先生畢竟不是普通的人，而具有極其特殊的命運。不知何故，旋即發生被剝奪其工作的事件。亦即於次（一九三六）年九月，經國先生被免去「重工業日報」總編輯，和烏拉山重工業機器製造廠的助理廠長。同時亦失去共產黨候補黨員的資格，不能參加黨內的集會。（註七六）因此一家三口的生活，祇有依靠其夫人方良女士的工資。（註七七）

爲什麼這樣，這是我個人的推測，可能與西安事變前國際和中國的情勢有關係。亦即中共的「東征抗日」宣言（二月二十一日插足山西）及其戰術上的失敗（五月三日撤退到陝西）、「五．五通電」和發表「給中國國民黨公開信」（八月二十五日）、毛澤東的「殺蔣抗日」（十二月十二日）、史大林指示中共「採取聯蔣抗日政策，十天以內釋放蔣介石」（十二月十四日）等這一連串的事實，促其出現決定令經國先生回國的局面。而經國先生的被免職便發生在這過程之中。（註七八）

一九三六年，中共的命運，危在旦夕，俄共似傾向於非常期待蔣委員長的政治本領，而在慎重考慮何時將人質蔣經國送回中國最爲適當。

得悉發生西安事變的經國先生，以絕望的心情給其父母寫信，同時也寫信給共產國際主席和史大林，要求離開蘇俄。（註七九）不到三個星期，共產國際要經國先生前往莫斯科。其代表說將很快地送經國先生回國，但經國先生必須以書面聲明保證回到中國以後，絕不反對中國共產黨或者附和托派。（註八〇）但經過一段時間，還是沒有消息，因此經國先生又寫信給史大林要求回國，一星期後，俄國外交部副部長史迪曼尼可夫對經國先生說：「中國政府要求我們將你送回，蘇聯政府現在認爲在南京的中國政府和蔣委員長是友好的，所以我們願意接受朋友的這項請求，把你送回中國，你覺得如何？」經國先生當然立刻答應要回國。（註八一）

經國先生要離開莫斯科那一天，共產國際主席迪米塔洛夫邀請經國先生去他家裡，並對

・民國二十六年三月，經國先生伉儷離俄返國時與我駐俄人員合影。

經國先生說：「現在我們都認爲『以蘇維埃化來拯救中國』是錯誤的。請告訴令尊說共產黨絕對有誠心要與國民黨團結一致。我們都深明蔣介石是最能幹的戰略家，傑出的政治家和中國最偉大的領袖，請向他轉達我誠摯的祝福。」（註八二）

經國先生於一九三七年三月二十五日，攜眷告別莫斯科，經由海參崴，於四月十九日回到杭州。這是他二十八歲那年春天的事情。留俄十二年，歷盡滄桑，在精神上和肉體上吃盡苦頭，洞悉共產主義者之表面和內幕的經國先生，終於重踏了自己祖國的國土。經國先生之歡欣鼓舞，自不待煩言。回到夢裡常出現的母親懷抱，經國先生以淚相對。

長達十二年的人質生活，確是很難得的經驗，這是他自我挑戰的機會。失去的青春雖然不復返，但他卻獲得了能夠挽回其所失去青春以上的寶貴體驗，因此這可以說是他要走上强有力、充滿人情味且與人民站在一起的領導者之路的準備期間。

註釋

（註一）前述「在蘇聯的日子」，「傳記文學」，第五十四卷，第四期，七四頁。「蔣總統經國先生哀思錄」第三編，「蔣總統經國先生年表」，七九一頁。在一九三七年三月二十五日說，他曾撰寫「冰天雪地」與「去國十二年」兩書，但我尚未看過。我不知道此兩書與「在蘇聯的日子」有什麼關係。

（註二）前述「在蘇聯的日子」，七四頁。

（註三）前美國情報局台北分處處長克萊恩，目前是美國喬治城大學國際戰略研究中心的研究員，經國先生逝世後，曾在「台灣日報」（一月十八日）發表過「經國先生的遠見」一文。此文收於「蔣總統經國先生哀思錄」第二編。

（註四）前述，「在蘇聯的日子」，七四頁。

（註五）前述，「在蘇聯的日子」，七三頁。

（註六）前述「蔣總統經國先生言論著述彙編」第三集，「民國四十二年十二月七日追憶吳稚暉先生」，四〇八——四〇九頁。

（註七）前述，「在蘇聯的日子」，七五頁。

（註八）王覺源著：「留俄回憶錄」，三民書局，民國五十八年九月，一八頁。它說同行的中國留學生爲二十二人。江南著「蔣經國傳」也引用此書。但此書裡頭沒有蔣經國的名字，它衹提到「馮玉祥之一女一子」，即馮宏國和馮弗能。若是，此書應該提及蔣經國才對。因此王覺源一行之中，可能沒有蔣經國。故我還是根據「在蘇聯的日子」的記載。

（註九）同右。

（註一〇）布哈林的「共產主義ABC」是與布列奧布拉真斯基的合著。

（註一一）布哈林、布列奥布拉真斯基合著，足利一夫譯「共產主義のABC」，第一分冊，共和社，昭和二十一年七月。其序文說：「此書以綱領原文同樣順序，以安排其解說」，其本文則說：「現實一改變，綱領不可能不變。冬天裡我們要穿大衣。盛夏，除瘋子，是不會有穿大衣的。政治的道理也完全一樣。……」以非常深入淺出的方法介紹共產主義思想是它的特色。

（註一二）外川繼男著：「ロシアとソ連邦」，講談社，昭和五十三年四月，請參考三三一——三四三頁。爲掌握權力，史大林首先拉攏右派，打倒左派，然後鎮壓右派。對於托洛茨基的打擊是，首先於一九二五年一月解除其陸海軍人民委員會委員職務，爾後開除其黨籍，並驅出俄國，最後於一九四〇年派人在墨西哥將其暗殺。在這期間，史大林與其形成三頭政治的左派分子季諾維也夫和卡夫清算布哈林，並於一九三八年將其槍斃。據估計，被史大林處死者有二、三百萬人，被捕者達一千萬到一千五百萬人。

（註一三）前述，「在蘇聯的日子」，七五頁。

（註一四）請參閱菊地昌典著：「トロツキー」（托洛茨基），講談社，昭和五十六年十二月，書末托洛茨基年表。

（註一五）前述，「在蘇聯的日子」，七六頁。經國先生的一個同學以其爲托派而被捕。學校當局爲平息此種風潮，曾經請史大林前去演講，因而史大林以「托派的錯誤」爲題作了一次演講。這是經國先生首次看到史大林。經國先生聽了他的演講之後，不但沒有改變他的想法，而且繼續從事反史大林的活動。

（註一六）前述，「ロシアとソ連邦」（俄羅斯與蘇聯），三一四——三一五頁。

（註一七）前述，「托洛茨基」，一〇〇——一〇一頁。

（註一八）前述，「在蘇聯的日子」，七六頁。

（註一九）同右，七五頁。但此時，經國先生並沒有成爲正式的共產黨員，因爲要做正式的共產黨黨員，不是那麼簡單。所以他似乎羨慕正式共黨黨員的生活，而以非黨員的身分參加共黨團體的活動。

（註二〇）「蔣介石秘錄」（上），三七一——三七三頁。在海外的中共黨員也可以參加國民黨支部。一九二三年七月，當時屬於法國「共產主義青年團」的周恩來，也與其他中共黨員集體地加入了中國國民黨駐法國支部。三七八頁。日後，周恩來在蔣中正校長之下擔任過黃埔軍校的政治部主任。三八一頁。

（註二一）同右。

（註二二）蔣經國著：「我的父親」，新人物往來社，昭和五十年二月，一二頁。俄共在東方大學、列寧學院和一般軍事學校收容中國的左傾學生，予以布爾什維克思想的訓練，尤其在莫斯科創立孫逸仙大學，專收中國學生，以大量訓練和製造其第五縱隊。

（註二三）王覺源著：「留俄回憶錄」，九頁。

（註二四）同右。

（註二五）前述，「在蘇聯的日子」，七五頁。

（註二六）同右。後來芮德克以托派而被清算。

（註二七）同右。七六頁。

（註二八）中國國民黨中央委員會黨史委員會編：「中國國民黨與中華民國」，民國七十七年七月七日，一〇七頁。

（註二九）同右。

（註三〇）同右。

（註三一）前述，「蔣總統經國先生哀思錄」第三編，七八八頁。「在蘇聯的日子」，七六頁。

（註三二）前述，「蔣總統經國先生哀思錄」，第三編，七八八頁。

（註三三）前述，「蔣介石秘錄」（下）二四——二七頁。

（註三四）蔣介石著，寺島正譯「中国のなかのソ連」（蘇俄在中國），五六頁。

（註三五）前述，「總統　蔣公大事長編初稿」卷二，七七頁。

（註三六）同右。

（註三七）前述，「蔣總統經國先生哀思錄」第三編，七八九頁。

（註三八）前述，「在蘇聯的日子」，七六頁。

（註三九）前述，「蔣總統經國先生哀思錄」第三編，七八八頁。「在蘇聯的日子」，七六頁。
（註四〇）同右。七六頁。
（註四一）同右。
（註四二）前述，「蔣總統經國先生哀思錄」第三編，七八九頁。
（註四三）前述，「在蘇聯的日子」，七六頁。
（註四四）同右，七六——七七頁。
（註四五）同右，七七頁。
（註四六）同右。
（註四七）同右。
（註四八）前述，「蔣總統經國先生哀思錄」第三編，七九〇頁。
（註四九）同右。
（註五〇）聯經出版事業公司編輯部編：「總統的老朋友」，民國七十一年，台北。這是「聯合報」記者所採訪十一位「朋友」的紀錄。此書第一張照片的經國先生，看來快樂極了。這是經國先生與老朋友其家族談話神怡的寫照。
（註五一）前述，「人間蔣經國」，二三頁。
（註五二）同右。
（註五三）前述，「蔣總統經國先生哀思錄」第三編，七九〇頁。
（註五四）同右。
（註五五）前述，「蔣總統經國先生哀思錄」，第三編，七九〇頁。
（註五六）同右。
（註五七）同右。

（註五八）前述，「在蘇聯的日子」，七八頁。

（註五九）前述，「蔣總統經國先生哀思錄」，第三編，七九〇頁。經國先生「在蘇聯的日子」，把「重工業技術報」寫成「重工業日報」。

（註六〇）前述，「蔣總統經國先生哀思錄」，第三編，七九〇頁。

（註六一）前述，「在蘇聯的日子」，七八頁。

（註六二）同右。

（註六三）同右。

（註六四）同右。

（註六五）同右。

（註六六）同右。

（註六七）同右。

（註六八）同右。「我在烏拉山重機署廠多年，唯一對我友善的就是方良。她是個孤女。我們在一九三三年認識。……她最瞭解我的處境。……」

（註六九）前述，江南著：「蔣經國傳」五九頁、六二頁。但日本外務省所存「真理報」（莫斯科版），沒有刊登這封信。

（註七〇）波多野乾一編：「資料集成中國共產黨史」，第五卷，一九三五年，時事通信社，昭和三十六年六月十五日，「蔣經國給其母親的信」，一四九——一五七頁。它寫著被處死刑的瞿秋白，由瑞金逃出之毛澤東、朱德以及寫「給其母親信」之蔣經國，以及其他人的種種。

（註七一）同右，一五六頁。

（註七二）同右，六四四——六四五頁。

（註七三）同右，一五四頁。

（註七四）同右，九二頁。

（註七五）同右，一五一——一五二頁。

（註七六）前述，「蔣總統經國先生哀思錄」，第三編，七九一頁。「在蘇聯的日子」，七八頁。

（註七七）前述，「在蘇聯的日子」，七八頁。

（註七八）請參閱前述，「蔣介石秘錄」，（下），一六五——一八一頁。

（註七九）前述，「在蘇聯的日子」，七八頁。「蔣總統經國先生哀思錄」第三編，七九一頁。

（註八〇）「在蘇聯的日子」，七八頁。

（註八一）同右。八九頁。

（註八二）同右。

第三章　到新贛南

——與古典的重逢——

在蘇俄留學十二年以後，經國先生於一九三七年四月十九日回到故鄉溪口鎮。虔誠的佛教徒的母親毛福梅女士在那裏殷切地等著他。經國先生前往蘇俄以後，蔣先生與毛福梅離婚，並於一九二七年與宋美齡女士結婚。

爲著這個結婚，蔣先生與宋美齡女士母親倪桂珍之間，有蔣先生將讀聖經，信仰基督教的約定。（註一）蔣先生遵守這個約定，並成爲熱誠的基督教徒。一九四六年五月二十一日早晨，對於將要從南京機場飛往重慶的經國先生，蔣先生曾令其秘書贈送經國先生一本有關基督教的專書「荒漠甘泉」，並在該書上寫著「願日讀一篇」五個字。從此以後，經國先生無論到什麼地方都帶著這本書，並說，從這本書得到許多鼓勵。（註二）

因爲母親的建議，經國先生與在蘇俄結婚，中國名字叫做蔣方良的俄國小姐，在故鄉舉行了中國傳統的結婚儀式。由於是蔣委員長長公子的結婚，所以平常很安靜的溪口鎮，這時顯得特別人多擁擠而熱鬧。

以後，經國先生在很平靜的溪口，洗去了在蘇俄漫長而艱苦生活的污垢。這是他必須走的一條路。因爲他離開祖國前往蘇俄留學當時的思想，經過十二年在蘇俄的經驗發生了變化，同時做爲一個中國國民黨黨員，今後要積極地有所作爲，必須做一番調適的工作。又他家庭環境的變化，以及國共兩黨鬥爭的日趨激烈，都是重要的因素。

在這種情形之下，經常關心他之一切的蔣先生，以爲需要給經國先生以中國傳統的思想教育，而邀請曾任江蘇省教育廳長的徐道鄰來指導他，並以「論語」、王陽明的「王文成公全書」、曾國藩的「曾文正公家書」、朱子與呂東萊所編的「近思錄」和孫中山先生的著作等等爲教材。比諸在蘇俄共產主義社會的十二年生活，國內的環境完全不同。因此經國先生需要充實充實自己。

在風光明媚，有山有水，和母親膝下專心讀書的生活，與天天緊張，跟大自然搏鬥的生活，實有天淵之別。這段時間可能是，經國先生一生中唯一安安靜靜地能夠自我磨練和思考的一次機會。

惟從古典得到的，主要的是傳統社會的倫理道德，自與在蘇俄所受教育南轅北轍。所以經國先生一定覺得很迷惑，而有樹木接竹子的違和感。他必須克服這種違和感，但這與日後

·民國二十六年四月，經國先生由俄返國後晉謁　蔣公時合攝於漢口。

所發生的問題有關係，關於這一點，我想在下一章敍述。

可是，與他這種苦悶毫無關係地，當時的中華民國所面臨的環境並不給經國先生作思想上之「清掃」的時間。是即一九三八年一月四日，二十九歲的經國先生首次從事做爲中國國民黨黨員的工作。前面我們說過，在前往蘇俄之前，他做了國民黨黨員。此時他被任命爲江西省政府保安處少將副處長，兼該省臨川的新兵訓練所所長。

若是，他的第一個工作爲什麼派在江西呢？從各方面來判斷，對於當時的國民黨來講，江西省實在太重要了。

這個事實告訴我們，蔣先生非常重視江西省。當時的江西省省長是爲蔣先生所最信任的熊武輝（日本陸軍大學的畢業生），而經國先生之是項任命，似與熊氏的建議有關。

當時江西省之所以那麼重要，乃是由於以下的原因。我們如果檢討這些原因，我們就可以知道爲什麼經國先生要到江西去。這跟本章的副題「與古典的重逢」這個課題大有關係，而由此我們也能夠瞭解經國先生不怕困難和敢面對困難的個性。

在還沒有探討這些原因之前，我們得先作些歷史上的敍述。因爲我們必須瞭解以往中國國民黨與中國共產黨的鬥爭經過。一九二一年七月，在上海法國租界的私人住宅，由第三共產國際派來的兩個外國代表，和十三個中國的共產主義者偷偷集合，舉行了第一次全國代表大會，而這就是中國共產黨的問世。參加這個大會的人們當中，有來自湖南的毛澤東。

與此同時，國民黨於一九二四年一月二十日，在廣州召開了第一次全國代表大會，中國共產黨黨員積極參加國民黨，結果在二十四名中央執行委員當中有三個，候補中央執行委員十七個人裏頭有七個是共產黨員。此時國民黨表明：「凡入黨，具有革命精神，信仰三民主義者，無論從前屬於何派，皆應得到國民黨黨員的待遇」。（註三）這個早期的國民黨的容共政策，逐漸讓共產主義者取得國民黨中央的領導權，從而導致國民黨本身的分裂。因而第二次全國代表大會便不得不分開在廣州和上海舉行。

在這種情形之下，於一九二六年七月一日，軍事委員會主席兼國民革命軍總司令的蔣先生開始了北伐。其第一個軍事目標是打倒控制中原的軍閥吳佩孚。從廣州開始北上，以破竹之勢通過湖南，擊破吳佩孚主力，克湖北省之武昌。攻陷江西省會南昌是該年十月十日，並奪長江江岸之九江，繼續挺進。掌握南昌，乃將大軍閥孫傳芳趕往南京，由之以張作霖爲首，軍閥們遂形成聯合戰線，而成爲北閥軍的勁敵。

在另一方面，由何應欽將軍統率的東路軍，從廣州沿台灣海峽北上克復福建，進入浙江，而與蔣總司令的中央軍終於一起到達南京和上海。北伐軍雖然逐漸在改變中國的政治地圖；但情勢卻並不那麼簡單。因爲寄生於國民黨之共產黨的策動，以各式各樣的形態已經開始表面化了。

因此，北伐中斷，國民黨遂不得不全力應付共黨分子的陰謀。在廣州的國民政府，隨北伐的初步成功，暫時遷到武漢。同時，乘此機會，因有第三國際派來的俄國人顧問鮑羅廷的策劃，也展開了「打倒」蔣先生的工作，而終於演變爲一九二七年四月十二日在上海的全面清黨，一部分共黨分子被捕，其他共黨分子則去從事秘密活動。而由武漢左派國民黨分子與共黨分子所支持的武漢政府，與移到南京的國民政府攤牌，最後以「紅色武漢」的崩潰而結束。

至此，中斷中的北伐又重新開始，在這期間，中共於一九二七年八月，在南昌武力暴動，襲擊中央銀行和商店，逮捕國民黨黨員，但爲國民革命軍所鎮壓。於是共黨在漢口召開緊急會議，以更換其領導的同時，毛澤東逃入江西與湖南省境的井崗山，俾與其他共軍匯合，以建立共軍的根據地。

爾後遵從召開於莫斯科之第三國際的方針，從一九二八年起四年之間，農村的「蘇維埃政府」和工農共軍與游擊隊，先後出現於湖南、江西、福建、湖北、浙江、河南、安徽、廣東和廣西等省。這些「蘇維埃政府」的建立和暴動，有蘇俄在其背後是人人皆知的事實。因而於一九二七年十二月，各地的蘇俄領事館被封閉，中國與蘇俄之間形同斷絕邦交狀態。

對於共軍的跋扈，國民革命軍鎮壓了長沙暴動之後，展開了五次的勦匪作戰。第一次始於一九三〇年底至翌年，主要地在江西省境內。從此，中共廢止了所謂「李立三路線」，而將都市暴動改變爲農村暴動，進行游擊戰，採取「以農村包圍都市的路線」。

如前面說過，井崗山是紅軍的根據地，毛澤東麾下的四個軍團當中有兩個軍團盤踞於江西。將根據地設立於江西省省會的南昌，由蔣總司令親自指揮的第一次剿匪作戰，於一九三〇年年底至次年元月贛江支流對面龍岡的作戰，剿匪軍事失利，第一次剿匪作戰歸於失敗。

鑒於第一次的失敗，第二次動員了兩倍以上的軍隊，命令第二次圍剿軍總司令何應欽，於一九三一年四月開始作戰。將其主力配備於龍岡對岸險峻的山中東固地區的紅軍，再度給予革命軍以打擊，第二次圍剿也失敗了。

共軍在江西、湖南所造成的災害，根據「蔣總統秘錄」第八卷，被共軍慘殺者十八萬六千人，逃離難民達二百一十萬人。在各地被放火的房屋十多萬家，財產損失六億五千萬元，糧穀損失大約三千九百萬擔。（註四）尤其江西省的災害，從其面積來說，可以說是最大，但如果從實際數字來說，則跟湖南省差不多。在中共為禍最厲害的時期，江西省八十一縣當中，全數被中共控制的有寧都、興國等十一縣，縣內大部分被赤化的，有瑞金等二十五個縣。（註五）

但自一九三一年七月開始的第三次剿匪作戰的初次戰鬥，由蔣總司令親自指揮，共軍大敗。沿江西省東邊霞嶺山脈的共軍南下，予以追擊的國民革命軍佔領了共軍的根據地寧都，並進軍到興國一帶。此時，共軍的主力逐漸移到瑞金。

可是，第三次剿匪作戰卻出現了不得不中斷的情況。那就是中共的武力攻勢、兩廣的叛亂、石友三的叛變、萬寶山事件和「九一八事變」的爆發。這已經不是局部地區的輸贏問題，而是由國際共產主義撐腰和命令的中國共產主義，和日本資本帝國主義的野心要把中國吞滅的問題。至此，將要平定中原的國民革命軍的作戰，遂不得不中止。

在此種情勢之下，中共準備踏出新的一步。這就是前面所說，意圖把各地的「蘇維埃政府」作全國性的統一。即統一橫跨江西省和福建省的「中央蘇維埃」、湖北、河南及安徽省境附近的「鄂豫皖蘇維埃」、湖南、湖北兩省西部的「湘鄂西蘇維埃」、毛澤東的根據地橫跨湖南省江西省地區的「湘贛蘇維埃」、彭德懷之湖南省、江西省、湖北省境的「湘鄂贛蘇維埃」、江西省東北部地區的「贛東北蘇維埃」、鄧小平手下廣西省地區「左江、右江蘇維埃」以及福建省西部的「閩西蘇維埃」。

這些各省的「蘇維埃政府」代表，意圖配合俄國革命紀念日，自一九三一年十一月七日起至二十三日，在瑞金召開第一次「全國蘇維埃大會」，建立「中華蘇維埃共和國臨時中央政府」（「主席」毛澤東），制定「憲法大綱」、「十大政綱」和「土地法」。但還沒成立「政府」以前，就遭遇到國軍第四次和第五次圍剿而消滅。惟江西有中共「臨時政府首都」瑞金，故對國民政府來說，是不能掉以輕心的省分。加以廣東軍的叛亂，日本的侵略東北，和大水災（數千萬人遭受災害），國民政府實面臨著很多和很大的問題。

一九三二年六月，上海事變告一個段落以後，國民政府開始了第四次剿匪，並於次年一月，對瑞金展開攻擊。這次作戰，係以軍政部長何應欽將軍爲贛粵閩邊區剿匪總司令，以瑞金的「中央蘇維埃」爲中心，東由福建的第四軍，南由廣東的第一路軍，中路軍從北方，江西的第二軍從西方予以包圍。惟因日本關東軍進攻熱河，佔領省會承德，所以第四次剿匪遂不得不再度停止。

一九三三年五月，國民政府忍辱與日本成立「塘沽協定」，但以「內亂必然招致外侮」，要「攘外必先安內」，而決定第五次圍剿。因此將總司令部設立於南昌，由軍事委員會委員長、參謀總長的蔣先生親自指揮。檢討過去失敗的結果，決定採取完全的包圍作戰，並封鎖經濟，徹底斷絕其與外界的接觸。爲剿匪作戰，在江西省長江對面九江附近的廬山，於七月十八日，以陳誠將軍爲團長，設立了「廬山軍官訓練團」，蔣委員長也常去演講。（註六）

六十五師八十萬大軍，包圍了由朱德、周恩來、葉劍英所統率大約十五萬的「工農紅軍第一方面軍」，於一九三三年十月十六日，展開了孤注一擲的戰鬥。此項戰鬥繼續了一年左右。當時，共軍位於江西省中部的宜黃、崇仁、樂安附近山中，國軍在其控制地區整修道路，於與共軍接觸地點構築大約二千九百所梅花型碉堡，完成四面八方的火力網，以迎接游擊戰。在其初期，國軍的旺盛戰鬥，給予共軍很大的打擊和損害。惟因配備在福建省的第十九路軍叛變，樹立所謂「中華人民共和國政府」，是爲「福建事變」，剿共一時受到頓挫。

（註七）這個叛變，遂被鎮壓，次年年初，又開始第五次圍剿工作。

以瑞金爲目標的陳誠所指揮的北路軍第三軍，攻克途中的重要據點廣昌，給予共軍極大的損失，似乎勾起共軍要放棄瑞金的念頭。（註八）爾後，從各方面圍攻前來的國軍，先後攻佔了龍岡、建寧、寧都、驛前、小松、石城、興國等重要據點。面對這種情勢，「中央蘇維埃政府」遂按照其既定計畫，開始撤退，並踏出其所謂「大西遷」的第一步。於是國軍結束了它的第五次圍剿。（註九）

從以上所述，我們可以知道，江西對中國國民黨和中國共產黨如何地重要，它確是以血淚所寫歷史之重要一頁的地方。而經國先生初任職地點之爲江西，其意義在此。

經國先生初任職地點之在江西，還有另外一個重要意義。這與蔣先生送給經國先生必讀書中的「王文成公全書」有很大的關係。以「陽明學」的始祖在日本馳名的王陽明先生的故鄉是浙江省餘姚，它與經國先生的故鄉並不遠。在這種意義上，王陽明先生不僅是經國先生的同鄉前輩，而且在江西省作過好多事，因而使經國先生更欽仰王陽明先生不已。

王陽明先生的故鄉餘姚，還出了爲日本人所熟悉的朱舜水先生（亡命日本，對水戶學發生影響），比王陽明先生晚一百二十八年，朱舜水先生是出生於一六〇〇年，再過十年以後，黃宗羲才降世。他是明末清初的大儒，被稱爲梨洲先生的大學者。乃著「明夷待訪錄」是政治學方面的名著。（註一〇）

經國先生對自己故鄉大前輩梨洲先生的著作，也很用心研讀。譬如經國先生從政五年以後，於民國三十二年十二月十七日在重慶所寫文章中說，從事政治者，不但不知道自己是公僕的道理，還以爲自己是主人，而這是政治所以不上軌道的主要原因，同時引用了梨洲先生下面的話：

「古者以天下爲主。君爲客。凡君之所畢世而經營者。爲天下也。今也。以君爲主。天下爲客，荼毒天下之肝腦。離散天下之子女。以博我一人之產業。」（註一一）

這個以天下萬民爲君主的思想，其淵源應爲「孟子」，「盡心章句下卷」「民爲貴，社稷次之，君爲輕」這句話。（註一二）

王陽明先生曾經應考科舉幾次，沒有成功，迨至一四九九年，他二十八歲時才考中。（註一三）他以工部的見習生被派到甘肅，因生病，邊療養，在山東和貴州工作之後，就任了江西省廬陵縣的縣知事。在這以前他提倡「不行，不足謂之知」的「知行合一」論。（註一四）他做縣知事只做了七個月，於一五一七年受命巡撫江西省南部的南安、贛州、福建省西南部的汀州、漳州諸府，並在贛州開設了「施政府」。（註一五）

他在這裡的工作很有成績，這可以說是他研究兵書的實踐。根據王陽明的研究者大西晴隆著「王陽明」一書的說法，「日後軍事行動之絕妙的用法，固然因其學問之加深，心法鍊磨之徹底，但與此時之鑽研兵法大有關係」。（註一六）據說，王陽明先生之一生，大約二十年之間，有過五次非常熱中於某些事。這叫做「五溺」。其中一溺就是研究兵法。所以有人甚至於主張說，與其讀被人們視爲古典的「孫子」十三篇，不如讀王陽明先生上奏書所說的「八策」。（註一七）又所謂五溺是「任俠」、「騎射」、「詩文」、「神仙」和「佛教」的五習，而王陽明先生對兵法之蘊奥的體會，似在「騎射」的延長線上。這與他所體會書法之心技一體的境界，乃對「詩文」的愛好，同出一轍。（註一八）

傳授王陽明先生思想最重要的文獻之一，便是「傳習錄」三卷。而現今「傳習錄」的上卷，乃是王陽明先生的最高門徒徐愛所聽寫的第一卷和二篇序，加上薛侃、陸澄所撰的一卷，由薛侃在江西省贛州府所出版者。（註一九）經國先生說，作爲一個中國國民黨黨員，首次就任公職時所熟讀欣賞，並在贛州教育學生和幹部時，就曾說明了許多有關王陽明先生的爲人和處事。經國先生之如何敬仰王陽明先生，下面一段話可以證明。經國先生最信賴的江西省上猶縣縣長王繼春病故那天晚上。經國先生寫完日記之後還是睡不著，因而他看「傳習錄」看到油燈沒有油的凌晨兩點四十分。經國先生說，王繼春之死，宛如油燈的油燃完了般地消逝。（註二〇）

關於經國先生如何學習和實踐王陽明先生的精神，我準備在下一章，他在贛南的活動作

·民國二十七年一月經國先生初任公職－江西省保安處副處長時留影。

具體的敍述。在這裡，我想先簡單地介紹王陽明先生的思想。

因爲陽明學不但給予經國先生很大的影響，更重要的是，留學日本的蔣中正先生，把日本的陽明學帶回到中國這個事實。「蔣總統秘錄」對這有很詳細的記載。他說：「日本雖然是一個小國，但其所以這樣强大，仍因爲王陽明的『致良知』和『即知即行』的哲學的結果」，因此，只要他的經濟情況許可，蔣中正先生便把日本有關王陽明的書買回來研究。（註二一）

事實上，不管蔣中正先生的解釋如何，陽明學對於日本和日本人曾經有過極其深遠的影響。我認爲，今日日本人所面臨的幾個重要問題，都與王陽明的思想有關。曾經爲諾貝爾文學獎候選人的三島由紀夫，前往防衛廳的附屬機構，慫恿自衛隊員發起政變未遂，自己切腹自殺前幾個月，在「諸君」月刊（一九七〇年九月號）寫了有如遺書的一篇文章「作爲革命哲學的陽明學」說：

「我們戰後民主主義所立足的，尊重人命的人本主義，一味主張肉體的安全無恙，完全不問靈魂和精神的生死。……工業化結果所產生精神上的空白，又以工業化來填補，精神上的饑餓，更要以飽滿的食欲來填滿。而如前面説過，人們已經不怕心靈和靈魂的死滅了。……

陽明學乃來自中國的哲學，如前面所說，是在日本的行動家靈魂中，完全過濾過並日本化和風土化的哲學。如果革命思想要甦生，實只有從這種日本人之精神（心理）狀態的深處的思想出發。……

我認爲，我們有恢復已經遺忘的陽明學這個行動哲學，再一次去探討精神與政治的對立狀況中精神應有的奮鬥方法的必要。（註二二）

王陽明先生因病請辭，從廣州經由水路抵達江西南安，在北上船中與世長辭。門徒周積在側，其恩師五十七歲臨終時說：「此心光明，亦復何言」。（註二三）不過很奇怪，在日本，好多陽明學的崇奉者卻都是悲劇的下場。「洗心洞箚記」、「古本大學刮目」等書的作者大鹽中齋（平八郎）；欣賞「洗心洞箚記」的西鄉隆盛；曾予明治維新的志士以極大影響的吉田松陰；在戊辰之役北越戰爭勇敢作戰的河合繼之助；隨明治天皇去世殉死的乃木希典等等，他們的死的方式，都與日本的陽明學有關。

但如果把陽明學的中心思想「即行即知」，只是理解爲對現今社會之批判的反社會行動，或者對今日政治之批判的反政治行動，那是錯誤的。我們行動的範圍，不能局限於政治、社會問題，而應該把它擴大到倫理的領域去。即基於「未有知而不行者。知而不行，只是未知。」的原理，我們知道冬天的寒冷，自想到父母身體的寒冷，並給予父母溫暖便是盡孝。

知道自己痛苦和疼痛，就能知道別人甚至於全體國民的痛苦和疼痛，因此爲消除這些痛苦和疼痛，便要去努力奮鬥。就它，「傳習錄」這樣說。王陽明先生的基本想法是「萬物一體之仁」。他說：

「夫人者天地之心，天地萬物本吾一體者也。生民之困苦荼毒，孰非疾痛之切於吾身者乎。不知吾身之疾痛，無是非之心者也，不慮而知，不學而能。所謂良知也。良知之在人心，無間於聖愚，天下古今之所同也。世之君子，惟務致其良知，則自能公是非，同好惡，視人猶己，視國猶家，而以天地萬物爲一體。求天下無治，不可得矣。」

治天下的，領導者的第一個條件是，窺知被治國民需要什麼的能力，以及去實行它的能力。在這種意義上，經國先生前往贛南之際，獲得熟讀「傳習錄」的機會，可以說是他最大的幸福。

王陽明與將要赴任的贛南具有很密切的關係，而事實上到贛南去以後，經國先生在很意外的地方發現王陽明的影響。譬如在宜春縣，每月農曆初一，家家戶戶都有在河裏洗滌家具的習慣。有一天經國先生看到這種情形而問，老百姓回答說：「這是王陽明先生爲改善生活和預防傳染病，教我們祖先，而到今天我們還是這樣做」。（註二四）這正是「知行合一」的實踐。是即王陽明的思想，還活在人民生活之中。經國先生非常欽仰王陽明，希望將王陽明的思想實現於政治之中，並決心要好好研究王陽明的學說。他說：「我們要做　總裁的信徒，爲陽明的學生」，又說：「今後我更將繼續研究陽明先生的學說，學習陽明先生的精神，以完成我自己的使命。」（註二五）

一九四三年八月二十三日，蔣經國專員決心在贛州城的一隅建立「陽明堂」，得三十萬元資金以後把它完成，同時在城北創建「仰德堂」，設立陽明獎學金，給予清寒的青年學生，更創辦陽明小學，以爲行政區模範校。（註二六）

對於歷史上馳名人物的高邁思想及其所完成的事業，爲要令人們懷念並在自己生活中感謝，而建設紀念堂和創設獎學金雖然很好，但這需要錢。問題是怎樣籌措這些錢。關於這一點，當時的江西省贛縣主計主任鍾禮杰，於經國先生逝世後，應「中國時報」訪問有關經國先生對於經費的撥用文章很值得參考。

「首先經國先生問道：如果我下個條子只有金額沒說用途派人去向你拿錢，你給是不給？

鍾禮杰答道：如果不寫明用處、開支情形我無法撥發的。

接着經國先生又問：如果我不是寫條子，口頭向你要錢呢？

鍾禮杰還是答稱：不說明用處還是不能核發。

聽完鍾禮杰的回答後，經國先生說道：好！我就是要這樣，你答得很好。以後所有的開支一定要依規定來做，而且要帳目清楚。」（註二七）

由於經國先生規定嚴格，縣政很快就上軌道。贛南有十一個縣，但贛縣對中央申請經費，都比其他縣份核准得快，因而有人懷疑是由於經國先生的特殊背景關係，其實主要是所申報完全依照中央規定辦理所致。

註釋

（註一）前述，「蔣介石秘錄」，（上），四六五頁。
（註二）前述，「蔣總統經國先生言論著述彙編」，第三集，四八三頁。
（註三）中央日報譯印「蔣總統秘錄」（民國六十五年元月卅一日），第五冊，二九〇頁。
（註四）中央日報譯印「蔣總統秘錄」（民國六十五年八月十五日），第七冊，一七八頁。
（註五）同右，一七九頁。
（註六）兒島襄，「日中戰爭」，第二卷，二七六頁。
（註七）中央日報譯印「蔣總統秘錄」（民國六十六年一月卅一日），第九冊，一三二—一四〇頁。
（註八）同右，一四七—一四八頁。
（註九）同右，一四八—一五四頁。
（註一〇）大西晴隆，「王陽明」，講談社，昭和五十四年十一月，五五頁。
（註一一）前述，「蔣總統經國先生言論著述彙論」，第一集，四〇七—四〇八頁。

（註一二）「孟子」，「盡心章句之下」。
（註一三）前述，「王陽明」，八一頁。
（註一四）同右，一二〇頁。
（註一五）同右，一五二頁。
（註一六）同右，八〇頁。
（註一七）同右，七八—七九頁。
（註一八）同右，七〇—七一頁。
（註一九）同右，一六五頁。
（註二〇）前述，「蔣總統經國先生言論著述彙編」，第一集，「哭後安兄之死」，三一二頁。
（註二一）三島由紀夫「革命の哲学としての陽明學」，「諸君」，創刊二十周年紀念特別號，一九八九年七月號，二六一—二六七頁。
（註二二）前述，「蔣總統經國先生言論著述彙編」，第一集，三一三頁。
（註二三）守屋洋「新釋傳習錄」，ＰＨＰ文庫，一九八九年二月，一一三—一一六頁。
（註二四）鍾聲，「蔣總統經國先生」，立坤出版社，民國七十三年三月，七四頁。
（註二五）同右，七五頁。
（註二六）同右，七四—七五頁。
（註二七）鍾禮杰「摒除特權・朝氣蓬勃」，「蔣總統經國先生哀思錄」，第一編，八五二—八五三頁。

第四章　新贛南的建設

——輝煌的成果——

我們在上一章說到，經國先生於一九三八年一月五日，前往其首次任職的江西省，就任保安處副處長，時為二十九歲。到任沒多久的經國先生，於一月二十四日，到武漢去晉見辭去行政院長而專心抗日戰爭最高指導工作的蔣中正先生（以下簡稱蔣委員長）。此時，蔣委員長對其長公子有這樣的回憶：「覺其見解明晰，常識豐富，而舉止有度。」（註一）

對於全力要清除中共在江西省所建立最大根據地的國民黨來說，江西省是推行「新生活運動」，重建荒廢之社會的一種模範地區。一九三四年二月十九日，蔣委員長在南昌行營演說「新生活運動之要義」，而成為日後國民政府所提倡新生活運動的開端。此時蔣委員長說：

「我們當前要改革政治，要發揮我們的革命力量，建設一個新的社會……當然就是在我們革命武力所到達的地方——新收復區，……因爲在匪區以内整個的社會已被土匪破壞無餘，成爲荒涼廢墟人間地獄，我們革命軍一到，一般民衆就等於重見天日。同時一切的一切都要從頭做起，而且亦必須重新做起，……。」（註二）

因此，從「新生活運動」的展開過程來說，在政治上它是完全否定共產主義的。在精神上，新生活運動以恢復中國固有文化爲目標，在社會上，它要改革國民的生活習慣，「一切的一切都要從頭做起……重新做起」，要作徹底的改善。爲此很需要肯爲國獻身，行動力强，而且能信任的人物，而經國先生便十分具備此種條件。事實上，經國先生不但具有隨時隨地面對困難的精神和力量，並且擁有能夠證明它的這種經歷。我們在第二章所敍述，在蘇俄十二年的經驗便是。老實說，經國先生的一生，就是他的這種奮鬥史。

經國先生上任時，新生活運動雖然已有了頭緒，但還沒有太大的成果。因爲以往的惡習仍然牢不可破。一般來說，人民由於貧窮和惡習的連鎖反應，而還沒到達能夠消除痛苦生活的地步。加以新生活運動所强調的衛生思想之普及，也不很理想。所以，經國先生必須著手的工作，實堆積如山。

經國先生起初的任務，不是直接做民生方面的工作，而是從事軍事上的教育和訓練。因此，這項工作可以說是，經國先生確立他在新贛南時代的準備期間。具體言之，雖然說是從事軍事教育與訓練，但其對象不是軍隊，而是在創立於南昌的「江西省地方政府講習院」，對於從事地方行政的年輕人，以省保安處副處長的身分，在軍事紀律之下，施以再教育。這個講習院，後來依法改組爲「江西省青年服務團」，經國先生被任命爲總隊長。

五個月以後，省保安處創辦江西省新兵督練處，經國先生兼任處長，負責新兵的教育，更兼任傷病兵管理處處長。（註三）在地方政府講習院以軍事訓練部門的總負責人，兼第一營營長身分，經國先生與學員們同起居、作體操、行軍、登山、夜間演習等等，積極地推動身心教育，以培養新生活運動的實踐幹部。（註四）

作爲一個中國國民黨黨員，經國先生回國後首次所做的工作是，與年輕人生活在一起，並施以教育和訓練，因而對青年人有過很深遠的影響，同時也令蔣委員長很高興。（註五）所以這個經驗，對於經國先生實具有極其重要的意義。因爲同起居這個生活方法，是他在一切簡樸的生活環境中，燃燒自己，終身不渝之生活方式的起步。關於這一點，我將在後一章，詳細敘述。

完成大約一年的這項教育訓練工作，還沒有從事下一個重要工作之前，於一九三九年三月二十九日，經國先生被調到重慶的中央訓練團黨政訓練班第二期，受了一個月的訓練。（註六）受完訓以後，他回到贛南，六月十一日，他接到從事實際地方行政的任務。（註七）

·民國二十八年六月，經國先生任江西省第四區行政督察專員兼縣長時留影。

其職位是江西省第四區行政督察專員兼保安司令，並同時兼任第四區專員公署所在地之贛縣縣長。

第四區包括贛縣、南康、上猶等十三個縣分，督察專員兼保安司令常駐於贛州。從贛州往東一百二十公里的霞嶺山脈中，有曾被中共定爲其「首都」的瑞金；往西四十公里的地方是，上一章所提到，王繼春縣長的據點上猶。

在重慶，蔣委員長於中央訓練團黨政訓練班第二期開學典禮勉勵學員說：「大家要蕩滌舊污，養成新的生活習慣，新的思想行動，徹裏徹外，造成一個新的黨員，三民主義的新的信徒——成爲一個新的人。」（註八）在日軍猛烈的轟炸中，蔣委員長仍然繼續他的演講。（註九）在這期間，剛剛三十歲的經國先生，曾與蔣委員長共進晚餐。

當時，江西省第四區的人口是大約一百六十萬人，雖然不到江西省總人口的一成，但它却是交通的要衝，在經濟上和軍事上，非常重要。此時，江西省已經放棄其首都南昌，軍事上的危機，日甚一日。對於那時的情況，經國先生於一九四一年，在江西省第四區行政工作總評中，有這樣的回憶：（註一〇）

「我接到命令到江西四區來擔任專員的職務，正是二十八年三月南昌撤退的那一天，那時我親眼看到許許多多的難民離開可愛的家鄉，妻子離散，哭哭啼啼，負傷將士，在秩序混亂的情況下，忍痛移動，呼聲慘人，同時淒風冷雨打在我的身上，襲到我的心頭，不禁又有國家動盪風雨飄搖之感，深深感覺在此國家危急存亡之秋，正是我們青年報效國家的時機，人人都應以全力來貢獻黨國以盡國民的天職，於是不顧環境如何困難，責任如何繁重，就定下了來贛南工作的決心，並且堅定不怕一切苦難的意志。」

在這種情況之下，當要進行贛南地區的建設時，他定了以下兩個原則。第一是以蔣委員長所定「抗戰建國綱領」爲政治設施的準繩。第二原則是，滿足人民食衣住行的需要。前者是，「整飭綱紀，責令各級官吏，忠勇奮鬥，爲國犧牲，並嚴守紀律，服從命令，爲民衆倡導。其有不忠職守貽誤抗戰者，以軍法處治。」（註一一）

就後者，蔣委員長說：「我們一切的行政，都是要爲羣衆創造福利，羣衆所需要的一切食衣住行，都要由我們建設起來。」（註一二）

雖然以這兩個原則來建設新贛南地區，但我們必須先瞭解贛南地區過去的政治、經濟和社會情勢。經國先生說，該地區單單南康一個縣，一年就有兩萬人左右吸鴉片，抽烟者大約十五萬人，因而一年要消耗三百七十萬元，等於十五分之一的贛南人民在吸某種烟。（註一三）加以賭徒、土匪跋扈，崇義縣的官警殺了一個土匪時，土匪竟燒燬了一個鎮的大半，以爲報復。定南縣長曾經被土匪誘拐，安遠縣長和上猶縣長也曾被凶暴的百姓和土匪綁架遊

行。（註一四）

所以贛南地區的治安和政治，都非常地差。南康縣長常常對其縣民談「禮、義、廉、恥」這個中國人自古以來還一直保持下來的倫理道德。可是，老百姓卻把它改成「貪、偷、拍、怕」。這是「所謂『上拍、中吹、下壓』的做官三部曲」。是即政府官員與贛南人民之間，在政治上有這種不正常現象。官員不努力於工作；而努力於「發財」，認真作事的人受到排斥。

經國先生到任專員當時的贛南情況是，不但在政治上有許許多多的困難，到處有非法組織和吸鴉片，「牌聲徹夜」。在社會上，經國先生說：「情況混亂到了極點。」（註一六）在經濟上，贛南地區，還存在著「原始的經濟制度和半封建的經濟制度」。因爲人與野獸「共存」於山間地帶，且老虎會從山裡出來吃猪，所以許多農民想養猪而不敢養。（註一七）所謂封建的經濟，譬如從紙的產地營前到縣城上猶，實際上的距離是一百二十里，但農民卻說是八十里，這是扛紙工人的工資乃以距離來決定，而有權力的人則以八十里計算，因此農民也就跟著他們這樣說。事實上，農民是敢怒不敢言而已。（註一八）並且，農民「得過且過的心理濃厚」，處處是荒地，田圃大長雜草，他們大多存著「今年的田種得很多，不去耕田亦夠吃了」的心理，毫無計畫。（註一九）

贛南地區的教育文化，也非常落後。譬如口號之類，農民大多完全不能理解。因之必須用譬喻來說明。例如「國是我們的巢，家好比是蛋，巢破了，蛋也就一定要打破的，國亡了，家也就保不住了，所以要請各位救家要先救國。」（註二〇）

衛生觀念低，因而死亡率高。過去，官員對人民的疾病既不注意，也不關心。無論如何這是公務員應負的責任；也是他們應該心痛而慚愧不已的。（註二一）

爲著使老百姓脫離這種苦海，經國先生發表了「贛南建設五項計畫」。這可以說是以三民主義爲基礎的，政治和社會的改造計畫。即爲使教育程度很低的一般國民也能徹底瞭解，而公布了五個簡單明瞭的口號。（註二二）㈠人人有工做；㈡人人有飯吃；㈢人人有衣穿；㈣人人有屋住；㈤人人有書讀。這是每個人要過其生活的最低條件。

爲此，又課每個人以下面六項義務和權利。㈠人人要勞動；㈡人人要當兵；㈢人人要讀書；㈣家家穿得好；㈤家家吃得好；㈥家家住得好。以上這些，從現在看來，好像都是應該的事，但從當時贛南的社會情況，以及省民的生活根基因爲內憂外患而崩潰這種事實來看，這些口號的確值得提出，而以這些爲目標來努力，就是行政，就是政治。

第四區行政督察專員公署，一直檢討過去的工作，並決定今後努力的方針，同時爲了討論新贛南建設三年計畫，於一九四〇年十月一日召開了擴大行政會議。這項會議舉行了五天，決定了新贛南建設第一次三年計畫，並組織了江西省第四區建設委員會。（註二三）

新贛南建設三年計畫的基本構想是，與前述新生活運動爲一體之兩面的國民經濟建設運動，過去幾年雖然推行了這個運動，惟因受到種種條件的限制，而沒有成功。國民經濟建設運動是，於一九三五年四月，蔣先生親自起草該項運動綱要，十月十四日，發表「國民經濟建設運動之意義及其實施」，而與新生活運動成為一體之兩面的國民運動。（註二四）

它是以「振興農業，鼓勵墾牧，開發礦產，提倡徵工，促進工業，調節消費，流暢貨運，調整金融」為目的者。（註二五）並於一九三六年六月三日，為著推行這個國民運動，在首都南京創設國民經濟建設運動總會，在省、市、縣，分別設立了分會和支會。（註二六）

此時，一方面日軍在華北增强其部隊，因而情勢日趨緊張，另方面雖然成功於追擊中共的軍隊，共軍且通電和談，但國民經濟已經很枯竭和疲憊了。根據中央國民經濟建設委員會的說明，如果只從經濟的層面來看，人與物之間不均衡，生產因素與生產事業不能整合，國民對生產建設的重要性缺乏認識，乃是中國經濟落後的原因。（註二七）因此經國先生說：「我們對於國民經濟建設運動，應當有一種現代的經濟觀念。」（註二八）

換句話說，第一，絕對要有以國家的利益為利益的觀念。以往的經濟活動，基本上「偏於三種畸型的狀態」：㈠輕工業多於重工業；㈡奢侈品多於人民的實用品和必需品；㈢工業多在面對海的各省。這樣，中國經濟究竟能不能合乎國防，合乎人民需要，應該重新檢討。（註二九）

第二，經國先生主張「打破地方觀念」。過去經濟建設的缺陷是，其計畫往往只有縣或省的單位觀念。譬如在第四區擴大行政會議中所提出「製糖問題」的意見就是最好的一個例子。贛南米不足，所以應該多生產米穀這種意見，如果只從四區的立場來看是不錯的，但如果從全省的觀點來看，那就錯了。因爲四區可以多餘的糖與其他區換米。要之，因爲要從小的規模來看全部這種封建的經濟觀念在作崇，所以對於擴大的國民經濟單位的經濟發展，不能有所貢獻。（註三〇）

第三，經國先生主張，從事國民經濟建設，要利用中國主要的埋藏資源。尤其第四區是世界有數的鎢和錫的埋藏地區，只要改進舊式的採礦方法，第四區自不必說，不但能生產滿足全國的需要，而且對於奠定健全的國民經濟基礎，將有很大貢獻。（註三一）

第四，經國先生主張「要改良技術，提高工人生產力。中國煤工每天平均只能開採半噸煤，但是外國的工人却可以開採五噸煤」。這不是中國人笨，而是生產技術不佳所導致。（註三二）而且要繼續不斷地增加就業勞工的人數。本來，人是應該流汗勞動的。所謂不工作者不得食。「工作是人的義務，吃飯是權利」。所以在中華民國，不盡義務者，不許享受權利。（註三三）

最後，經國先生說：「我們國家經濟建設，像一架大的機器，各個生產部門是應當有聯繫性的。但在目前，人是一盤散沙，經濟也成了一盤散沙，沒有一個總目標。」（註三四）

這個「三年計畫」是在極端困難的情況下開始的。但正如經國先生所說，「在艱難困苦的條件下建設，才是真正的建設。」他並說：「大家都明白的，中國的萬里長城和運河，這種偉大的建築在世界上實佔有相當地位的。當時，既無工程師，和測量的人員，建築師，但竟然建築成功了。」經國先生認為，贛南的條件雖然這樣差，但不必悲觀，因而對於負責推動這個計畫的公務員勉勵說：「我們做工作要有計畫，每一點鐘都需要精密的計算」。我們「不怕任何困難，只怕沒有革命精神！」贛南的新建設，一定獲得成功。（註三五）

在還沒具體敘述三年計畫的成果之前，我們應該來看看經國先生所說「革命精神的內容」。首先我們要瞭解經國先生所說的「革命」。自認為「我們都是革命的幹部，革命的青年鬥士」（註三六）的經國先生說：

「革命，就是以新的力量來推翻舊的力量，也就是要將社會一切不好的制度，和殘存的一切惡毒，用新的力量，把它推翻；同時創造新的，合乎大家要求的一種制度。這次我們抗戰，就是為實現這個目的，而負起這種重大而艱辛的使命。」（註三七）

對於同時進行「推翻」和「創造」，蔣委員長曾經就革命下過這樣的定義：「所謂革命，就是順應時代社會需要……」（註三八），因而我認為，只要能夠確實掌握這個「需要」，革命應該獲得肯定。

所謂「需要」，在經國先生是「大家要求」，大家的要求這句話，似比「需要」還要强烈。生活於某個時代之社會的人民的要求，經過漫長的時間，而成爲説詞和行動。這種日積月累下來的爆發性的氣力，唯有革命家才能有效地予以導正，但進行革命，要有革命精神。經國先生說，革命精神是「吃苦、冒險、創造」的精神。（註三九）

所謂「吃苦」，不是肉體的，而是吃精神上的苦，「倘使我們的精神不能吃苦，一受到打擊的時候，就會動搖，一定會灰心，……」。（註四〇）因此，唯有能吃苦者，始能達成革命任務。而且，吃苦不是悶事，它會令人心身愉快。經國先生引述曾國藩的話證明這一點。他說：「『每日做事愈多，則夜間臨睡愈快活！』這更是說明了吃苦就是快活。革命家的吃苦，是精神上的吃苦。但是，他的人生還是十分快活的，是愉快的。」（註四一）

革命精神是吃苦，同時也是對未來的挑戰，經國先生對其部下的講話，曾經提到哥倫布發現新大陸的偉大事業，是即冒險犯難是革命精神不可或缺的因素。我覺得經國先生死於貧窮之中，與這個革命精神不可分。他說，用自己兩隻手創造新天地，賭以自己生命才是真正的革命精神。因此，如果不能吃苦，沒有冒險的精神和創造新天地的精神，三年計畫既不能實現，新贛南的建設也不會成功的。（註四二）

所以，爲建設新贛南所必需的是，建立這種革命精神，和與民衆同甘苦。前面我們說過，經國先生曾經在重慶受過訓，因而他介紹當時蔣委員長所說的話。他說，日機轟炸警報一出，有車子坐的文武官員，便乘車躲避於郊外，有的甚至於避難到幾百里外的地方。可是，一般老百姓却攜著老少，徒步逃難，乘車的文武官員，浪費國家重要的汽油，對老百姓的痛苦毫不感痛癢。因此蔣委員長遂禁止坐車避難轟炸。而這才是真正與民衆共甘苦。（註四三）

以革命精神，日夜與民衆生活在一起的新贛南的建設，結果是怎樣呢？三年計畫公布以後，就受到各種各樣的批評。說它是「不合乎中國國情，這是在外國作的計畫」，同時也大事抨擊經國先生。這與他留俄有關係。他們說，從蘇俄帶回來的計畫，想在贛南實行，那是不合乎國情的。（註四四）

但這是扯後腿的揑造。因爲「三年計畫是我們大家決定下來的，我們認清了這種計畫，不但是合乎中國的國情，而且更適合於贛南的實際情況。」（註四五）因此這些批評是爲批評而批評。

對於當時贛南的經濟建設，英、美兩國的記者，曾經有過相當公正而客觀的報導，可見三年計劃，還是合乎贛南的情況和需要。（註四六）對於贛南的土豪、劣紳、流氓、地痞，三年計畫將挖掉他們權益的根源，所以他們要反對到底。對於三年計畫，不僅外國記者持公正態度，連在前線作戰的軍人也以爲，新贛南的建設既有惠於農民，也間接地成爲全國改良政治的楷模，同時也有在外地求學的贛南人大學生寫信給經國先生說：「贛南目下已是實現三民主義之區域，……」。（註四七）

經國先生於一九四三年江西省第四區擴大行政會議的開幕典禮講話中，舉出數字證明三年前被說成是一種夢想的新贛南的建設，不是夢想。（註四八）他舉出㈠文化教育，㈡農業，㈢水利，㈣交通，㈤商業，㈥兵役，㈦幹部訓練，㈧衛生，㈨經濟等部門的數字，以比較和檢討。

譬如文盲是五十三萬一百九十二人，其中五十萬三千零八十八人已經認識字了。用水池的建設，原計畫是二百九十二所，結果建設了一千八百八十四所。全區計畫徵召四萬三千八百九十三名壯丁，但實際上徵召了四萬二千七百六十五人。幹部訓練，鄉鎮人員、保甲人員、婦女及其他共計二萬四千五百零六人。打預防針者二十一萬五千一百零三人，種痘者七十八萬三千五百十七人等等。

但經國先生對於這些數字並不滿足，他認爲最大的成功不在於物質建設，而在於贛南的人口，因三年計畫而增加。一般來說，疾病的死亡率是五〇%以上，可是贛南地區却只有二五%，因此經國先生說贛南精神在此。犯罪一年比一年減少，救濟事業的成績也提高許多。（註四九）贛南建設的三年計畫雖然告了一個段落，但新贛南的建設並未完成。現在的情況是，種下去的種子已經發芽和成長，但還沒有結果。因此，要新贛南建設有真正的成果，必

·經國先生任江西省行政官時遊天山瑤池歸來留影。

須經過風吹雨打、旱天和蟲害，否則不可能有收穫。（註五〇）

經國先生說：「現在第一次三年計畫快要完成，五年計畫就將開始，我們覺得許多誤會問題，實有作一個總答覆的必要。」（註五一）

「第一，有許多人懷疑我們贛南到底是什麼政治主張，……為一個真正信仰三民主義的革命戰士，……。第二，同時還有人懷疑到贛南建設經費的來源，有的人說，贛南的建設經費，完全是中央補助的，有的人說，贛南人民的負擔太重了，……關於第一點，這幾年來，絕對沒有得到過任何方面的補助，因為自力更生是我們的建設精神。關於第二點，在三年之內，取消了三十六種募捐雜稅，至於建設捐款，是依照『錢多的人多出錢，錢少的人少出錢，無錢的人不出錢』的原則徵收的……。第三，有許多人以為我們新贛南的情形是特殊的，甚至於有人說是非法的。其實我們在贛南工作，沒有一件事不是遵照上級政府法令去做的，……奉公守法是我們工作同志的共同信條。」（註五二）

經國先生又說：「今天，我們覺得慚愧，覺得對不起贛南的父老兄弟，因為我們還沒有盡到力量，還沒有達成任務。」；「三民主義是五年計畫的靈魂，文化教育是五年計畫的心臟，交通是五年計畫的骨幹，經濟是五年計畫的基礎。」（註五三）而很認真地準備迎接新的挑戰。

若是，三年計畫為什麼能夠獲得成功呢？前面說過，既沒有中央的財政補助，也不是因爲贛南情形特殊，加以傳統的色彩特別濃厚，不利的戰局又壓迫著日常生活，在此種情況下，到底什麼是建設新贛南的原動力呢？

其最大的原因應該是，有像經國先生這樣自告奮勇赴湯蹈火的年輕領導者。就這一點，以下我想串插一些小故事來敍述。前面，我們曾以經國先生在贛南的重要會議的談話，略述了贛南的建設，因而在這裡，我準備從日常生活中，他對部下發出了些什麼命令這個層面，來說明它的特色。

我用的材料是「常言實錄」，這是蔣委員長派往經國先生處工作的黃寄慈，於一九四七年在南京編纂，於一九五九年在台灣再版的一本書。

又，本書「蔣經國先生傳」大部分所依據的「蔣總統經國先生先生言論著述彙編」第一集，雖然刊有「贛南政令實錄摘要」，但其內容與「常言實錄」有些不同，加以承蒙故宮博物院院長秦孝儀先生介紹，在張大千先生故居，就經國先生的種種，直接與經國先生三公子蔣孝勇先生交談，日後並承其惠贈作爲參考資料，因此我把「常言實錄」當作最基本的資料，予以運用。

「常言實錄」，斷片地蒐集了日日的行政命令，雖然不能窺悉當時的詳細狀況，但却能夠令人很清楚地體會政治負責者經國先生的爲人和想法（意圖）。對於非常細小的事情，甚至於遭遇到非行使實力不可的重大時刻，他都淡然而敏捷地下達命令。從這些，我們可以看到他對人民充滿著慈悲的措施和虛懷若谷的性格。在此種意義上，爲什麼經國先生能夠建設新贛南，其答案盡在「常言實錄」之中。

㈠「舉行新贛南橋開橋禮時，凡來賓演說有關贊揚本人之詞句，一律不准登載，即應通知抗戰社及正氣日報。」（民國三十一年一月二十一日）

㈡「據報大吉山上賭風甚盛，且有鴉片烟出售，應即令第四大部隊派兵前往肅清爲要。吳副司令。」（民國三十一年一月二十八日）

㈢「挑糞時間應加以更改，必使鄉人能得便利，即每晨上午六時至八時應准許肩糞鄉民出入城門，不得阻攔，至因不照時間挑糞而罰做苦工之辦法，亦即應撤消。」（民國三十一年二月二十八日）

㈣「公務員任何人不得接受年節禮物，亦禁止互相贈送。」（民國三十二年二月二日）

㈤「王故縣長繼春之精神不但可作贛南公務員之模範，實爲在此亂世時期難得之革命戰士，『正氣日報』應盡量發揮其革命精神。」（民國三十二年三月二十九日）

㈥「在公共場所（戲院旅店酒樓茶館等處）及私人住宅，皆嚴禁談論或接洽公事，無論任何性質之公事，一律應在有關機關內接談，凡違背此令者，以舞弊論罪。」（民國三十二年三月九日）

㈦「查本區各級公務人員待遇微薄，生活刻苦，除另詳擬具體辦法，解決其生活問題外，茲先規定二點，希望我全體工作同志切實遵行。①重申前令，凡公署縣府以及各附屬機關工作人員，非經本人或原機關主管人許可，一律禁止參加社會應酬。②各級工作人員到達下級機關督導時（如公署工作人員下縣縣下鄉鄉下保），在督導地點所用之任何費用，皆須督導人員自行付給，絕對禁止接受任何招待。」（民國三十二年五月十一日）

㈧「天久不雨，旱災頗重，而又因河水過淺，航運不通，贛城糧食斷源，民衆痛苦之深以及吾人處境之艱，思之痛心而感日夜不安。在此期間，吾等身爲公僕，如再不拚命工作，實無異於人民之吸血蟲矣。人民之苦痛日深一日，政治局面日艱一日，自問良心，如再不以全力爲民服務，爲國盡忠，非人也。切望諸同志知我苦衷，共走難路。」（民國三十二年五月十五日）

㈨「近日肉價上漲，應即查明上漲之原因，及有無奸商壟斷之事實，如有奸商壟斷，應即嚴辦，並通知交易公店即應投資屠宰場，速即抑平肉價爲要。」（民國三十一年八月十七日）

㈩「最近接各方面報告，人民所領到的米多半都是潮濕不好的，不知合作社是否有舞弊情形，應加以調查。」（民國三十二年八月十二日）

㈩「保警大隊、警察局，特務排之士兵警察，凡家有老父、老母、妻子、兒女在贛者，可准假二三天回家，再使他們在年關前後得聚天倫之樂。」（民國三十二年十一月二十七

・經國先生任江西省第四區行政督察專員時經常穿著草鞋到各地探求民隱。

日）

在這裡，我只輯錄其一部分，這種長短不一的命令，超過一百。這些命令，各有其背景，每個時刻，經國先生都認真思考，督勵部下，自己親自到鄉下、山間、街上，考慮到每個層面，爲達成任務，全力以赴。他關心的範圍，人民的福祉、兒童的教育、發揚公務員盡忠報國的精神、鎮壓匪徒自不在話下，監督物價、公平地配給物資等等，極其廣泛。

我們還可以看到經國先生穿著草鞋，走著山野的當日照片。他甚至於單槍匹馬，前往蟠踞於廣東省境的山賊巢穴去說服他們。其大膽和真摯的態度，令這些不法之徒不得不佩服。

經國先生在贛南地區留下來的輝煌成績，正如他自己所說，不過是「我們要做好縣長最低限度的標準，現在有人說『這是一位好縣長』，只是表示不貪污，不欺壓人民，這好比說，這個人還好，沒有生梅毒」而已。（註五四）

對於經國先生的這種斐然成績，贛南地區的人民表示親密之意，而稱他爲「蔣青天」或者「贛南人民的救星」。（註五五）但經國先生不喜歡人家這樣稱呼他。因此，「司令部特務排營房內有『專員是我們的燈塔』之標語，即應撕去，並由專員公署司令部通令各縣縣府，各學校及各部隊，今後嚴禁繕寫此類標語，如有已寫者，如『擁護蔣專員』、『蔣專員是贛南人民之救星』等等，即應撕抹爲要。」（註五六）

的確，經國先生在苦難中的新贛南建設留下很多和很好的成績。這個經驗和他的人際關係，日後成爲他最大的財產。（註五七）但在贛南期間，他却失去了絕對無法補償的母親。

它來自一九三九年十二月十一日下午一時所發生的悲劇。即因爲日機的濫炸，經國先生的母親毛福梅女士去世了。（註五八）當時，在贛南得悉訃聞的經國先生，日夜不停地趕回家鄉溪口鎮。經國先生在毛太夫人墓地旁邊，親筆撰寫了「以血洗血」的石牌。（註五九）生母之死，任何人都極其悲痛，尤其被侵略軍日機炸斃，說要「以血洗血」，乃是人情之常。戰後，經國先生在長春時候的日記，曾經兩次提到毛太夫人之亡故，一次是一九四五年十月三十一日，另外一次是同年十一月二日。（註六〇）

十月三十一日的日記這樣寫著：「今日曾遊日本街，見男女日人行走街頭，狀似乞丐，亦有擺地攤賣舊貨者；此正侵略之結果也。吾人雖恨日本侵略，但對日本一般平民，應以人道待之；尤其驟見日本小孩之苦，同情之心，油然而生；惟轉念先母亡於倭機之轟炸，又覺得不必同情矣，然旋思此亦國仇而非私仇也。」（註六一）

十一月二日的日記說：「近日有二事，始終不能忘者：一爲　先母罹難，此爲余一生所最痛心之事，且六年以來，迄未安葬；爲人子者既不能爲　先母立德業，又不能早日辦妥安葬大事，其何以慰　先母之心於九泉之下也。深夜自省，飲淚自痛。」（註六二）

這個國仇與私仇的反應本身，有時間的經過這個因素介於這兩者之間。發生事件後不久，出自經國先生筆下的「以血洗血」，是私仇的感情之流露。但隨時間的經過，它逐漸變爲國仇。離開仇這個觀念，母親遭遇不測之禍的悲痛是永遠不能忘記的。因此，「深夜自省，飲淚自痛」這八個字，真令讀者肅然起敬。與此同時，經國先生的話告訴我們：時間本身具有使仇昇華的效果。譬如前面所引「常言實錄」裡頭就有具體的例子。前面我們已經說過，「常言實錄」是贛南時代經國先生行政命令的羅列，但經國先生却在該書本文欄外，寫著對他自己所下命令批評的文字。

一九四二年一月二十六日，經國先生指示市政建設委員會和贛縣警察局，更改一些街道的名稱。譬如把「大華興街」改爲「大中華路」；將「小華興街」改成「光明大街」等等，包括希望把「龍船廟」改爲「復仇街」。在這個指示的欄外，經國先生寫了若干字。我認爲這是我所說經國先生心理上的變化。他說：

「『復仇』一事，古來中國政教所許，但在道德基本觀念上，文周而後已不甚提倡。至於宗教則除特殊者外，佛耶兩教皆不勸人復仇，並仇字觀念亦所反對。實在人類歷史若一一講恩怨，正是永無和平之日，無可以自保之人，以『復仇』名街似可不必也。」（註六九）

關聯於戰後在東北長春看到可憐的日本小孩，引起經國先生的特別關心這個事實，在這裡我想敘述一個小故事。雖然這與他在東北的心動沒有直接關係，但關懷失去母親之小孩的父親的心境，不分民族和國家，都是一樣的。所以我認爲我應該在本章的最後說明經國先生在贛南時代所發生的「婚外情」。

下一章我們將敘述，一九四〇年一月，在贛縣的赤硃嶺成立了江西省三民主義青年團幹部訓練班，在贛南專員公署圖書館整理資料的女性職員章亞若成爲他的第一期學員。富於進取精神的這位女性，一受到日機轟炸，有人受傷，她便自動參加救護隊，非常熱心看護，因而在公署全體員工面前曾經受到經國先生的表揚。她的這種積極進取，使她進入幹訓班受訓，六個月訓練結束之後，她回到專員公署，擔任經國先生的秘書。她做會議紀錄，民衆與經國先生就改善生活交換意見時，甚至於巡視地方政情的時候，她都與經國先生同其行動。（註六三）

在這種情況之下，兩個人發生愛情，她懷了孕。經國先生如何愛她，我們可以從他把在俄國寫的日記送給她可以窺悉。（註六四）但這個日記到底是用俄文寫的原始日記，還是把它譯成中文後的日記，則不得而知。又，送給她的日記，現在在那裡，我也不知道。至於譯成中文日記的一部分，則以照像版刊於「蔣總統經國先生哀思錄」第三編。

懷了孕的章亞若，因爲種種理由，兩個人同意章亞若在桂林分娩。經國先生則二、三星期去看她一次。（註六五）一九四二年一月二十七日，當時被稱爲「蔣夫人」的章亞若，在醫院平安地生了雙胞胎兒子。一個星期以後，經國先生到桂林的麗獅路去看她母子三個人。經國先生把兩個兒子命名爲「蔣孝嚴」、「蔣孝慈」。如所周知，「孝」字是蔣家第三代兒女用的名字，在蘇聯出生的長子就叫蔣孝文。惟因他們沒有正式結婚，經過種種考慮，孩子們從母姓，並以章亞若的弟弟章浩若兒子名義報戶口。（註六六）

要姓蔣還是姓章，當然很重要，但於該年八月，百忙中的經國先生的贛縣辦公廳突然接到非常驚人的消息。就是章亞若的去世，並且是原因不明而唐突的死。有人說可能被人家毒死。（註六七）但其真相如何，至今還是一個謎。經國先生受到很大衝擊，爲著掩蓋流眼淚而腫起來的眼睛，他當時戴上了黑眼鏡。（註六八）辦完喪事之後，這兩個兒子便請住在從桂林和贛縣不遠，江西省西南部萬安的章亞若母親周錦華及其女兒章亞梅照顧。（註七〇）經國先生給雙胞胎長子章孝嚴的獨生子取「萬安」這個名字，可能就是爲了紀念這個地方。（註七一）

在外祖母與姨母章亞梅照顧下生活的章孝嚴、孝慈弟兄，接到名義上的父親而就任貴州省銅仁縣長之章浩若的邀請，出發萬安，經過桂林東江區鳳凰嶺麓，拜母親章亞若的墓，而抵達目的地。在這裡住到二次大戰結束，勝利後回到故鄉南昌。爾後兩弟兄上了小學，在這期間，在南京經國先生似乎與這兩位公子見過幾次面，惟因他們年紀太小，完全不記得。（註七二）與中共的戰事爆發，一九四七年五月，遵照經國先生的指示他們弟兄由廈門乘軍艦到達基隆，並落脚於新竹。（註七三）至於以後他們弟兄與經國先生的關係，以後再敘述。

註釋

（註一）秦孝儀編，「總統　蔣公大事長編初稿」，卷四，一七一頁。

（註二）產經新聞社，「蔣介石秘錄」，（下），一二六頁。

（註三）李雲漢：「蔣經國先生傳」初稿，三一頁。（此文將收錄於「中華民國名人傳」第七冊）

（註四）李元平「平凡平淡平實的蔣經國先生」，一八頁。

（註五）「總統　蔣公大事長編初稿」，卷四，上冊，二五七頁。一九三八年十月二十三日，蔣先生曾給經國先生打這樣的電報：「汝專心練兵，且能勤勞有方，我心甚慰，月杪不必來漢，父或將赴長沙也。」

（註六）「總統　蔣公大事長編初稿」，卷四，上冊，三一八頁。此日，江西省北部近湖北省境的武寧，和前一日，南昌被日軍佔領。省會南昌的部隊，轉進東南五十公里的進賢。第二期訓練班始於四月十七日，結束於五月十五日。同書，三五六頁。

（註七）同右，三七〇頁。「新贛南之建設自此始」。

（註八）同右，三四一頁。

（註九）同右，三五二—五三頁。五月七日的講題爲：「三民主義之體系及其實行程序」。兩天前，自抗戰以來，後方的市鎮受到最大的損害。

（註一〇）「蔣總統經國先生言論著述彙編」，第一集，一一六—一一七頁。

（註一一）同右，四—五頁。「民國二十九年十月一日江西省第四區擴大行政會議開幕詞」。

（註一二）同右，五頁。

（註一三）同右，一一〇頁。
（註一四）同右，一一一頁。
（註一五）同右。
（註一六）「蔣總統經國先生言論著述彙編」第一集，一一七頁。「民國卅年江西省第四區行政工作評」。
（註一七）同右，「民國二十九年十月一日江西省第四區擴大行政會議開幕詞」，二〇頁。
（註一八）同右，三一頁。
（註一九）同右。
（註二〇）同右，二三頁。
（註二一）同右，二七頁。
（註二二）唐盼盼「遍嘗世間苦楚的人」，蔣總統經國先生哀思錄編纂小組編「蔣總統經國先生哀思錄」，第一編，七九一頁。
（註二三）「蔣總統經國先生言論著述彙編」第一集，「民國二十九年十月五日江西省第四區擴大行政會議開幕詞」，三九頁。
（註二四）「蔣總統經國先生言論著述彙編」第三集，二三二頁。「蓋新生活運動所以奠立民族精神之基礎，而國民經濟運動則所以充實民族物資之基礎，兩者實相輔相成也。」
（註二五）同右，二三四頁—二三六頁。
（註二六）同右，二九九頁。
（註二七）同右，第一集，四〇頁。
（註二八）同右，四一頁。
（註二九）同右。

（註三〇）同右，四二頁。
（註三一）同右，四三頁。
（註三二）同右。
（註三四）同右，四四頁。
（註三五）同右，四八—四九頁。
（註三六）同右，「民國二十九年贛南擴大行政會議講」，六一頁。
（註三七）同右。
（註三八）秦孝儀編，「革命學」，民國七十六年六月，中國國民黨中央委員會黨史委員會出版，八頁。
（註三九）「蔣總統經國先生言論著述彙編」，第一集，四九頁。「用革命精神完成新贛南建設」。
（註四〇）同右，五〇頁。
（註四一）同右。
（註四二）同右，五四頁。
（註四三）同右，五六頁。
（註四四）同右，「江西省第四區行政會議建設委員會第一次委員會議開幕詞」，六八—六九頁。
（註四五）同右，六九頁。
（註四六）同右，七一頁。
（註四七）同右，七二頁。
（註四八）同右，一九三—九五頁。「民國三十二年江西省第四區擴大行政會議開幕詞」。
（註四九）同右，一九六、一九七頁。
（註五〇）同右，一九八、一九九頁。

（註五一）同右，一九九頁。
（註五二）同右，一九九—二〇一頁。
（註五三）同右，二〇二頁。
（註五四）李元平，前書，二〇頁。
（註五五）同右，二〇頁；「蔣總統經國先生言論著述彙編」，第一集，二七〇頁。經國先生說：「倘使說，青天是好官的代名詞，那亦不敢當如此的稱呼，我是一個對一切都看得平凡，相信自己是一個平凡的年輕人。」
（註五六）「常言實錄」，一〇二頁。
（註五七）蔡省三、曹雲霞合著「蔣經國系史話」，七十年代雜誌社，一九七八年八月，香港。本書描寫贛南時代經國先生身邊的種種。譬如經國先生夫人蔣方良女士於一九三九年三月，出任江西省第四區行政督察專員公署附設的救濟機構「中國兒童新村」的「指導長」，該新村收容了二百多名孤兒。（該書六九頁）又，有親信駐巴拉圭大使王昇和中國國民黨大陸工作會主任蕭昌樂的大名。
（註五八）「總統　蔣公大事長編初稿」，卷四，上册，四五〇頁說：「敵機濫炸　公故鄉溪口，死傷頗重，樂亭與報本堂亦皆遭波及。　公電長公子經國速往處理善後。」但「蔣總統經國先生哀思錄」第三編，「蔣總統經國先生年表」，七九二頁却說：「十二月十二日下午一時，日軍轟炸溪口」。前者為「濫炸」，後者為「轟炸」。關於該日的轟炸，日方迄今尚未發現具體的資料，惟因溪口沒有非轟炸不可的軍事目標，所以我仍用「濫炸」二字，並使用前者的日期。因為蔣先生命令經國先生回溪口處理善後，在時間上似比較可靠。又，江南著「蔣經國傳」（八六頁），將其寫成一九三九年十一月二日，實有問題。我所以這樣拘泥此事，乃因為日軍是直接的加害者。

（註五九）蔣經國，「在每一分鐘的時光中」，八—九頁。
（註六〇）「蔣總統經國先生言論著述彙編」，第一集，「五百零四小時」，五四一—五四二頁。
（註六一）同右。
（註六二）同右，五四二頁。
（註六三）「常言實錄」，八—九頁。
（註六四）「聯合報」，一九八九年十一月十五日及二十日，「蔣經國與章亞若」。這是該報記者周玉蔻三度前往大陸採訪，連載五十八次的記錄。
（註六五）同右，十一月二十六日。
（註六六）同右，十二月一日。
（註六七）同右，十二月四日。
（註六八）同右，十二月七日。
（註六九）同右，十二月十二日。有人認爲，這是對於經國先生過於忠誠的「愚忠行爲」。說怕影響經國先生在江西的名譽而才有這種愚蠢的行動。（十二月十三日該報）這使我想起以前韓國人在東京綁架金大中帶回韓國的過於忠誠的行爲。但章亞若是否這樣而死，沒有具體的證據。
（註七〇）同右。十二月十四日。
（註七一）同右。
（註七二）同右，十二月十九日。
（註七三）在一九八八年三月號「遠見」雜誌，「章孝嚴首次親述童年成長與抱負」的訪問文中，章孝嚴答說到現在還不知道爲什麼會去住在新竹。

第五章　赤硃嶺精神

——展開熱情的革命教育——

經國先生在江西的奮鬥情形，無論在國內還是國外，都受到人們的注目。連在延安的中共，也非常注意經國先生的一舉一動。國內自不必說，從美國也有新聞記者前往贛縣採訪其迅速而健全的發展。（註一）但是，最令經國先生興奮的還是其父母的鼓勵。結束在俄國十二年的生活，回國沒多久，便投身抗戰行列，負責民生的重建，且爲其父親欣賞，是他所最高興的。一九四二年六月十九日發自成都的電報說：「兒任專員已足三載，人民愛戴，建設進步，時用快慰！」（註二）

對於經國先生的父子關係，我在序章曾經指出：「父親嚴格的教訓和知識，不只對於小孩時代，對於成人以後的經國先生也繼續不斷地予以灌注這個事實」，而這份父親的電報對經國先生既有所教訓，兩個月以後蔣委員長所寫的書信，對經國先生更有殷切的指導。現

在，我想介紹我對經國先生「有點嫉妒心情」之典型的信。（註三）

「鄉間親友來贛者，不論親疏，皆應善為招待，總使之衣食住經費，皆不至困難，此種費用不可節省，在此患難時期，尤應表示同甘共苦也。兒文句用字頗有進步，惟字體仍須抽暇熟習，最好習寫行書為宜。余近時每日必撥冗讀易經，自覺精神與學力皆有進步，惟此書非到五十歲以後，不易得益耳。此時兒應多看曾文正、胡林翼等書物牘與家書。有時能選古文觀止二三十篇，使之熟讀成誦，能隨時默識背誦，則提筆作文自能得左右逢源之趣耳。」（註四）

經國先生在贛縣所樹立行政層面的成果，不僅在經濟和社會方面，而且在教育方面也有很大的成就。教育的成果，當然也表現在新蓋或者修理校舍這種有形的建設上面。因為學校數目的增加，意味著教育的徹底，教育的徹底對於贛南地區人民的精神有很大的影響，所以很重要。（註五）

但是在這裡，我所以要特設一章，專門討論教育的振興，不是要說明振興一般性的艱難地區的教育問題，而是要描寫在一定的特殊環境之下，從立國家百年大計的觀點，經國先生努力於人材的培養，他自己以身作則，予將肩負起國家存亡之重責大任的年輕人以理論武裝和愛國行動的精神基礎。而從培養人才這一點來說，他在贛縣的努力，不過是其日後多年以來教育人材的第一步。在這種意義上，這一章的敍述，並不限於經國先生活動舞台的贛縣，而將擴大到整個江西省，更因爲於一九四四年一月，他被任命爲三民主義青年團中央幹部學校教育長，直接參與中華民國全體中國國民黨的培養人材工作，亦即將敍述經國先生自省一個地區的角色，而成爲全中國之角色的過程。（註六）

經國先生赴任贛縣大約一年半後的一九三九年八月二十八日，在江西省正式成立了三民主義青年團江西支團部，經國先生就任支團部幹事會幹事長，領導江西全省的青年，並積極展開抗日救國各項活動。（註七）所謂三民主義青年團，乃是一九三八年四月一日，在重慶召開臨時全國代表大會第四次大會時，所通過四大重要議案中的一個。亦即大會所通過四大議案爲：㈠制定「抗戰建國綱領」；㈡設置國民黨總裁，在制度上明確規定總裁爲全黨之領袖；㈢成立國民參政會，爲戰時最高民意機構；㈣設立三民主義青年團，以謀全國青年意志之統一與力量之集中。（註八）。

三民主義青年團的設立案是，四月六日在漢口，由蔣中正總裁所主持中國國民黨第五屆中央執行委員會第四次全體會議，以「三民主義青年團組織要旨」通過的。（註九）。五月，開始研究青年團的組織和訓練綱要。（註一〇）。六月十六日，蔣總裁發表三民主義青年團組織和「告全國青年書」。（註一一）七月九日，正式成立三民主義青年團，蔣總裁兼

任團長，湖北省政府主席陳誠兼任書記長。十一日，召開了三民主義青年團中央團部的臨時幹事會，正式開始其活動。（註一二）

此時與日軍的戰局，對蔣總裁所領導的國民黨來說，也是具有歷史意義的重要關頭。這就是進行中的鄱陽湖的決戰。「鄱陽湖與廬山，自宋明以來，皆爲我國民族復興最後勝利之地。民國十五年國民革命軍與孫傳芳逆軍決戰亦在於此，遂以奠定全國統一之基。今次與日寇在鄱陽湖決戰，若果得勝利，則爲基督在瞑瞑之中保佑中華復興之效也。」（註一三）因此於七月十八日，在三民主義青年團中央團部，蔣兼團長演講說：「革命幹部之第一要務，在爲黨廣求人才，訓練人才。」

但是，戰局並没有好轉，七月二十六日，九江淪陷，八月四日，下令要把中央行政機關全部搬到重慶。幾天後，日軍亂轟炸武昌和漢陽，民衆死傷五百多人。（註一四）九月五日，蔣兼團長在三民主義青年團中央團部總理紀念週講「對於青年團工作的檢討和感想」，殷望每一團員以革命服務爲天職，徹底防止「官僚化」和「衙門化」。（註一五）當日，蔣兼團長並自記說：「國家存亡，革命成敗，皆在於我之能否堅忍不拔，勿爲和議之說所搖撼耳。」（註一六）

在這激變之中，蔣總裁曾於十月二十三日，對經國先生打電報說：「汝專心練兵，且能勤勞有方，我心甚慰，……」。（註一七）將撤退武漢時，經國先生於十月三十日前往武昌，承受父訓。（註一八）三民主義青年團中央團部和中央青幹班，也因爲戰局的變化，而自長沙遷到桂林，由桂林再搬往重慶。我們於第四章說過，經國先生在遷到重慶的中央訓練團，作爲第二期學員，自一九三九年三月二十九日起接受一個月的訓練，在這期間，他正式加入三民主義青年團，並被選爲中央團部的幹事，和受命爲「三民主義青年團江西支團臨時幹事會幹事兼設立籌備主任」。（註一九）

在中央訓練團黨政訓練班受完訓的經國先生，於該年六月十一日，被任命爲江西省第四區行政督察專員兼保安司令、贛縣縣長。與此同時，於三民主義青年團成立一年後的七月十七日，蔣兼團長在中央團部演講「今後發展團務與指導的方針」說：「……㈢青年團工作之意義，在散播三民主義的革命種子，創造黨國的新生命。㈣團的主要任務，在爲黨國訓練一般健全的青年，故組織範圍宜廣，但團員的分子宜精。」（註二〇）八月六日，三民主義青年團第一屆夏令營舉行於南溫泉，蔣兼團長親臨致詞。（註二一）九月一日，三民主義青年團中央幹事會和中央監察會正式成立，陳誠和王世杰分別出任書記長。（註二二）至此，國民黨才正式擁有全國性的青年組織。

完成中央組織以後，於八月二十八日，在江西省正式成立「三民主義青年團江西支團部」，經國先生就任幹事長，九月二日，在經國先生主持下召開了江西支團臨時幹事會第一次會議；會上通過三項重要決議：幹事人選、支團部成立宣言、和創辦「三青團江西支團部

・經國先生巡視贛南工務員張永維轄境時與地方行政幹部合影。

幹部訓練班」（簡稱「江西青幹班」）。此時，經國先生親自制訂計畫，安排幹部，辦理招生，主持訓練。一九三九年十月著手籌備，十二月招生，第一期學員一百二十多人，於一九四〇年一月開訓，四月結業，地點設在贛縣西郊的赤硃嶺。（註二三）

經國先生對於三民主義青年團，非常積極。譬如江西青幹班的訓練有政治訓練、學務訓練、軍事訓練和精神訓練等課程，而經國先生便親自擔任精神訓練的課。這個課程叫做「團長行誼」，以蔣兼團長的行誼爲教材，作徹底的精神訓練。其目的在「團結一致，絕對效忠團長的精神」，這叫做「赤硃嶺精神」。（註二四）

對於團長絕對的信賴和服從，意味著對經國先生的信賴和服從。而經國先生平易近人和跟學員寢食與共的作風所形成的伙伴意識，更加强和鞏固了以經國先生爲中心的「赤硃嶺精神」。爲著具體化伙伴意識，使其成爲經國先生常對江西青幹班學員所說「一個堅固的集合體」，而設立了「江西青幹班畢業生通訊處」，以聯絡彼此的感情。它一直是以經國先生爲中心的組織。當然，這個通訊處發揮了聯絡散在全國各地學員的功能。從第一屆到第五屆，大約五百名江西青幹班的畢業生，勝利後將其通訊處遷移到南昌，成爲一個正式的公開社團。（註二五）

江西青幹班第一屆學員結業以後，於一九四〇年四月召開江西支團臨時幹事會第二次會議，其主要議題爲，第一次會議時在江西支團部下面設立六個分團，因第一屆學員已經結業，故決定再增設八個分團，同時決定其人事。（註二六）在另一方面，七月九日，蔣兼團長紀念三民主義青年團成立二週年，發表「告全國青年書」，勉勵青年要做「民族文化的繼承人，和國家前途的創造者」。尤其「今日中國青年迫切之急務，在認識時代，堅定主義信仰，確立革命的人生觀。……建立革命人生觀，必須個人對於宇宙所處之地位，與羣己關係之分際」。（註二七）

一九四一年四月，江西支團召開第三次臨時會議，發表了被喻爲「大政變」的人事。（註二八）其所以改組人事，我們得回顧成立三民主義青年團以前的情形。亦即在抗戰之前，蔣總裁有意建立全國性的青年組織，因而邀集「復興社」的中心人物康澤和「C・C」有力人士商量結果，決定組織「三民主義青年團」。當時中央幹事會的三十一名幹事，全由蔣總裁指定。組織處長胡宗南只是掛名而已，實際上的工作則由代理處長的康澤負責。因此成立「三民主義青年團」時，爲擴大其影響力，康澤便用了副書記彭朝鈺等許多他的親信。但彭朝鈺濫權、囂張，目空一切，因而有調整彭朝鈺等的改組人事。（註二九）由此，所謂「太子系」完全掌握了三民主義青年團江西支團。而這個「大政變」，乃是經國先生在政治方面發揮其實力的象徵。無論如何，在中國，人們認爲出現了所謂「太子系」。

一九四一年七月九日和十日，爲紀念成立三周年，三民主義青年團中央幹事會和監察會舉行了聯席會議，蔣兼團長演講「哲學與教育對於青年的關係」。這個演講的重點是，中國青年欲完成時代使命，精神修養是不可或缺的，而爲其基礎者就是要確立健全的哲學。每個國家應有她的固有哲學，因此中國必須建立其哲學的獨立體系，故蔣兼團長以孫中山先生的學說爲中心，主張善用「即物窮理」。（註三〇）我認爲，戰爭的最高領導者當日這樣提倡民族哲學，的確非常難得。因爲在這演講的前後一週，日軍曾經大事轟炸重慶，不分晝夜，人民雖斷炊失眠，但抗戰意志卻更爲堅强。（註三一）

反觀日本受到美軍轟炸，日暮途窮時，日本的最高戰爭領導者對於日本青年，能夠呼籲建立日本的固有「哲學」嗎？因學生動員令而放棄學業，並參加過戰爭的我，從來没聽過這類話。因爲美軍的連日轟炸，我們失去一切的一切，但卻没有喪失戰意。可是，日本的戰爭領導者卻只要求我們滅私爲公，而絕没談要建立我們的民族哲學！這個差異，給我非常大的衝擊。在本書的序章，我提出了「以德報怨」和「以怨報德」這兩句成語，而其差異似乎來自戰爭中最高領導者之人生觀的差異，也是儒家精神歷史的差異，更是戰時和戰後，政治最高領導者之人生觀的差異。

一九四三年初，三民主義青年團中央團部對各省支團指示，將召開全國代表大會，要江西支團部也推派代表參加。因而於二月間，在贛州舉行江西省支團部第一次大會，選出出席全國代表大會的五位幹事。他們全部屬於所謂「太子系」。（註三二）在這第四次支團會議，江西支團正式成立，江西全省設立三十個分處，幾乎由與經國先生有關係的人負責。（註三三）三月二十九日，在重慶召開三民主義青年團第一次全國代表大會，蔣兼團長演講「中國青年所負的時代使命」。指示青年團今後應有的任務與工作重點爲：㈠要推行經濟建設運動；㈡要實行國防科學技術運動；㈢要實踐新生活信條；並以「仁愛」、「利他」、「積極」、「建設」、「具體」、「力行」、「堅定」、「謹嚴」、「遠大」爲今後青年運動所必須遵循的原則，一致爲完成革命建國而奮鬥！（註三四）

在第一次全國代表大會選舉了中央幹事和監察，制定三民主義青年團團章，決議召開大會的三月二十九日爲中國青年節，發表宣言要建立國防、經濟、文化之三位一體的新中國。（註三五）大會後的七月五日，經國先生向蔣兼團長建議創辦三民主義青年團幹部學校。（註三六）

經國先生對於創辦青年幹部學校的基本構想，大約如下：「今日之抗戰建國運動，爲我國存亡之所關，追溯本黨革命史實，辛亥革命之未能完成，其最重要關鍵，實爲缺乏忠誠黨國，服膺主義而奮鬥之青年幹部；總理卓見及此，於是創立黃埔軍校，遂能完成北伐，肅清叛逆，領導國人，防禦强寇，五年血戰，已奠定民族復興之基礎。」（註三七）

「現在困苦之軍事破壞時期，雖行將結束，而艱難之建設事業，必須團結全國青年，培養優秀技術幹部，使其實行主義，忠於黨國，掃除虛僞墮落之頹風，使我國成爲富强康樂之

·民國二十九年三月，經國先生到渝向　蔣公報告贛縣之狀況時合影。

大國。因此，青年幹部學校之訓練，應側重建國技術，實爲時勢所必需，論其性質，即爲造就信仰三民主義之青年技術幹部。」（註三八）

「爲達成上述目的：㈣必須遵照團長在『中國之命運』中所指示者，擬定一培養建國青年幹部之具體計畫，招收國內各大學高中畢業之學生，斟酌國家需要及各地情形，分期訓用，除設立本校之外，東南西北酌設分校。㈤校中課程與整個國家建設計畫相配合，且另樹校規，並視學習上之需要，於畢業前擇優派赴外國工廠實習，以促進國家建設事業之迅速發展。㈥培養三民主義青年團團務幹部固屬幹校之責，但幹校於畢業生工作之範圍則應普遍於全國各階層『鐵路、工廠、礦山、農場、醫院』，身體力行，以建立良好之成績與風氣。㈦慎選師資，爲訓練機關發揮其教育效能之關鍵，故爲幹部前途計，於講師人選，必須求其品行高尚，學驗淵博，忠於團長，忠於黨國，非如此不足以發揚身教之精神也。」（註三九）

「幹部學校之成立，應爲團結青年之營壘，責重事大，似宜多約專家，妥爲籌畫，開學之期，應在明春，否則草率將事，恐有負團長之期望，且失青年之同情耳。」（註四〇）

經國先生這個意見書呈蔣兼團長四天後，即於一九四三年七月九日，三民主義青年團中央幹事會便決定要創辦中央幹部學校。這個決定，預定蔣兼團長兼該校校長，經國先生出任其教育長。（註四一）幹部學校的創辦，實在神速。七月十日，依「中央幹部學校組織規程」，發布上述人事的第一號命令，（註四二）十二月一日，設立了幹部學校本部。這時，

經國先生已經自江西到重慶去了。（註四三）

有如迅雷地創設中央幹部學校這個措施，自有其背景。首先是蔣兼團長的積極性。我認爲，一方面與抗戰效果有關係的戰局的困難，另方面對於超過其能力擴大戰線之日本的冷靜而透徹的判斷，亦即看透日本的日趨孤立，乃其戰力已到盡頭，加以此次抗戰之國際性的擴大和加深，增强了他的信心，從而欲創造出徹底的國家總體戰的轉機而才創辦中央幹部學校。

換句話說，曾經陪孫中山先生在永豐艦共患難四十二天的蔣兼團長，領取孫先生「堅忍耐煩，勞怨不避」的遺訓，俾在其所處更大的空間來克服國家苦難，而才決定創辦中央幹部學校。（註四四）

第二，蔣兼團長認爲經國先生在江西所獲得的經驗和成果，足以發揚光大於中央。這說明了經國先生具有動員年輕而積極的活力的政治感覺，和以經國先生爲中心的所謂「太子系」的人脈已經確立。在這人脈（相對於山脈）之中，譬如是黃埔軍校的畢業生，爲蔣兼團長所信賴，成立三民主義青年團江西支團時，被任命爲首席幹事，創立中央幹部學校時出任訓導處長的胡軌先生便是其典型的人物。他在經國先生之下，後來以副教育長身分代理經國先生的職務。（註四五）又，總務處長的施季言先生，是由經國先生的胞弟緯國先生的推荐到幹校的，他當時已超過六十歲，他輔佐年輕的經國先生，來台灣出任過陽明山管理局局

長。（註四六）

正確地來說，經國先生係於一九四四年一月就任三民主義青年團中央幹部學校的教育長。在這期間，他辭去江西省贛縣縣長職務，惟因人人稱讚他的功績，江西省不希望他離開，因此中央特別任命他爲江西省政府委員。經國先生也很喜歡江西，所以這個頭銜使他方便於往來重慶與贛州之間。也由此，他與江西省省長熊式輝便展開新的工作，至於其詳情，將在下一章敘述。

中央幹部學校於五月五日迎新生，並設立研究部，以培養「幹部的幹部」。（註四七）從長期來看，它的用意，似乎是爲了把日本打敗後，準備應戰中共。（註四八）但這個構想，在大陸並沒有實現。要創造新的社會和建設新的國家這個蔣兼校長的構想，很可惜，沒有成爲事實。（註四九）

經國先生在贛南最後的一年，着手於他的教育目標之一的公務員特別訓練。其對象限於現任公務員，而且願意利用公餘爲人民奉獻者，故這可以說是一種精英教育。爲此經國先生創辦了「新贛南公僕學校」，並自任校長。這是一九四三年五月二十七日的事情。（註五〇）

這所學校的創設，乃基於公務員必須具有人民之「公僕」的精神這種經國先生的信念，而他這種信念，也表現在另外地方。譬如他把當時贛州的「鹽官巷」改爲「公僕巷」就是一個例子。內地的江西與鹽並無直接緣分，所以爲贛南地區人民生活所不可或缺的鹽，使其聯想到官吏的特權和貪污。經國先生因此切斷鹽與官的關係，而以公僕來取代這個巷的名字。

原來，在中國，對於公務員有「父母官」的別名，它的意思是說，官員與人民具有長年的關係，對於人民要以父母般的慈愛待之，故才有這種名稱。（註五一）但經國先生認爲，如果是封建社會自當別論，既然以中華民國這個國體實行民主主義政治，人民當然是主人，公務員既然爲人民服務，自千萬不能用「父母官」這個名稱。一個人要以父母對自己子女一般的慈愛去對待別人，自然很好，但在民主主義社會，人民與（地方）官吏的關係，應該是主人與公僕的關係。這不是說不需要有充滿慈愛的大公無私的人際關係，經國先生所懼怕的是，第三者無從介入的那種親子關係，往往會成爲貪污的原因。

在中國，還有自古以來「爲利而做官」，「做官有利可圖」的舊觀念。經國先生認爲除非徹底剷除此種觀念，實無法實行民主政治。行政院長李煥說，他因爲被重慶的幹部學校研究部大門的「想升官的莫進去，想發財的請出去」這個招牌所感動才踏上革命報國的道路，而令學校當局掛上這幾個字的就是經國先生。（註五二）

由於這種原因，經國先生便在「贛州公僕學校」，每天講兩個小時應該怎樣做公僕的課。經國先生雖然也担任其他課程，但還是把重點擺在如何做公僕這門課。贛南之所以成爲中華民國的模範地區，是因爲公務員的士氣道德高，經國先生非常積極推動公僕精神所導致。

註釋

（註一）前述，江南著：「蔣經國傳」，八一——八二頁。

（註二）前述，「蔣總統經國先生言論著述彙編」第四集，六九一頁。

（註三）同右，六九二頁。

（註四）「古文觀止」是清朝康熙時代，由吳楚材、吳調侯所編，收先秦到明末以散文爲主的二百二十二篇文章，在中國讀者甚多。曾文正（國藩）是平定太平天國的清朝功臣，著有「曾文正公全集」一百六十八卷。胡林翼隨曾國藩在太平天國之亂，因奪回武昌的功勞而被任命爲湖北巡撫，在行政方面的工作，受到很高的評價，有「讀史兵略」的著作。（根據「辭海」上、中卷）

（註五）前述，「蔣總統經國先生言論著述彙編」第一集，三七三頁。一年之內，在他的責任範圍地區，新蓋了八百六十二所學校。關於數目的問題，他有馬克思、列寧的或者辯證法的看法：即數量的增加將導致質的變化。過去三年的贛縣，在橋梁、道路、學校、水池的建設和掃除文盲方面，因爲量的發展（增加），而予縣民以心理上很大的影響，因此導致人民質的變化。他說這是最大的收穫。由於他從蘇聯回來，所以有人誣蔑他是「共產主義者」，而在這一點，他確有馬克思、列寧般的想法，但如我們在第二章所說，他對蘇聯有他自己的嚴正看法。

（註六）前述，「蔣總統經國先生哀思錄」，第三編，七九四頁。

（註七）同右，七九二頁。

（註八）前述，「總統　蔣公大事長編初稿」，卷四，上冊，一九三——一九四頁。
（註九）同右，二〇二頁。
（註一〇）同右，二一一頁。
（註一一）同右二二二頁。在這布告中，明示三民主義青年團以下六項特殊任務：(1)積極參加戰時動員；(2)實施軍事訓練；(3)實施政治訓練；(4)促進文化建設；(5)參加勤勞動員；(6)培養生產技術。
（註一二）同右，二三一頁、二三三頁。
（註一三）同右，二三五頁。
（註一四）同右，二四〇頁。
（註一五）同右，二四五頁。前述，「蔣經國系史話」，二五頁。中央團部在武昌，改組廬山訓練團，並新設中央訓練團，在其下面設立「三民主義青年團幹部訓練班，簡稱中央青幹班」，以日後的海軍總司令桂永清爲主任。
（註一六）前述，「總統　蔣公大事長編初稿」，卷四，上冊，二四五頁。
（註一七）同右，二五七頁。
（註一八）同右，二六二頁。這一天，蔣總裁由南昌回到長沙。
（註一九）前述，「蔣經國系史話」，三一頁。
（註二〇）前述，「總統　蔣公大事長編初稿」，卷四，上冊，三八二頁。
（註二一）同右，三九三頁。
（註二二）同右，四〇五頁。
（註二三）前述，「蔣經國系史話」，四一頁。

（註二四）同右，四三頁。
（註二五）同右，四四——四五頁。
（註二六）同右，四九——五二頁。
（註二七）前述，「總統　蔣公大事長編初稿」，卷四，下册，五五五——五五六頁。
（註二八）前述，「蔣經國系史話」，五三頁。
（註二九）同右，二四——二五頁。
（註三〇）前述，「總統　蔣公大事長編初稿」，卷四，下册，七〇六——七〇七頁。
（註三一）同右，七一三頁。
（註三二）前述，「蔣經國系史話」，五四——五六頁。
（註三三）同右，五七頁。
（註三四）前述，「總統　蔣公大事長編初稿」，卷五，上册，二九八——二九九頁。
（註三五）同右，三〇六頁。
（註三六）同右，三三八頁。
（註三七）同右，三三八頁。
（註三八）同右，三三九頁。
（註三九）同右。
（註四〇）同右。
（註四一）前述，「蔣總統經國先生哀思錄」，第三編，七九四頁。
（註四二）前述，李雲漢：「蔣經國先生傳」，四三頁。
（註四三）同右。
（註四四）前述，「蔣介石秘錄」，（6），「共產黨の台頭」，四〇頁。「每遭遇到艱難和挫折，我都以總理的『堅忍耐煩，勞怨不避』的遺訓，以鞭策自己」。

（註四五）前述，「蔣經國系史話」，八三頁。

（註四六）同右，八六頁。

（註四七）同右，九四頁。

（註四八）同右，九六頁。根據「中央幹部學校二十年遠景規劃」，將來的各項幹部將為十萬人，各種技術工人將為一百萬人，一時被說成是蔣經國的兩百萬計畫。

（註四九）前述，「總統　蔣公大事長編初稿」，卷五，下册，五一五頁。

（註五〇）前述，「蔣總統經國先生哀思錄」，第三編，七九四頁，及鍾聲，「蔣總統經國先生」，六六頁。

（註五一）李元平，「平凡、平淡、平實的蔣經國先生」，三六頁。

（註五二）前述，李煥，「無盡的悲慟」，「蔣總統經國先生哀思錄」，第一編，三九九頁。

第六章　外交部特派員

——與蘇聯野心的搏鬥——

一九四三年十一月二十三日，蔣介石、羅斯福和邱吉爾在開羅會議，協議日本投降後，在遠東必須處理的問題。他們討論的包括：日本將來的國體問題、共產主義與帝國主義的問題、應該還給中國的領土問題、日本對華賠償問題、新疆及其投資問題、蘇聯對日參戰問題，朝鮮獨立問題、中國與美國的參謀聯合會議問題、安南問題、旅順港歸還中國後可由中美共同使用等重要問題。（註一）在這個會議席上，蔣主席對於日本的國體問題，主張應由其國民，以其自由意志決定日本的政府形式，並獲得羅斯福總統的同意。但在這裡，我準備只提出中國對蘇聯不信任問題。

在這個會議，對於中國共產黨的問題，羅斯福認爲這純粹是中國內政問題，但蔣介石卻以「史大林把赤化波蘭和中國列爲其世界戰略的第一個目標」，蘇聯命令各國共產黨徹底攻

擊蔣介石，並以羅斯福根據中國共產黨的宣傳工作所欺騙的情報在看中國問題。（註二）

因此，對於共產主義和帝國主義的問題，中美之間的看法有很大的距離，而這當然影響到二次大戰後中美兩國的大陸政策。老實說，美國的大陸政策太樂觀了。爾後，在德黑蘭美蘇舉行了首腦會議，據說此時羅斯福提議把大連作為自由港。（註三）隨後，中國對亨利・華萊士表示，一九四四年六月二十三日，蘇聯在遠東協助中國，「只要不侵犯中國的主權」，中國願意把大連作為自由港。（註四）

以這些會議的結果為前提，以後羅斯福、邱吉爾、和史大林，自一九四五年二月四日至十一日，在克里米亞半島雅爾達舉行會議，並簽訂了所謂「雅爾達密約」。在這個會議中，關於遠東的政治問題，二月八日，只有羅斯福、史大林及其主要隨員和翻譯六人在場，並作了秘密交易。其內容，連英國的代表都沒告訴。（註五）這個密約，與本章的內容有關係者如下……商港大連將由國際管理，蘇維埃聯邦在該港擁有優先權，並將恢復旅順港的租借權作為蘇聯的海軍基地，在中華民國對滿洲具有完全的主權的諒解之下，中東鐵路及以大連為出口的南滿鐵路，將由中蘇設立合資公司，共同經營……有關前述港灣、鐵路的協定，要徵得蔣介石委員長的同意。……但這個密約，不但未事先徵得蔣委員長同意，而且在相當期間都沒告訴中華民國。因此，「以後對於把中華民國的出賣，美國總統大受非難」，雖然與本書的主題沒有關係，這個密約在法律上對於日本毫無約束力，但戰後，與無視國際法的蘇

聯之間，它成爲導致種種困難問題的根源。（註六）

應美國之要求，在蘇日之間的互不侵犯條約仍然有效的當時，蘇聯竟非法地對日本宣戰，更無視國際法，戰後把日本人帶到蘇聯去並强制其做苦工，因而死亡了七萬多人。並且對於日本無條件投降，自己解除武裝正在做接受盟軍命令之準備的千島列島的日本陸軍，從戰爭結束三天後的八月十八日凌晨，蘇軍竟突然施以攻擊，並非法地相繼佔領了該列島。而這就是今日蘇日之間的北方四島領土問題，並成爲至今沒有簽訂蘇日和平條約的原因。並且，蘇聯沒有參加舊金山和約，仍然繼續其國際法上之不法行爲，以至於今日。

以這種歷史事實爲背景，我準備對於二次大戰結束前後，以中華民國爲中心的中蘇關係（這需要考察對美、對蘇以及對中國共產黨的複雜關係），特別是從中蘇交涉的觀點，來敘述中華民國在東北抵抗蘇聯野心的經過。因爲經國先生曾以外交部特派員身分參加了中蘇交涉，更前往莫斯科親自與史大林談判。經國先生可能沒有想到他會再次回到曾經歷盡滄桑，吃盡苦頭的蘇聯，而冷酷的事實卻需要蘇聯通的他。

抵抗日本侵略中國大陸的國民政府四年有半的抗戰，因爲一九四一年十二月八日，日本偷襲珍珠港而引發太平洋戰爭，而進入新的局面。此時，國民政府才正式對日本宣戰，而與聯合國確立了聯合作戰的態勢。次年元旦，發表「聯合國共同宣言」，三日，蔣委員長被推爲聯合國中國戰區最高統帥，十九日，美國陸軍中將史迪威就任參謀長。史迪威擔任美國駐華大使館武官多年，不但精通中國事務，並且中國語文能力也相當强。惟因其爲美國駐華軍事代表、駐緬甸中美軍司令、對中國租借物資管理統制人、雲南、緬甸公路的監督人和駐華美軍指揮官，具有許多和很大的權力，加以與中國共產黨關係密切，所以這個人事造成很不幸的後果。（註七）

歷史已經證明，在太平洋戰爭初期獲得輝煌「戰果」，但迨至一九四二年六月五日，日本海軍在中途島之役受到致命打擊以後，戰局的前途逐漸日趨暗淡。日本海軍之受挫給聯合國以轉變戰機，而另一方面，在大陸的戰場，對於中國一時優勢的也變爲劣勢，日軍只能勉强確保點與線。而隨日本陸海軍的頹勢，同時發生了如下幾個問題。

第一，由於中華民國參加聯軍，中華民國在國際上的地位隨之提高，並脫離了多年來受侮辱的地位，而爲世界四大强國之一。因此，美英兩國遂放棄其在中國大陸的領事裁判權、公使館地區、對於一部分鐵路沿線的駐兵權、租界及與其有關的特權、軍艦之在領海內的自由航行權、河川的自由航行權等不平等條約；在二次大戰末期，且出任維護戰後世界和平與安全之聯合國的，擁有否決權的常務理事國之一。

第二，日本的戰敗已經非常明顯時，蘇聯强迫中華民國與其簽訂「中蘇友好同盟條約」。（註八）無疑地，這是以雅爾達密約爲前提，美國也很清楚蘇聯的野心，惟因要求蘇聯參戰，而又對美國没有直接傷害，所以没說話。但對其內容，蔣委員長卻毅然反對。（註九）蘇聯明確表示要取得一九〇四年俄日戰爭以前帝俄在滿洲所擁有的權益，但蔣委員長則以中華民國今後的外交政策乃以「領土行政主權的完整」爲根本，以此根本政策謀求與世界各國的友好關係，和「遠交近親爲今後外交宗旨」，以對。（註一〇）

第三，因美國的壓力，表面上第三國際已經解散了，但中國共產黨和蘇聯的密切關係如故，同時中國共產黨積極的地下工作，發生了令人想像不到的效果。它「有時候與日軍通款，與蘇聯合作，並籠絡美國的左傾分子。他們展開其拿手的虛僞宣傳，一心一意破壞國民政府在內外的威信。所以連友邦的美國政府都受中國共產黨所欺騙，而導致其決定性的失策」。（註一一）隨盟軍勝利的明朗化，中國共產黨的地下工作，日趨激烈。中國共產黨虎視眈眈欲得漁翁之利。

在這種情況之下，於舊金山召開了籌設聯合國的第九次會議，並於一九四五年六月二十六日，通過聯合國憲章。中華民國出任聯合國常務理事國，對戰後世界的和平與安全負了很大的責任。但對於蘇聯卻不得不讓步，而於同日決定了對蘇交涉的基本態度。即：決定了蘇聯參加對日作戰，從軍事上方便這個事實，同意蘇聯共同使用旅順軍港，但其主權和行政權屬於中國，軍港的範圍限於舊軍港，不承認附屬地。大連商港作爲自由港，但在行政上要承認中國的自主權等九項。（註一二）

爲著直接與蘇聯政府談判這些問題，五月二十七日，決定派遣行政院長兼外交部長宋子文，經國先生也同行。如前面所說，當時經國先生是三民主義青年團中央幹部學校教育長，一九四五年四月一日，被任命爲青年遠征軍編練總監部政治部主任，更兼任軍事委員會青年軍政治工作人員訓練班主任，和知識青年從軍徵集委員會委員，因爲在蘇聯待過多年，故奉命到莫斯科。六月三十日，一行抵達莫斯科，並開始談判。出發前，蔣委員長指示經國先生以下三點：1.態度親切，情誼隆重。2.大事不苟，據理解答。3.小事渾厚，不必斤斤計較。（註一三）

起初，史大林很有禮貌，但一開始談判，他的態度便變成傲慢、狂妄和下流，他竟把一張紙丟在桌子上並問宋子文代表說：「你有沒有看過這個東西？」日後，經國先生曾經回憶這件事，並把它寫成文字。（註一四）宋子文代表知道這是雅爾達協定，因而答說：「我知道大概的內容」，對此史大林强調說：「這是羅斯福簽過字的，你要跟我談當然可以，但一定要以它做根據」。

宋代表一行非常清楚，既然來到莫斯科，一切就得忍耐。此時，就以下兩點，雙方有過很激烈的爭論。第一點是，以雅爾達密約爲根據時，「租借」這兩個字的問題。第二點是，宋代表一行堅持中國的主權和領土的完整，絕不讓步。關於第一點，得到雅爾達密約的情報時，最大的問題是，「租借地」這個字眼就是「歷史的恥辱」。（註一五）蘇聯以租借名義獲得一個軍港作爲蘇聯海軍的根據地，將失去四億五千萬中國的人心，在歷史上，一八九八年帝俄租借旅順，爾後德國租得青島，英國威海衛，法國廣州灣等等，以不平等條約把中國綁得緊緊地，迨至一九二四年，蘇聯取消不平等條約，但今日卻又要租借旅順，當然給中國很大的反應。（註一六）因此，中國代表團前往莫斯科之前，蔣委員長曾經嚴格指示：「不能用這兩個字，這兩個字，是帝國主義侵略他人的一貫用語。」（註一七）

面對中國的强硬抗拒，史大林終於同意不使用「租借」這兩個字，但卻絕對不讓步外蒙古的獨立問題。談判没有獲得結論，當時中華民國所面臨的内外環境，的確非常險惡。所以蔣委員長採取迂迴方法，打電報給經國先生等：「不要我們正式同史大林談判；要我以個人資格去看史大林，轉告他爲什麼我們不能讓外蒙古獨立的道理。」於是經國先生遂以個人身分與史大林會面，說明中國爲什麼不能同意外蒙古獨立。（註一八）經國先生多年來在蘇聯的辛勞，到此時才有一個結果，因爲只有他能與史大林對談。

「你應當諒解，我們中國七年抗戰，就是爲了要把失土收回來，今天日本還没有趕走，東北台灣還没有收回，一切失地，都在敵人手中；反而把這樣大的一塊土地割讓出去，豈不失却了抗戰的本意？我們的國民一定不會原諒我們，會說我們『出賣了國土』；在這樣情形之下，國民一定會起來反對政府，那我們就無法支持抗戰；所以，我們不能同意外蒙古歸併給俄國。」

對於經國先生的這番話，史大林說：

「你這段話很有道理，我不是不知道。不過，你要曉得，今天並不是我要你幫忙，而是你要我來幫忙；倘使你本國有力量，自己可以打日本，我自然不會提出要求。今天，你沒有這個力量，還要講這些話，就等於廢話！」

史大林說話的態度非常倨傲，露骨地表現出帝國主義者的真面目。因此，經國先生遂開門見山地問他說：

「你爲什麼一定要堅持外蒙古『獨立』？外蒙古地方雖大，但人口很少，交通不便，也沒有什麼出產。」

他乾脆地說：

「老實告訴你，我之所以要外蒙古，完全是站在軍事的戰略觀點而要這塊地方的。」他且拿來地圖，並指著說：「倘使有一個軍事力量，從外蒙古向蘇聯進攻，西伯利亞鐵路一被切斷，俄國就完了。」

於是經國先生對他說：

「現在你用不著再在軍事上有所憂慮，你如果參加對日作戰，日本打敗之後，他不會再起來；他再也不會有力量佔領外蒙古，作爲侵略蘇聯的根據地。你所顧慮從外蒙進攻蘇聯的，日本以外，只有一個中國，但中國和你訂立『友好條約』，你說二十五年，我們再加五年，則三十年內，中國也不會打你的；即使中國要想攻擊你們，也還沒有這個力量，你是很明白的。」

史大林立刻批評經國先生的話說：

「你這話說得不錯。第一，你說日本打敗後，就不會再來佔領外蒙古打俄國，一時可能如此，但非永久如此。如果日本打敗了，日本這個民族還是要起來的。」

經國先生追問他說：

「為什麼呢？」（註二〇）

他答說：

「天下什麼力量都可以消滅，唯有『民族』的力量是不會消滅的；尤其是像日本這個民族，更不會消滅。」

經國先生又問他：

「德國投降了，你佔領了一部分；是不是德國還會起來？」

他說：「當然也要起來的。」經國先生接著說：「日本即使會起來，也不會這樣快；這幾年的時間你可以不必防備日本。」

史大林說：「快也好，慢也好，終究總是會起來的；倘使將日本交由美國人管理，五年以後就會起來。」（註二一）

經國先生說：「給美國人管，五年就會起來；倘使給你來管，又怎樣的呢？」

史大林斷言說：「我來管，最多也不過多管五年。」

經國先生與史大林的談話還繼續下去。他很正經地對經國先生說：

「我不把你當做一個外交人員來談話，我可以告訴你：條約是靠不住的。再則你還有一個錯誤，你說，中國沒有力量侵略俄國，今天可以講這話；但是只要你們中國統一，比任何國家的進步都要快。」

的確，這是史大林的「肺腑之言」，其所以要侵略中國，是害怕中國强大起來，因此只顧目的，不擇手段，千方百計要壓迫、分化和離間中國人。

史大林繼著又說：「你說，日本和中國都沒有力量佔領蒙古來打俄國；但是，不能說就沒有『第三個力量』出來這樣做？」這個力量是誰？他故意不說。經國先生反問他：「是不是美國？」史大林回答說：「當然！」

由此，經國先生暗地裏想：美國人簽訂雅爾達密約，給史大林這麼多的便宜和好處，但史大林卻還把美國當做敵人。

在莫斯科的中蘇交涉，舉行了六次，七月十二日，沒有獲得結論而中斷，一行告訴蘇方將回國，並說將另行派遣代表團前來莫斯科。經國先生一行於七月十七日返抵重慶，由宋子文代表向蔣委員長報告談判的經過和內容。（註二二）在這期間，經國先生曾向蔣委員長以電報報告第四次會談，尤其是報告了軍港的使用和有關蘇聯的軍事情報。（註二三）其內容爲：蘇聯在海參崴以北地帶已經開始建設軍港，預定四十年以內完成，在此以前，蘇聯希望與中國共同使用旅順、大連兩港及鐵路，迨至其軍事建設完成之日，才要把旅順等還給中國。

八月五日，行政院長宋子文、外交部長王世杰一行，經國先生也同行，再度飛往莫斯科，八日，開始第七次談判。（註二四）這一天，蘇聯違反與日本的條約，決定九日將與日本開始作戰；美國在長崎投下了第二顆原子彈。日本的無條件投降日近，「中蘇友好同盟條約」也得趕緊簽訂，因此正如蔣委員長日後所說，「在國家權益上不得不作重大的讓步」。（註二五）但對此卻有人說：「蔣介石及其他要人，對這個條約表示滿意」，理由是：「這個滿意，與其說是因爲這個條約的條件，毋寧說是因爲與中國國民黨政府締結了這個條約，蘇聯沒有意思把中共捧出來這個事實」。（註二六）

對於簽訂「中蘇友好同盟條約」，蔣委員長有這樣的原則指示：「外蒙古允許『獨立』，但一定要註明，必要經過公民投票，並且要根據三民主義的原則來投票。」這個原則，史大林同意了（註二七），但史大林說過：「條約是靠不住的。」在此種意義上，與蘇聯簽訂條約究竟有多大價值，實大有疑問。而日後蘇聯在滿洲幹了許多違反條約的背信行爲，證實了史大林所說「條約是靠不住的。」這句話。關於這些，後面我們還會提到。（註二八）

對於簽訂這個條約，經國先生有極其有趣的記載。（註二九）簽字時，蘇方代表又節外生枝。這個人是外交部遠東司的主管，他要求在條約上附上一張地圖，並在旅順港沿海一帶區域，劃一條黑線，大概離港口有二十浬的距離，在這線內，要歸旅順港管轄。照國際法觀點，公海範圍有一定的規定，就是離開陸地也有一定的距離。俄方此一要求，顯然不合理。爲了這個問題，從下午四點半到凌晨兩點，相持不下，不能解決。

經國先生覺得很不耐煩，因而說：

「你要劃線，你劃你的，我是不能劃的。」

俄國官員說：

「不劃這個線，條約就訂不成！」

經國先生說：

「訂不成，我不能負責，因爲我沒有這個權力。」

他說：

「我是有根據的。」

經國先生說：

「你有什麼根據？」

他拿出一張地圖，是沙皇時代帝俄租借旅順的舊地圖，它上面的確劃有一條黑線。他指著它說：

·民國三十四年八月抗戰勝利，經國先生隨侍　蔣公在重慶合影。

「根據這張圖，所以我要劃這一條線。」

經國先生覺得非常可笑，因而譏諷他們說：

「這是你們沙皇時代的東西，你們不是早已宣布，把沙皇時代所有一切的條約都廢止了嗎？一切權利全都放棄了嗎？你現在還要拿出這個古董來，不是等於承認被你們打倒的沙皇政府嗎？」

對方有點著急說：

「你不能侮辱我們的蘇聯政府！」

經國先生說：

「你爲什麼要根據這個東西來談判呢？不是等於告訴全世界說：你們還是同沙皇政府一樣的嗎？」

他說：

「你不要吵鬧，你的火氣太大。」

經國先生說：

「你要訂約可以，但無論如何這一個線是不能劃下的！」

經過一番大爭論之後，這張地圖雖然附上去了，但那一條線卻始終沒有劃出來。而由這件事，人們完全明白，史大林不是沙皇的再世，便是他的化身。

從莫斯科回國以後，經國先生於一九四五年十月十日，奉命將以外交部東北特派員身分派到長春去。（註三〇）經國先生在江西省首次工作時的江西省省長熊式輝，已於八月三十一日，被任命為軍事委員會委員長東北行營主任，駐長春。（註三一）八月二十一日，駐華日軍接受何應欽總司令投降指示；同日，日本關東軍正式投降蘇軍。（註三二）因此，蘇軍佔據了旅順和大連。因日關東軍向蘇軍投降，而中華民國政府則準備依條約從蘇軍接收日軍的武器、各種設施和資材，連同要回行政權。根據雅爾達協定，滿洲的行政權和一切主權要歸還中華民國。所以，於十月十二日，經國先生與熊式輝主任和經濟委員會的最高負責人張嘉璈飛往北平，由北平轉往長春，次日，與蘇軍總司令馬林諾夫斯基開始談判。（註三三）

經國先生抵達長春時，蘇軍已經在暗中支持中共的行動，長春附近且已有大約兩千的中共軍隊。蘇軍的士氣低落，在長春，有一百個左右的蘇軍官兵被槍斃。蘇軍已把貴重的機器和財物當做戰利品送回蘇聯，因此經國先生認為需要跟蘇軍做正式的交涉。（註三四）與蘇軍交涉的主要目標是，隨蘇軍的撤退，中國國軍的接收部隊應該從何處登陸，行政機關的接收問題，和通貨的流通問題。（註三五）蘇方說，此時蘇軍已經開始撤退，十一月二十日撤退瀋陽，二十五日從哈爾濱，十二月一日以前，預定全部撤到蘇聯國境。因此，中國軍可以跟著蘇軍的撤退往北移動部隊。（註三六）惟蘇軍總司令的話是，根據「中蘇友好同盟條約」附屬「有關中蘇對日作戰，蘇聯軍隊進入中國東三省後，蘇軍總司令與中國行政當局之

關係協定」所規定，「日本投降後三星期以內開始撤退」，「最遲要在三個月以內完成撤退」而說的。（註三七）

但中國代表團與蘇聯代表團一開始交涉，便知道情況比所想像者還要困難。譬如在十月十七日下午的談判，中方通知擬於十一月初在大連登陸接收部隊，並接收日本和僞滿洲所經營的工業設施，但蘇方卻不同意國民政府軍早日登陸，並主張日本在滿洲的一切工業設施都是屬於蘇聯的「戰利品」。

又在十月二十一日的談判，蘇聯代表巴布羅夫斯基少將對中國代表團主張說，國民政府軍要在大連上岸，因爲大連不是軍港，而是商港，所以違反「中蘇友好同盟條約」，以抵制。當然中方說，政府軍要到南滿洲，使用那一個港口，都是她的自由。但如後面所說，關於這一點，蔣委員長有他斷然的看法。在十月二十九日的會談，蘇方舉出美國戰艦進入大連港的事實，而非常警戒國民政府的勢力，以美國的力量爲背景，在滿洲壯大起來。（註三八）

張嘉璈的日記裡，到處刊有蔣委員長信件的英譯文，這本日記的英譯本封面，用了蔣委員長書信的一部分，封底刊登了它的全文。本文八四頁，也引用了全文。十月十六日蔣委員長親筆的這封信的收信人是天翼和公權，而天翼和公權是熊式輝和張嘉璈的別號。而我之所以在此地要特別提出這封信，是因爲這封信的最後說「請將此信讀給經國聽」。不特此，這

封信的內容，很能夠告訴我們當時中國對蘇政策的基本看法，因此我想介紹其大要。（註三九）

「關於輸送軍隊到東北，即使蘇聯欲阻止在大連登陸，也絕對不能停止海上的輸送。但除大連以外，不可以在營口等地找登陸地點。只有大連才是海上輸送軍隊上陸地點。對於這一點，絕不能動搖。但在這期間，必須趕緊修復瀋陽、北平間的鐵路。如果鐵路輸送在本月底以前能夠完成，要把我軍隊在下月二十日以前陸上輸送到瀋陽應該沒有問題。以陸上輸送為最優先的準備已經完成。對於蘇方所關心阻礙中蘇間關係之因素的物件、人物、我們要特別留意，不能給予任何誤解的餘地。」

除譯成英文的張嘉璈日記以外，還有記述當時交涉經過的其他日記。這是在本書第四章「新贛南的建設」所引用之經國先生的日記。「蔣總統經國先生言論著述彙編」第一集，五三五—五三九頁，題名「五百零四小時」，收錄著自民國三十四年十月二十五日到十一月十四日的交涉備忘錄，和經國先生個人感受的部分。這份日記與張嘉璈日記不同，比較有個人感情的流露，給人們以個人日記的印象。

但被譯成英文的張嘉璈日記，完全詳細紀述交涉內容，描寫蘇聯的交涉手法，極富於正式紀錄的色彩。現在舉一個例子。張嘉璈與經國先生，爲與政府商量曾經回國，十二月四日下午返抵長春，翌日上午，與馬利諾夫斯基開始談判。中方要求：中華民國空軍一師近日將進駐長春、陸軍二師將經由鐵路開到瀋陽、同時將派遣行政人員，希望蘇方遣派聯絡軍官同行，解除非正規軍的武裝，如果抵抗，請蘇聯支援中國軍隊。對此蘇方答覆說，對於移動軍隊到長春和瀋陽，願意負責其安全。但馬利諾夫斯基卻提議要先討論經濟問題，以爭取時間。因此，蘇軍的撤退期限又延到翌年的二月一日。（註四〇）

以這種手法，蘇聯在背後幫忙共軍，爲此需要爭取更多的時間，因而主張要先討論經濟問題。因此張嘉璈說：「我們的行動慢，我們的方法欠缺彈性，我們只知道如何忠於原則，但卻不知道爲達成這個原則應該採取什麼方法」，從而嘆息說：「我非常憂慮中蘇交涉終會失敗」。（註四一）

惟本書著重經國先生爲人的素描，所以我要把重點擺在經國先生的日記。加以經國先生奉蔣主席之命，於十二月二十五日交涉途中，爲打開僵局，曾經以蔣主席的代理身分，趕往莫斯科。由於此種原因，從中蘇交涉這個觀點來說，其內容是很有限的。但「總統　蔣公大事長編初稿」卷五，下册卻刊有許多經國先生從長春來的書信和電報。因此，在長春的交涉部分，我將盡量使用這些電報和「五百零四小時」作資料，又因篇幅關係，我將簡單敍述其內容。

「五百零四小時」，有經國先生於民國四十三年四月十六日在花蓮三棧村，面向太平洋清靜的環境中，夜暗月明裡所寫的序文。寫道，在這個晚上，經國先生與士兵們談話中，發現他們裡頭有不少人勝利後，爲接收被送到東北，並與共軍作戰，由之回憶九年前在東北從事交涉的種種往事，因而百感交集，難以入睡。（註四二）

在這裡，我想簡單介紹九年前以後經國先生的經歷。完成與蘇聯的交涉之後，經國先生於民國三十五年，在三民主義青年團第二次全國大會被選爲中央幹事，在東北與共軍的戰鬥激烈化，三十六年六月，在四平街展開激戰，經國先生曾以蔣主席的代表名義，視察戰地，鼓勵士氣；三十七年一月，被任命爲國防部預備幹部訓練局局長；對於以上海爲首地區經濟的困難問題，大顯身手。該年年底，經國先生就任台灣省黨部主任委員，三十八年一月，指揮將上海中央銀行的準備金運到台灣。下一章，我們將詳論這一點。

該年，中華民國政府對中共的戰事非常不利，放棄南京，太原失陷，蔣中正總統乘軍艦離開上海。經國先生於該年七月，就任總裁辦公室第一組副組長，從台北隨從蔣總統飛往重慶和成都。民國三十九年三月，經國先生奉命擔任國防部總政治部主任，著手修改國軍軍政工作的制度，俾建立中國的軍魂。同年八月，就任中國國民黨幹部訓練委員會主任委員，著手創辦政工幹部學校，次年十一月招生該校第一期學生，以灌注反共復國的革命任務。民國四十一年，被選爲中央常務委員，創辦中國青年反共救國團，並爲主任，以培養人才。他以國防部總政治部主任身分訪美，四十三年，就任國防會議副秘書長。

綜觀經國先生的經歷，我們可以知道他的職責逐漸與整個國家的問題有關，而在國家情勢最壞的時候，他就爲年輕一代掀起反共復國的熱情，而全身投入年輕人的教育和訓練。

現在我們言歸正傳。民國四十三年四月十六日晚上，他與年輕人經過六天的野外訓練，跋涉山野以後，所到達背向高山，清澈溪流，芭蕉、竹子繁茂，風景幽美的地方便是三棧村。（註四三）他在那天晚上所寫的文章，說明爲什麼要公開在東北對蘇交涉日記的理由。他說，其目的在於要使一般幹部知道我們黨國所處極其困難複雜的立場，以及敵人的陰險。一切困難的克服，一切問題的解決，皆始於我們反求諸己和追究自己的責任。爲此，我們唯有用自己的兩隻手，流自己的血和汗，以自己的才能來開拓國家光明的前途。……（註四四）

拜讀這篇日記，我有一個感想。就是一再地出現表達經國先生苦惱的一句話：「難以入睡」。像十月二十八日晚上，因爲風溼症右腿痛不能睡，原因很清楚者自當別論，但在十一月分，這句話出現特別多。十一月三日和五日的日記也有這句話，十一月八日的日記，開頭說前一天晚上在馬利諾夫斯基宴會喝了三杯酒，當時並不覺得怎樣，但到半夜非常口渴，起來喝水後，「不能成睡」，故寫了自十月十三日至十一月七日，在長春六次交涉經過的大概。十一月九日，「昨夜不能安睡，今晨四時即醒，不復成寐。前思後想，亦說不出所以然來。午餐後，獨座室中，吸煙遣悶，而憂煩亦愈集。下午五時，行營宴馬林斯基，我曾起立致詞，說明中蘇關係，應建立於相互認識之基礎上。馬則通知接其政府之指示，可將全部郵電交給我方並將多餘武器交給我國政府，然此尚不能遽謂爲其政策之轉變也。宴後參加餘興，晚作家書告近況，心愁而難安眠。」

爲什麼會這樣心身疲勞呢?這是我的猜測，而對於經國先生懊惱的原因，我們實有做一番探討的必要。經過長期抗戰終於獲得勝利的中華民國，接收爲蘇軍控制的東北是，排除萬難，非實行不可的，最大和最後的關鍵。就經國先生來說，在贛南的輝煌成果，加上參加對蘇交涉，不僅是新的挑戰，也是意味著他必須經過的，其成長的注定命運。而且，在莫斯科與史大林折衝所得到的經驗，是他活用於接收工作的最好機會。加以如果接收工作順利，則能夠救濟被日本人統治的東北同胞，並使其生活安定。（註四五）

但實際上與蘇聯折衝，便發現其手法之極端卑鄙而非常憤慨。因此他的幹勁，遂日趨消逝。欲認命而又不能認命的不滿的累積，損害了他的健康，一連串的睡眠不足，加倍了他的焦躁。這可能是他首次的經驗。在蘇聯，他吃過任何人都沒有吃過的苦。懷念故鄉、不滿，中共在蘇代表的一切迫害，在異邦過了任何人都不可能想像的孤獨生活。但此時他還能死心。至少他有嬌妻和兒子，再苦，他還能夠勉强過他個人的生活，只要他想活下去。

可是在長春工作的時候，他背著中華民國的命運，這使他坐立難安。他在蘇聯所經驗，個人小小的幸福的避難所，在對蘇交涉的成功與否的情形，是不存在的。跟個人不同，思考國家前途時，是不能死心的。愈想國家和民族，愈不能死心。如前面說過，張嘉璈預測這個交涉會失敗，而經國先生也可能耽心與蘇聯的協定訂不成。（註四六）他周圍的環境，日趨惡化。蘇聯與中共在背後的的合作，逐漸出現束手無策的局面。而不可以死心的念頭，使他心裡的壓力愈來愈大，從而導致連夜不能入睡。

在進入這種狀態之前，他再次奉命以蔣主席的代表，前往蘇聯與史大林交涉。十二月二十五日接奉命令，三十日到達莫斯科。（註四七）但以我手邊的資料不能知道經國先生那一天和史大林談判。（註四八）但「風雨中的寧靜」，有史大林發言的內容，因此現在我根據它來看看經國先生的想法。

史大林說：

「你們中國人要明白：美國人想要利用中國作為滿足的利益的工具，他必要的時候，是會犧牲你們的！蘇聯願意把本國的生產機器、汽車，以及中國所沒有的東西供給中國；同時，也希望中國能把自己出產的礦物、農產品供給蘇聯。蘇聯又可以幫助中國在東北建立重工業，並發展新疆的經濟；但是，我再三聲明，也是我最大的一個要求：你們決不能讓美國有一個兵到中國來，只要有一個兵到中國來，東北問題就很難解決了。

「我的經濟顧問最近會到長春去，我要他和你見面；我並且告訴他：只要國民政府能保證今後美國不在東北得到利益，我們蘇聯一定可以作必要的讓步。

「蘇聯並不反對中國和美國建立關係，因爲美國也可能幫助中國作經濟上的建設；但是，希望你們千萬不要信賴他。」（註四九）

經國先生初聽史大林這番惺惺作態的話，好像「仁言利薄」，但在本質上卻是「做賊的，喊叫捉賊」而已。是即史大林這番話，正是俄帝征服中國，壟斷東亞市場的最主要輪廓。蔣主席早已看出史大林的狡獪陰謀，如果上當，中國將亡國滅種，中華民族將永無翻身的日子。因此，對於史大林此種中蘇經濟關係的建議，和離間中美關係的陰謀，中國徹底地予以拒絕了。（註五〇）

以東北爲焦點的中蘇關係，因爲蘇聯始終使用「戰利品」這個字眼，明白表示要自由處分東北的重要經濟設施，所以對於這個「戰利品」之處理的談判，很難獲得妥協。因此對於蘇軍何時由長春撤退的問題，本來預定於一九四六年二月一日要撤退的，如今蘇方卻不作明確的答覆。（註五一）至少蘇聯的對東北政策，簡單來說，是要阻止美國以門戶開放主義浸透到東北，擴大蘇聯在東北的勢力，萬一做不到這一點，則希望由中共在東北建立其武力基地。

事實上，一九四六年二月初，對於日本在滿洲的工業設施的共同使用問題，由於中蘇雙方所提出的清單不同，在長春的談判沒有進展，而且對於「戰利品」的解釋有異，因此中國代表團暫時回到重慶，並一直停留在那裡，迨至二月十八日，外交部長王世杰，正式提出暫停對蘇聯的交涉。（註五二）在這期間，公開發表雅爾達密約，國民的反對由之日趨高漲，二月十九日，中華民國政府正式發表聲明不受雅爾達密約的任何拘束。（註五三）爾後經過種種波折，於四月三十日，張嘉璈回到了上海。

註釋

（註一）前述，「總統　蔣公大事長編初稿」卷五，上冊，四三八——四三九頁。

（註二）前述，「蔣介石秘錄」（下），三七九——三八〇頁。

（註三）「マックスベロフ著」（麥克斯．貝羅夫著，石川忠雄、小谷秀二郎譯）「ソヴィエトのアジア政策」（蘇聯的亞洲政策），日本外政學會出版，一九五七年三月一日，三四頁。

（註四）同右，三九頁。

（註五）倉田保雄著，「ヤルタ會談」，筑摩書房，一九八八年七月，六二——六五頁。「……因爲對美國毫無痛癢，故羅斯福一定非常滿足。但並非没有難解決的問題。因爲恢復蘇聯在滿洲的權益，和維持蒙古的現狀，與中國的主權有關，没有獲得蔣介石的諒解，美蘇不能隨便決定。」……「美蘇從這時候起，皆具有大國意識，因而互相暗中同意，分割支配，建立勢力範圍這種需要高度保密的事項，只要由其兩國決定就行，從而踏出構築雅爾達體制的第一步。

（註六）前述，「ソヴィエトのアジア政策」（蘇聯的亞洲政策），四〇——四二頁。前述，「總統 蔣公大事長編初稿」卷五，下冊，七〇二頁。蔣主席得悉雅爾達密約的內容，是一九四五年四月二十九日，係由美國駐華大使赫爾利轉告。

（註七）前述，「蔣介石秘錄」（下），三四二頁，三六三——三六八頁。蔣介石著，寺島正譯「中国のなかのソ連」（蘇俄在中國），時事通信社，一九六二年十一月十五日，一一三——一一五頁。蔣總統說：「他在中緬戰場的時候，正是美共及其同路人宣傳中共是『土地改革者』和『愛國民主黨派』，同時誣蔑我個人是頑固和反動法西斯的時期。他也受了這種宣傳的影響之一人。他誤信中共部隊可以服從他的指揮，他向我要求把國軍和共軍同等裝備起來，將共軍開出邊區作戰，同時也將晉、陝兩省被共軍牽制而防備其叛亂的國軍，開出作戰。可惜他對於共黨的陰謀毫無了解。他不知道過去中共在莫斯科指使之下，破壞中國革命的事實。他也沒有預想共軍得到裝備，開出『邊區』之後，將取何種手段來破壞抗戰，顛覆政府。史迪威將軍後來對我的爭執，完全是共黨及其同路人所一手造成的。」

（註八）前述，「總統 蔣公大事長編初稿」卷五，下冊，六九六頁。經國先生於四月十三日，奉派前往新疆慰問軍民，五月二十七日回重慶的報告，告訴我們蘇聯有意簽訂中蘇互助協定。（請參閱該書七〇二頁）蘇聯不但對新疆，對東北也有野心。

（註九）前述，「ソヴィエトのアジア政策」（蘇聯的亞洲政策），四一頁。「一九四五年二月十一日在雅爾達簽訂，一九四六年二月十一日於倫敦、莫斯科和華盛頓同時發表，對日本的戰爭蘇聯要參加的協定」最後部分這樣寫著：「蘇維埃聯邦，基於欲把中華民國從日本的桎梏解放出來的目的，爲著以其軍事力量援助中華民國，願意與中華民國政府締結蘇維埃社會主義共和國聯邦與中華民國之間的友好同盟條約」。

（註一〇）同右，一九四五年五月十一日，七〇四頁。

（註一一）前述，「蔣介石秘錄」（下），三五四頁。關於其更詳細的具體事實，請參閱三五五——三六九頁。

（註一二）前述，「總統　蔣公大事長編初稿」卷五，下冊，七三四——七三七頁。

（註一三）同右，七四〇頁。

（註一四）蔣經國著，「風雨中的寧靜」，民國五十六年二月四日，六六頁。

（註一五）前述，「總統　蔣公大事長編初稿」卷五，下冊，七二〇頁。

（註一六）同右，七二三頁。

（註一七）前述，「風雨中的寧靜」，六六頁。

（註一八）同右，六六——六七頁。

（註一九）同右，六八頁。

（註二〇）同右，六九頁。

（註二一）同右，七〇頁。

（註二二）前述，「總統　蔣公大事長編初稿」卷五，下冊，七六二——七六三頁。

（註二三）同右，七五四——七五五頁。

（註二四）同右，七八一頁。

（註二五）前述，「中国のなかのソ連」（蘇俄在中國），一三三頁。

（註二六）前述，「ソヴィエトのアジア政策」（蘇聯的亞洲政策），五七頁。麥克斯·貝羅夫在這本書說：「一九四五年八月，簽訂這個條約以後，蔣介石獲得自信，以爲對中共可以採取更强硬的態度。此時，中共希望再與國民政府交涉。爲此目的，毛澤東於八月二十八日飛

往重慶。」（五九頁）

（註二七）前述，「總統　蔣公大事長編初稿」卷五，下册，七九八頁。

（註二八）前述，「中国のなかのソ連」（蘇俄在中國），請參閱一四〇頁以下。

（註二九）前述，「風雨中的寧靜」，七一——七三頁。

（註三〇）前述，「蔣總統經國先生哀思錄」第三編，七九六頁。

（註三一）前述，「總統　蔣公大事長編初稿」卷五，下册，八一七頁。

（註三二）同右，八〇八——八一〇頁。

（註三三）同右，八四九頁。

（註三四）同右，八四九頁。根據經國先生的書信，該年東北大豐收，各地安定。

（註三五）同右，八五〇頁。

（註三六）同右。

（註三七）同右，七九八頁。Edited by and with an introduction by Donald G. Gillin and Roman H. Myers, Translated by Dolores Sem: The Last Chance in Manchuria, The Diary of Chang Kia-ngau,Hoover Institution Press, 1989, P.71

（註三八）本書是代表團之經濟問題最高負責人，東北行營經濟委員會主任委員張嘉璈日記的英譯本。張嘉璈畢業於日本慶應大學，以終身獻身於中國經濟的現代化馳名，歷任國民政府的鐵路部長和交通部長，東北經濟委員會主任委員，和中國銀行的總裁，爾後經由澳洲前往美國，在胡佛研究所從事研究，於一九七九年十月十八日逝世。他自己將其日記捐款胡佛研究所，後來徵得其夫人之同意，譯成英文，乃爲有關二次大戰後中蘇在東北之關係的珍貴資料。

（註三九）同右，八四頁。

（註四〇）同右，一六頁。

（註四一）同右，一八四——一四九頁。

（註四二）前述，「蔣總統經國先生言論著述彙編」第一集，五三六頁。

（註四三）同右，五三五頁。

（註四四）同右，五三六頁。在此地，經國先生引用「孟子」離婁章句上「修身之心得」之「反求諸己」這句話。

（註四五）同右，五四三——五五八頁。

（註四六）同右，五四一頁。

（註四七）前述，The Last Chance in Manchuria, PP. 252–256。

（註四八）前述，「總統　蔣公大事長編初稿」

（註四九）前述，The Last Chance in Manchuria, P.207。一九四六年一月十八日，在長春，經國先生向張嘉璈首席代表談莫斯科之行，他說，經國先生與史大林面談兩次，前後達大約六個小時之久。當時史大林的主要想法有以下四點：1.史大林堅持戰利品這個名詞，但中蘇共同經營的企業可以分成幾個公司，在蘇軍撤退東北之前，要討論一切問題；2.應與中共共存，否則國民黨將日趨腐敗，將來由兩黨競爭，最後一黨獲勝；3.關於門戶開放政策的問題，這將被帝國主義者當作侵略的工具。因此，中國雖然要開口，但同時也應該準備關門；4.在中蘇關係上，中國表面上對蘇聯友好，但卻暗中敵視蘇聯。如果這樣下去，友好關係將不能長久。

（註　〇）前述，「風雨中的寧靜」，七四——七五頁。「總統　蔣公大事長編初稿」卷六，上冊，一四——一六頁也收錄。民國三十五年一月十四日，經國先生從莫斯科回國報告說，史大林希望「中蘇」和「國共兩黨」能夠和平共存，並警戒第三國勢力進入東北。史大林同時盼望蔣主席訪蘇。

（註五一）前述，「風雨中的寧靜」，七五頁。

（註五二）前述，The Last Chance in Manchuria, P.16。蘇軍從東北的撤退，曾經延期了三次。十一月三十日延到一九四六年一月三日，又延至二月一日，更延到該年四月底。迨至五月，蘇軍才開始撤退。

（註五三）前述，「總統　蔣公大事長編初稿」卷六，上冊，五三頁。

第七章　危急存亡之秋

——父子各人的戰鬥——

與二次大戰結束的同時，美蘇兩國進入冷戰體制，東歐各國，因蘇聯的軍事力量，其歷史和傳統被扣上腳鐐；在東亞，朝鮮半島被割成南北，而成爲韓戰的肇因。尤其是一九四九年，蘇聯與東歐創設經濟互助會議（Council for Mutual Economic Assistance，簡稱（OMECON），而美國則創立北大西洋公約組織（North Atlantic Treaty Organization，簡稱NATO）。在這一年，美國總統發表蘇聯試爆原子彈，美蘇兩國，於焉開始擴張核子武器的競賽。

在東亞，一九四九年也是大變的一年。後面我們將要提到其內容，此年，毛澤東提出所謂和談八條件，蔣總統下野，南京失守，中共僞政權降世，中華民國政府遷到台灣。就中華民國而言，一九四九年確是名副其實地危急存亡的一年。而對經國先生來說，這不僅是中華民國的問題，也是乃父蔣中正總統，以往屢次苦難中最艱難的一次。因此，經國先生把這一年叫做「危急存亡之秋」，並說：「國運正如黑夜孤舟，在汪洋大海的狂風暴雨和驚濤駭浪中飄搖震蕩；存續淪亡，決於俄頃。」（註一）

爲什麼出現這種情況呢？我們簡單地來回顧它的歷史。同時來看看在這樣大變化的時代中，經國先生扮演了怎樣的角色。

我們在第六章末尾說過，美國正式發表了雅爾達密約，但這是美蘇兩國，沒有經過中華民國的同意，隨意欲處分中國主權的勾當。經過八年抗戰，爲盟國之主要國家的中華民國，在勝利後當然要拿回來的東北，因爲雅爾達密約，蘇聯爲所欲爲，因而中國國民受到了很大的衝擊。加以在東北，中共的勢力迅速擴大，所以這個衝擊具有雙層的意義。

蘇軍一方面一再地延期撤退的期限，一方面有計畫地展開搶掠，把發電設備的六五％和鋼鐵工廠的八五％，以及煤礦的各種設備隨便運到蘇聯，（註二）而爲著搬運這些設施，甚至於把東北鐵路的軌幅，改成與西伯利亞鐵路一樣寬。不特此，更將日本關東軍的武器和彈藥等原封不動地交給共軍，以爲其擴大叛亂的本錢。與此同時，共軍與蘇聯明中暗中的合作，使中共竊據了東北的主要城市。美國的馬歇爾特使，隨共軍勢力的擴大，日益强硬要求國民政府讓步，最後禁止美國對中華民國輸出武器，和停止「調停」，並於一九四七年初回到美國。

從此以後，共軍的攻勢日熾。「一九四七年二月，林彪共軍自東北北部渡過松花江南下，五月奪取懷德和公主嶺，長春和四平街陷於孤立。東北南部，自朝鮮方面開始攻擊，鳳城失陷。在這些戰鬥，蘇軍協助共軍，被俘虜的前關東軍的日本士兵也動員出來」。（註三）

但於一九四七年三月十九日，由胡宗南指揮的國民政府軍，攻入共軍的大本營延安，留下許多死屍和俘虜，毛澤東逃脫；在山東，四月，奪回中共的據點泰安，確保了徐州、濟南間的津浦鐵路。但迨至該年年底，共軍在全國氣勢高漲，蔣總統說：「在廣東、廣西、湖南、河南、浙江、福建，潛來的共產黨蠢動。李濟琛和馮玉祥互相呼應，公然宣言反國。誠為危急存亡之秋」。（註四）

在這樣的情形之下過了年，「一九四八年，總兵力，政府軍自三百二十萬降到二百七十萬，共軍維持一百五十萬，從前一比四的兵力，縮小為一比二多」。（註四）「降至一九四九年，彼我的戰力倒過來，在數目上共軍佔優勢」。（註五）

勝利後，在短短時間內，與中共的鬥爭中，國民政府之所以遭遇到「悲慘的失敗」，蔣總統曾經分析過它的原因。蔣總統在七十歲時，即於一九五六年所出版的「蘇俄在中國」說：「當抗日戰爭發動之初，我們政府早已預定這一戰爭為長期戰爭，並且預計這一對日長期作戰之後，蘇俄必將乘我國力凋敝之餘，肆其外部侵略與內部顛覆之陰謀。因此我們確定

·民國三十五年一月經國先生隨侍　蔣夫人飛抵長春代表
蔣公慰問東北同胞。

『抗戰建國方針』，要在抗戰中加强精神動員，進行建國工作，並預期抗戰勝利之後，建設三民主義富强康樂的現代國家。當然俄共及中共也看到這一點，所以他們在這長期戰爭之中，始終與日軍的侵略戰事，互相呼應。一面對我國軍乘虛蹈隙，内外夾擊；一面更在社會各階層乘機滲透，潛伏煽惑，運用其僞裝欺騙之反宣傳，無形中損害我政府信譽，沮喪我國軍士氣，尤其阻礙我政府一切的建設計畫。到了抗戰結束之後，竟不惜倒行逆施，更以其賣國殘民，全面武裝叛亂的行動，推毁我國一切建設事業，阻絕我政府一切復員工作，破壞經濟，擾亂社會，特別針對人民久戰厭倦的心理，散布民族失敗主義的毒素，最後卒致一般社會，是非顛倒，利害莫辯，只求苟安，不計後果。於是三十年來國民革命之傳統精神，被其斲喪，民族固有的德性幾乎毁滅。所有倫理道德立國的基礎，乃完全動搖，而反共意識亦隨之瓦解。此爲中國反共戰爭之所以慘遭挫折的一個基本原因。（註六）

以上是失敗的根本原因的概説，蔣總統同時對於「反共組織和技術上的缺點」指出了以下四點。㈠反共組織不能嚴密而警覺不夠提高；㈡宣傳不能主動而理論不夠充實；㈢反共意志不能集中而手段不夠徹底；㈣外交陷於孤立與經濟陷於崩潰——通貨惡性膨脹。（註七）又對於「政策和戰略上的錯誤」，也承認四點。㈠一九三二年十二月，中國與蘇俄復交，對抗戰不獨無益，而且有害；㈡一九三七年發生盧溝橋事變後，收編共軍，固然爲日軍侵略所迫，而不得不這樣做，但誤認中共「團結抗日」的要求爲「民族精神和國家意識戰勝過一切」，太過自信是根本錯誤；㈢對處置東北問題的錯誤。與蘇俄談判，接收東北是重大的錯誤。當時應該停止接收東北，並出於將此問題提出聯合國，暴露蘇俄獨佔東北的狂暴企圖的戰術。同時將部隊集中在北平與天津，堅守榆關，保存實力，以應付中共在華北和華中的叛亂；㈣在停戰協定執行上的錯誤。當時政府太重視對外關係，處處陷於被動，對於中共違背協定的軍事行動，如果採取予以斷然制裁，不惜全面戰爭的態度，應該能夠獲得最後的勝利。（註八）

經國先生以外交部特派員身分，奉命飛往蘇聯兩次，在長春待了幾個月，與蘇方從事交涉，獲得難得的經驗，也是由於他的經歷和特殊身分，才能夠擔任此一光榮任務。但如前面所說，蔣總統反省，與蘇聯直接談判，是「重大的錯誤」。我於上一章說過，經國先生在長春與蘇聯交涉，悶悶不能安眠的那些日子，從結果來看，不但徒勞，「向蘇俄直接談判，同時更將我們國軍精銳的主力調赴東北，陷於一隅，而不能調度自如，爭取主動；最後東北一經淪陷，華北乃即相繼失守，而整個局勢也就不可收拾了。」（註九）正如「人窮志短」的譬喻，顯示欲挽狂瀾於既倒之如何困難的歷史事例。人世上，好像有不管怎樣做，當時覺得這是最好的措施，但卻無法抗拒時代潮流的某種註定的命運。

前述「東北失陷，華北終於陷敵人之手」的情況，因自一九四八年十一月至翌年一月十一日，孤注一擲的大會戰而更具體化。即東北失陷以後，在華中，「奪取濟南的共軍，從北方往徐州蜂擁而至」，政府軍爲對抗八十萬的共軍，集結四十五萬兵員於徐州和蚌埠，展開了六十五天的大會戰，結果共軍雖然死傷四十六萬人，但政府軍也有三十萬人的損失，因而不得不放棄徐州和蚌埠。（註一〇）一九四九年一月十五日，天津失守，二十二日，華北剿匪總司令傅作義，「因共產黨的脅迫，答應和平，令共軍不流血進城。華北的大部分遂爲共軍所據」，國民政府軍，一連串地遭到挫折。（註一一）

經國先生在前述「危急存亡之秋」這篇日記，就那時候情形這樣寫著：

一月一日

今天是中華民國誕生三十八年紀念日，又是元旦。我們住在首都南京，此龍盤虎据之地，已臨著兵火的邊緣。……遠處傳來爆竹聲。……十時，侍　父至紫金山謁　總理陵，復至基督凱歌堂默禱。父親近曾愼密考慮引退問題，蓋以在内外交迫的形勢之下，必須放得下，提得起，拋棄腐朽，另起爐灶，排除萬難，爭取新生。

上年十一月末起，長春瀋陽相繼淪陷，徐蚌會戰失敗，黃伯韜將軍壯烈殉國，我軍全部撤離徐州。十二月下旬，行政院長暨各政務委員，又因幣制改革失敗而總辭，全國阢隉不安。共匪除軍事威脅外，更擴大其心戰與統戰之攻勢。一般喪失鬥志的將領及寡廉鮮恥的官僚政客，或準備逃亡避禍，或準備靠攏投降，或傳播共匪「和談」煙幕。一般善良同胞，亦誤於共匪的欺騙宣傳，希望停戰言和，休養生息。「不憤不啓，不悱不發」，一般精神既已趨於崩潰，父親乃有引退圖新，重定革命基礎之考慮。（註一二）

這一天的日記，詳細記述著研討其父親下野的種種可能性。該進該退，一切皆以國家、民族的利益爲前提。經國先生此時深深體會到：「一個國家最高負責人決定其進退的苦惱之深。但不像喬色斯克總統，夫妻兩個人逃到國外，遭到慘殺不同，蔣總統決定進退的原則，乃以「國家、民族利益爲前提」，而經國先生對它寫得更好。他說：「進固爲國家民族利益而奮鬥，退亦爲國家民族利益而奮鬥；其奮鬥方法雖不同，而奮鬥之目標則一。故此時考慮引退，並非欲在惡劣環境之下，脫卸革命的仔肩，逃避自己的責任，而是要『另起爐灶，重建革命基礎』也。「父親雖在原則上決定引退，但必須考慮引退的技術、方式以及時間問題，則必須是主動的。」（註一三）如果是如後面所引述在某種脅迫之下的「交易」，就不是主動。在此種意義上，我認爲有把蔣總統下野的真相弄清楚的必要。

一九四八年十二月二十四日，華中剿匪總司令白崇禧呈蔣總統的電報，「希望其與共產黨謀求和平」，副總統李宗仁和甘介侯也主張即時接受和平，並提出以下五項要求：㈠蔣總統下野；㈡釋放政治犯；㈢言論集會自由；㈣兩軍各自撤退三十里；㈤劃上海爲自由市，政府撤退駐軍，任命各黨派人士組織上海市聯合政府；——政府與共黨代表在上海舉行和談。他們異口同聲公開主張「蔣總統下野後，由李副總統繼承大任」。十二月三十日，白崇禧再發電報，主張和談；河南省主席張軫也要求「總統毅然下野」。「在此種威迫脅持之下，以父親生平抱負、人格、及個性，無論如何，決不能接受，縱欲忍讓為國，亦不能即時引退也。」

而在敘述蔣總統的下野，即因失去國家最高負責人，發生了什麼問題之前，我想來談談在這過程中之經國先生的動向。

在前一章我們說過，作為外交部特派員完成其特別任務的經國先生，勝利後也擔任了國家的各種工作。但他不是像一般公務員只做一部分的工作，而是隨蔣總統的命令隨時要達成他的任務。他除有時候代理蔣總統，到前線去視察，並慰問和鼓勵軍民外，當時，與左列三個領域具有很深的關係。（註一五）

關於視察戰地，經國先生於一九四七年六月十四日，前往視察東北的情況，慰問和鼓勵軍民，並攜往蔣總統給前線十幾位司令官的親筆函。特別是當時四平街正受共軍的全面圍攻，六月十六日的戰況尤其激烈，而與在瀋陽的王叔銘副總司令聯名報告說，空軍在奮勇戰鬥。（註一六）此時，國民政府軍正在死守四平街，共軍死傷二萬多而撤退，因此陸空軍官兵的士氣大振。又，在四平街的戰役，林彪親自指揮，「日本、蘇聯、朝鮮的技術人員也參

加，其武器彈藥的大部分係爲關東軍所有」。（註一七）

經國先生所參與三個領域的第一個是國立政治大學的創辦問題。本來，中國國民黨已經設有中央政治學校，又如在第五章所說，三民主義青年團創立了中央幹部學校，經國先生爲其教育長。在戰時，這些學校各有它的角色和意義，但戰後，中國國民黨和三民主義青年團，實有統一具有政治性之青年教育機關的必要。因此，於勝利大約一年後的一九四六年八月七日，中國國民黨中央常會，決定合併中央政治學校和中央幹部學校，根據大學令，將其命名爲國立政治大學，隸屬於教育部。（註一八）校長是蔣中正先生，教育長爲段錫明先生，並於次年四月，在南京開學。惟段錫明先生因病辭職，故教育部任命經國先生爲代理教育長。（註一九）

第二個領域是，中國國民黨與三民主義青年團的，所謂「黨團」合併的問題。（註二〇）如在第五章所說，以積極參加戰時動員，實施軍事訓練，同時實施政治訓練，促進文化建設，參加勤勞動員，和培養生產技術等六個特殊任務，三民主義青年團以蔣總裁爲團長，於一九三八年四月降世。經國先生則被任命爲中央幹事，並出任中央幹部學校教育長。勝利後，一九四六年九月一日，三民主義青年團在廬山召開第二次全國代表大會。（註二一）於最後一天的十二日，選出十五位中央幹事，經國先生爲中央常務幹事兼第二處處長，而爲該團組織與訓練的負責人。（註二二）

在大會的第六天，蔣團長指示：三民主義青年團並非另外一個系統，它可以強化其獨立性和社會性，但在組織系統上，應該屬於中國國民黨，共同努力於實現三民主義。（註二三）至此，黨和團合併的時機已經成熟。與此同時，為制定憲法，政府決定召開國民大會，並於一九四七年一月一日，公布中華民國憲法，達成了多年來的心願。同年九月十二日，中國國民黨第六屆中央執行委員會第四次全體會議與黨團聯席會議通過「統一中央黨部團部組織案」，三民主義青年團中央幹事成為中國國民黨的中央執行委員。因此，經國先生除中央執行委員以外，兼任組織部組織委員會委員，和訓練委員會委員。（註二四）

經國先生所參與的第三個領域是，一九四八年一月十六日，與以國防部預備幹部訓練局局長身分，在南京參加過出席陸軍訓練會議全體有關人員的聚餐有關係。（註二五）為突破抗戰的困難局面，於一九四四年十月十一日，在重慶舉行了「知識青年從軍運動會議」，決定展開十萬知識青年從軍的運動，十月二十三日，蔣委員長發表「告知識青年從軍書」，（註二六）勗勉踴躍從軍報國。

響應這個運動的青年超過預定，十二萬多的知識青年編成九個師，一九四五年四月一日，經國先生被任命為青年遠征軍編練總監部政治部主任，負責其訓練。（註二七）在重慶復興關三民主義青年團中央幹部學校分校，予以短期的養成訓練，到第三期，青年軍政治工作幹部皆為此地的出身。當然，他們是為完成目前的抗戰而招募的，但經國先生的教育方針是，「我們不是要爭一時，而是要爭千秋」，乃著眼於革命事業的永久性。但抗戰勝利第二年，與全國正規軍復員的同時，青年軍政治工作幹部也非縮小不可。（註二八）

爲此，於一九四六年二月，軍事委員會設立了以陳誠爲首長，經國先生爲副首長的青年軍復員委員會，以研究青年軍復員的方法。同年四月，該會改組爲青年軍復員管理處，經國先生爲副處長，並以六月三日爲復員的日期。但爾後在行政系統上有所變更，被編入隸屬於行政院的國防部，八日，被改稱爲國防部預備幹部管理處，經國先生出任處長。一九四七年一月，又改稱國防部預備幹部管理局，經國先生爲其局長。他樹立很周詳的計畫，斡旋他們復學或者就業。因而確立了中華民國的預備幹部制度。（註二九）

但隨與共軍戰鬥的激烈化，復員問題完全面臨了新的局面。國民政府國務會議於一九四七年七月四日，以局勢又回到戰亂的狀態，鑒於在東北四平街四十日的戰鬥，而通過「厲行全國總動員戡平共匪叛亂方案」。這個方案，自然要求青年軍與國民政府共度難關。（註三〇）這個決定以後三日，蔣主席以廣播呼籲全國同胞，軍民一體起來對共軍反攻。（註三一）

七月十八日，國民政府公布「動員戡亂綱要」及「憲政實施綱要」，（註三二）並決定三個月以內要設立「戡亂建國工作幹部訓練班」，以訓練黨政軍幹部一千七百多人，在國防部創辦戡亂建國總隊，對各戰地派遣政務工作人員。（註三三）經國先生以國防部預備幹部管理局局長身分，指導戡亂建國總隊。此時，不可忽視的是，對於共軍的强大攻勢，不但提出軍事上的對策，對於國內「目前的經濟危機」，於八月一日，行政院通過了「經濟改革方案」。（註三四）於此，經國先生又被賦予新的任務，而開始其「危急存亡之秋」的多彩多姿的工作。

經國先生在睹以「危急存亡」，與共軍戰爭的時期所參與三個領域的任務是，在達成他從前所受任務的過程中，比較能加上自己創意而努力下來的領域。這可以說是他在新的環境裡，要負更大責任的一個過程。可是，在與共軍的戰況發展得很快時刻，他突然得到從前幾乎沒有參與過的新任務。

一九四八年一月二十八日，行政院提出「財政經濟改革辦法」；五月二十日，蔣總裁當選中華民國首任總統；行政院會議所通過發生緊急情況時，不依照憲法規定，可以緊急處分的「動員戡亂時期臨時條款」於十天前生效，蔣總統於八月十九日公布「財政經濟緊急處分令」；八月二十一日，實施「幣制改革」，設立經濟統制委員會，在上海、天津和廣州等金融中心，特派經濟管制督導員，嚴密監視物價。（註三五）

「財政經濟緊急處分令」，採用金本位制，經過一定的準備期間，將發行「金圓券」，限期收兌已發行之法幣及東北流通券（以三百萬元法幣換金圓一元，東北流通券三十萬元換一金圓）、黃金、白銀和外國幣券，以安定經濟。（註三六）同時派俞鴻鈞、嚴家淦、經國

先生等六人爲經濟管制委員會委員，爲協助俞鴻鈞上海督導員，經國先生被派到上海。（註三七）

根據經國先生的「滬濱日記」，他於一九四八年八月二十日晚上，由南京前往上海。惟因從來没有做過經濟方面的工作，所以是否能夠做得很好，非常耽心，但「幣制改革」既然是「國家大事」，自應全力以赴。（註三八）

經國先生在上海，首先會見中央銀行總裁俞鴻鈞督導員，以商談有關經濟管制事宜，但他對於俞督導員所召集經濟會議出席者的意見之紛歧非常吃驚。可能因爲利害得失複雜，事情已經惡化到不是普通改革所能奏效的程度。它需要釜底抽薪的辦法。因此，他決心把他專心爲反共政治工作訓練出來的戡亂建國大隊隊員用於上海的工作。（註三九）

經國先生於八月二十三日，正式把辦公廳設於中央銀行內，迨至十一月六日辭掉這個工作，他把這個地方當做他的大本營。開設辦公廳以後，他立刻在報紙上首次發表談話。報紙報導說，經濟管制委員會的工作，將做到「言行一致」。天天令戡亂建國總隊第六大隊隊員作爲大上海青年服務總隊隊員派到上海各地，就物價、視察市場、糧食、黑市、檢舉隱藏物資、偷賣配給物資等問題做調查，並開設服務站，聽取市民的不滿，和處理投書等等。

管制經濟的工作，需要檢舉貪官污吏和敗德商人，但它必須得到民衆的合作才能做得成功，而投書對於把握和研究對策很有幫助。據說，每天有成千封投書寄到服務站。（註四

・民國三十七年八月，經國先生任上海經濟管制督導員時留影。

○）這些投書寫著各式各樣的內容，其中有要求檢舉從事大規模投機的商人者。經國先生招待記者說：「對查獲違反財經緊急處分令的奸商及貪官污吏，不問任何人，決予最嚴厲的懲處。」「經檢工作，今後將不顧任何背景，大刀闊斧，徹底執行，但不使執行人員有擾民行爲，爲了全體人民計，犧牲少數敗類，在所不惜，今後每週星期二及四下午在央行公開接見市民，聆聽意見。」（註四一）

由於要做到「言行一致」，因而與市民接觸，看投書，一再開會研究，惟因工作不習慣，加以環境日漸惡化，所以在第一個星期的「反省錄」這樣寫著：「這一個星期的工作，是非常的緊張，精力稍感疲倦，但精神上則甚愉快。」（註四二）「一般人都認爲經濟管制工作是做不通的，我亦認爲相當困難的，但是在今天我抱了一種決心，就是無論如何困難總應當做下去。……上海的物價，已經漲至最高點，所以今後的問題是要能夠無條件的將物價壓下來。」（註四三）經濟統制的取締，必須靠警察力量。他與戡亂建國大隊隊員，一起揭發隱匿物資，逮捕和處罰操縱物價的奸商，令一般市民產生自動協助經濟統制的心情。他在八月底的「反省錄」說：「因爲自己沒有私心，並且有很大的勇氣。……就是所有反動力量之反抗，亦用不到畏懼，因爲我自己的心地非常光明。現在我在上海，已經成了十目所視十手所指的人，一舉一動，都會使人注意。所以自己的言論，應當格外留心一不小心，就可被人作爲攻擊之藉口。」（註四四）

九月初，經國先生以非常手段逮捕了十個最壞的商人，其中包括著名的青幫首領杜月笙的次子杜維屏，他利用要改採金本位制的資訊，以所謂內線交易獲得暴利，其女婿，被稱為「棉紗大王」的榮鴻元，其外甥，囤積香煙的黃以聰，和商界的頭目等五個人。十個人當中的一個人，二十天後被處死刑。（註四五）

出於這樣非常的手段，當然給上海市民帶來很大的影響。但這個被衆人稱為「上海打老虎」，借用經國先生的話：其「成效之大，不在於經濟，而在於政治也。」但「今天最可憂慮者，即高級官員對此政策多抱『觀望』『懷疑』以及『反對』之態度。」（註四六）

經國先生所採取的强硬措施，當時的確發生了政治上效果，市民對他「言行一致」地實施經濟統制也予以讚揚和擁護，但事實上這裡卻有兩個陰影。一個是他無能為力的，糧食絕對量的不足。全國性的糧食不足，使人口集中的上海更加不足，加以零售商不肯賣，致使連配給的燒餅、油條用的麵粉也成為黑市的買賣對象，糧食的不足，逐漸成為市民不安的原因。不賣、搶購、囤積的風潮，日趨厲害，而且愈擴大其範圍。從經濟統制的立場來說，這是極其危險的現象。

另外一個原因是，中央「對於如此重要政策之執行，似尚無具體的辦法，亦沒有貫徹到底的決心」。九月十三日，財政部次長徐柏園來到上海與經國先生商量有關物價的調整問題，使經國先生獲得這種印象。（註四六）這個印象是正確的。迨至十月，實施「財政經濟

緊急處分令」僅僅一個半月，行政院已經出現要解除管制物價的主張，月底並似將要開始實施了。（註四七）

面對此種情況，從九月十二日到十月十三日，前後五次，經國先生曾經上意見書給蔣中正總統。在這些信裡頭，他强調不能隨便變更將影響金本位制之金圓券信用的經濟政策。如果變更政策，一般消費物價必然上漲，黑市橫行，導致流通之不安，從而損及金圓券之信用。而戰局的不安，將使經濟管制更加困難。（註四八）

十月二十七日，經國先生從上海到南京，下午三時參加經濟管制會議，「談了半天，毫無結果。」（註四九）根據出席這個會議以前的日記，在十月中旬，經國先生認爲上海的情況，「已到了相當嚴重的關頭。一般中產階級，因爲買不到東西而怨恨。工人因爲小菜漲價，而表示不滿。現在到了四面楚歌的時候，倘使不能堅定，即很快就會崩潰。處在這惡劣的環境中，不進則退，不成則敗」。（註五〇）

十月二十日，乘夜車前往南京，次日九時，訪翁行政院長，「財政部没有一定的把握和主張，頗有動搖不定的狀態。如此情形，使人看了真是焦急萬分。前前後後談了六小時，還是一點亦没有結果。四時半乘機返滬」。（註五一）十月二十四日日記說，工人要求加薪，學生要舉行所謂反豪門運動，這是示威性的舉動，「都是出於共匪之手。」（註五二）十月二十五日半夜醒來，「閱警察局關於糧食恐慌的報告，心中十分難過，二時半醒後，即不能

入睡，且胃中很不舒服。」（註五三）

十月二十八日，經國先生「九時到行政院，繼續參加經管會議。大家都主張讓步，決定糧食可自由買賣，工資可調整，百物都可合本定價。換句話說，一切都照舊放任了。」（註五四）要之，大多數政務委員認爲，應使政令合乎現狀，經國先生猛烈反對，但價格管制終於解除了。（註五五）

無需說，經國先生的想法是，盡一切努力要使現狀合乎政令。新法令的決定，無疑地是一百八十度改變政策，只是在中國的最大都市，作了七十天有關經濟的宏大實驗而已。試行錯誤到此種地步，實在「太壯觀」了。十月二十六日的日記說：「今天照常在中行辦公，並接見客人，深感環境日趨惡化，商人可惡，政客更可惡，兩種力量，已經聯合在一起了。」（註五六）

十月二十八日晚上，搭火車回上海，很奇怪睡得很好，醒過來時已抵崑山。三十日黃昏，又飛往南京。「當晚八時半參加會議，大家對於經濟問題發表意見都是不得要領」。三十一日上午九時，列席行政院臨時會議，商討經濟問題，下午四時搭機返回上海。（註五七）十一月一日，政府布告廢止經濟管制令。經國先生提出辭職，十一月五日，獲准辭掉督導員職務。十一月初的「反省錄」這樣寫著：「總之七十天的工夫，化了不少的心血，亦並不是白化的，讀了一部經濟學，得了許多痛苦的教訓，前途困難重重，望前顧後，心中有深感矣。」（註五八）十一月二日，發表告上海市民書，下午召集重要幹部兩千人說明經國先生自己的態度，「並指出決不掛白旗，而且要繼續努力」。（註五九）

經國先生在上海的活動，對於與中國共產黨的關係，在他日記中，就勞工提高工資的運動，只說了一句話。他指責上海的敗德商人，可惡的政客，不能信賴的公務員，和中央政府對經濟政策沒有主見。而對於上海管制經濟失敗的一個原因，認爲是由於共產黨的破壞，他這樣寫著：

「大陸陷匪後，共匪出了一本書『怎樣搞垮了國民黨的經濟』，執筆寫這本書的冀朝鼎，原在我中央銀行擔任研究處處長，我在上海管制經濟，有許多政策，是出自他的主意。當僞政權成立，他搖身一變，成了僞『人民銀行』副總裁，可見他是潛伏滲透在我內部，對我從事經濟破壞和經濟顛覆的大匪特，而我們竟始終沒有察覺。」（註六〇）

在上海從事經濟管制工作的經國先生，因爲來自經國先生力量所不及之方面的力量，而不得不辭職，但他與上海和上海中央銀行的緣並沒有斷。因爲戰局一刻一刻地不利時，蔣中正總統準備把中華民國政府遷移到台灣，因而與中國國民黨中常會商量，於一九四八年十二月二十九日，把從上海回來的經國先生，任命爲台灣省黨部主任委員。（註六一）

一九四九年一月十日，蔣中正總統把經國先生派到上海，與中央銀行總裁俞鴻鈞，密商有關把該銀行金庫所保管準備金（黃金、白銀等）運到台灣的事宜。（註六二）尤其是經國先生在上海做過經濟管制的工作，所以非常清楚準備金對於經濟的重建如何地重要。因此，他很瞭解這個新任務的重要性。但這次的任務與上次的任務不同，爲將來新的開始，只由幾個人策劃，並很秘密地進行。

此項工作之必須非常秘密地策劃和進行，乃因爲內部有人反對。此時，有意與中共接觸的李宗仁副總統，很可能以上海中央銀行所保管的準備金作爲和談的「條件」。（註六三）要把黃金和白銀從中央銀行搬到安全的地方，是件非常重要的工作。因此，對於直接負責處理財政經濟問題的人，得事先，從國家最高機密的觀點，使得他們充分瞭解其重要性。起初對這個問題不大瞭解的人，經過種種說明和說服，終於知道問題的重要性，而把大部分的金銀搬往台灣，並只留下二十萬兩黃金在上海。經國先生認爲，如果不能好好保管和妥善運用這些國民血汗之結晶，把它浪費掉，或者落到共產黨手裡，將是很大的罪惡。（註六四）而從日後李宗仁之要求這些黃金來說，經國先生的判斷是正確的。（註六五）

五月三日，李宗仁要求把已經運到台灣的黃金運回大陸。（註六六）台灣省政府則以這些金銀爲基本，於六月十五日宣布將實行幣制改革，並發行新台幣。舊台幣四萬元換新台幣一元，一美元值新台幣五元。（註六七）從此以後，台灣的經濟，與大陸不同，開始步上其繁榮的道路。

現在，我們應該再來談談一九四九年，亦即「危急存亡之秋」的歷史過程。這是蔣中正總統下野問題最受朝野注目時候的經過。在本章前半段，我們說過，蔣中正總統已經決心要下野。問題是何時，要以什麼方法下野。

戰局已經很不利了。一月九日，雖然出動了救援的飛機，但沒來得及，第二兵團司令邱清泉殉國，也未能救出杜聿明副總司令的部隊。一月九日經國先生引用蔣中正總統日記的一節：「我前之所以不能爲他人强迫下野者，爲此杜部待援，我責未盡耳。」可見在戰局方面，完全没有希望了。（註六八）

在這種情況之下，於一月十四日，毛澤東透過廣播提出所謂「八項條件」，作爲「和平談判」的基礎。其條件爲：㈠懲治戰犯；㈡廢除憲法；㈢廢除中華民國法統；㈣依「民主原則」改編政府軍隊；㈤沒收「官僚資本」；㈥改革土地制度；㈦廢除「賣國條約」；㈧召開「没有反動分子參加的政治協商會議」，「成立民主聯合政府」接收南京政府及其所屬政府的一切權力。經國先生在同一天的日記説：「毛匪所提出的這些條件，不但要壓迫我政府作城下之盟，無條件地向匪投降；而且簡直是對於全體國民的愚弄和侮辱！」（註六九）

一月十五日，蔣中正總統公開這個所謂八項條件，並召開會議討論，結果出席者全部認爲，共產黨没有謀求和平的誠意。但爲了政府內部的團結，暫時不給予回答，同時徵求各省和黨政人員的意見。（註七〇）與毛澤東提案的同時，共軍攻入天津。共產黨一方面空喊和平，另方面進攻主要城市，並對中國國民黨和政府及有關機關展開宣傳工作，而政府之徵求各方面意見，拖延時間，反而令中共獲得「和平」宣傳的效果。由於政府內部意見的紛歧日趨明朗，終於在一月十九日的行政院會議，經過五個小時鄭重討論的結果，決定「派代表飛赴延安與中共談判和平」。（註七一）

蔣中正總統於此時決心下野，並對李宗仁表示其意向。一月二十一日中午，蔣總統與行政院長、立法院長、司法院長、考試院長、監察院長聚餐，下午二時，在黃埔路官邸與黨中常委聚會，在此席上報告決心「引退」，並與副總統李宗仁聯名發表宣言：「……戰事仍然未止，和平之目的不能達到。……」（註七二）同日，中共發言人拒絕行政院所提出和平意見，並說：「先談條件，後談停戰」。同時，李宗仁發表文告，宣布其就任代總統職務。（註七三）

註釋

（註一） 前述，「蔣總統經國先生言論著述彙編」第二集，「危急存亡之秋」，五三七—七〇三頁。這一年的日記，有於十年後的民國四十八年八月，在台北劍潭草廬所撰寫，以「明朝有一位御史于謙」開頭的序文，而這裡所引用「國運……」的回憶，則見於這個序文。

蔣經國著「談我父親」，東京新人物往來社，昭和五十年二月四日。此書是「風雨中的寧靜」、「危急存亡之秋」等幾本書的日文翻譯版，經過經國先生看過，在日本出版的。本書有關「危急存亡之秋」，係引自日文版。

（註二）前述，「蔣介石秘錄」（下），四四一頁。

（註三）同右，四五六頁。

（註四）同右，四五七頁。

（註五）同右，四五八頁。

（註六）「總統　蔣公思想言論總集」，卷九，一八〇——一八一頁。中國國民黨中央黨史委員會，民國七十三年十月三十一日，台北。

（註七）同右，一八二——一九五頁。

（註八）同右，一九八——二〇二頁。

（註九）同右，二〇一頁。

（註一〇）前述，「蔣介石秘錄」（下），四六一頁。

（註一一）同右。

（註一二）前述，「蔣總統經國先生言論著述彙編」，第二集，五四三——五四四頁。

（註一三）同右，五四五頁。

（註一四）同右，五四五——五四六頁。

（註一五）前述，李雲漢「蔣經國先生傳」（初稿），「第七，復員、戡亂與經濟管制」，五六——六〇頁。

（註一六）前述，「總統　蔣公大事長編初稿」，卷六，下冊，四七五及四七八頁。

（註一七）同右，四八九頁。但四平街於一九四八年三月一日，落到共軍手裡。（前述，「蔣介石秘錄」（下），四五八頁。）

（註一八）同右，「總統　蔣公大事長編初稿」，卷六，上册，二三〇頁。
（註一九）前述，「蔣經國先生傳」五七頁。
（註二〇）同右，五八頁。
（註二一）前述，「總統　蔣公大事長編初稿」，卷六，上册，二四四頁。
（註二二）前述，「蔣經國先生傳」，五八頁。
（註二三）前述，「總統　蔣公大事長編初稿」，卷六，上册，二四七頁。
（註二四）同右，「總統　蔣公大事長編初稿」，卷六，下册，五五六頁。
（註二五）前述，「蔣總統經國先生哀思錄」，第三編，七九七頁。
（註二六）前述，「總統　蔣公大事長編初稿」，卷五，下册，六二四、六二六、六二七頁。
（註二七）前述，「蔣總統經國先生哀思錄」，第三編，七九五頁。
（註二八）鍾聲著，「蔣總統經國先生」，立坤出版社，民國七十三年三月，台北，九〇頁。
（註二九）前述，「蔣經國先生傳」，五九頁。
（註三〇）前述，「總統　蔣公大事長編初稿」，卷六，下册，四九一——四九三頁。
（註三一）同右，四九四——五〇七頁。這是詳細說明在共區可怕的統治方法，並諄諄告誡爲達成戰後復興和建國的任務，需要經過抗戰十倍苦難的，很值得紀念的文告。
（註三二）同右，五一三——五一五頁。
（註三三）前述，「蔣經國先生傳」，六〇頁。
（註三四）前述，「總統　蔣公大事長編初稿」，卷六，下册，五一六——五一八頁。
（註三五）前述，「總統　蔣公大事長編初稿」，卷七，上册，二四——二五頁；七六——七七頁；八四及一二四頁。前述，「蔣總統經國先生哀思錄」，第三編，七九八頁。前述，「蔣經國先生傳」，六一頁。

（註三六）前述，「總統　蔣公大事長編初稿」，卷七，上冊，一二五頁，「金圓券發行辦法大要」。

（註三七）前述，「蔣總統經國先生哀思錄」，第三編，七九八頁。

（註三八）蔣經國，「滬濱日記」，「蔣總統經國先生言論著述彙編」，第一集，五六一——六〇四頁。這個部分是八月十九日和二十日的日記。還有一項資料說是於八月十九日前往上海。

（註三九）同右，五六二頁。

（註四〇）前述，「平凡平淡平實的蔣經國先生」，一〇〇頁。

前述，「蔣經國先生傳」，一〇一頁。

（註四一）前述，「平凡平淡平實的蔣經國先生」，九九頁。

（註四二）前述，「蔣總統經國先生言論著述彙編」，第一集，五六六——五七六頁。經國先生就日常活動記著簡單的日記，到上海以後第一週的「反省錄」和一個月以後的「反省錄」，皆說疲倦，但精神上甚為愉快。

（註四三）前述，「蔣總統經國先生言論著述彙編」，第一集，五六六頁。

（註四四）同右，五六八頁。

（註四五）前述，「總統　蔣公大事長編初稿」，卷七，上冊，一三二頁。

前述，「平凡平淡平實的蔣經國先生」，一〇三頁。

（註四六）前述，「蔣總統經國先生言論著述彙編」，第一集，五七〇頁。

（註四七）前述，「平凡平淡平實的蔣經國先生」，一二一頁。

（註四八）前述，「蔣總統經國先生言論著述彙編」，第一集，「上某先生意見書五則」，四六三——四六九頁。

（註四九）同右，五九七頁。

（註五〇）同右，「上星期反省錄」，五九二頁。
（註五一）同右，五九四頁。
（註五二）同右，五九六頁。
（註五三）同右，五九六——五九七頁。
（註五四）同右，五九八頁。
（註五五）前述，「平凡平淡平實的蔣經國先生」，一二二頁。
（註五六）前述，「蔣總統經國先生言論著述彙編」，第一集，五九七頁。
（註五七）同右，六〇〇頁。
（註五八）同右，六〇〇——六〇一頁。
（註五九）同右，六〇一頁。
（註六〇）前述，「平凡平淡平實的蔣經國先生」，一二三——一頁。
（註六一）前述，「蔣總統經國先生哀思錄」，第三編，七九九頁。
（註六二）前述，「蔣總統經國先生言論著述彙編」，第二集，「危急存亡之秋」，五四九頁；前述，「總統　蔣公大事長編初稿」，卷七，下冊，二二六頁。
（註六三）同右，「蔣總統經國先生言論著述彙編」，第二集，五八二頁。前述，「平凡平淡平實的蔣經國先生」，一二九頁。三月十一日，何應欽先生組閣，何內閣所面臨重大困難之一是，李宗仁必欲全部動用運至台廈之存金。
（註六四）前述，「蔣總統經國先生言論著述彙編」，第二集，五七〇頁。
（註六五）同右，五八六頁。經國先生在三月二十二日的日記說：「李宗仁發動部分立法委員，要求政府將所存台廈現金運回，期作半年之用，用完了事。此種卑劣陰謀，不惜斷送國脈民命，且以之資匪以爲快也，可痛！」

（註六六）同右，六〇九頁。

（註六七）前述，「總統　蔣公大事長編初稿」，卷七，下冊，三〇七——三〇八頁。

（註六八）前述，「蔣總統經國先生言論著述彙編」，第二集，五四九頁。
前述，「總統　蔣公大事長編初稿」，卷七，下冊，二二八頁。邱清泉殉國。杜聿明副總司令被俘。

（註六九）前述，「蔣總統經國先生言論著述彙編」，第二集，五五一頁。

（註七〇）同右，五五二頁。

（註七一）同右，五五四頁。

（註七二）同右，五五六頁。

（註七三）同右。當天下午四時十分，蔣總裁，由南京飛往杭州，駐節筧橋空軍官校，隔（二十二）日，返抵故鄉奉化溪口。

第八章　播遷復興基地

——台灣海峽的兩岸——

以蔣中正總統的下野為一個轉機，在某種意義上，「危急存亡之秋」加速度地對中國國民黨形勢不利。但與此同時，在政府職務上一身輕的蔣總裁，卻開始做下一個步驟的準備工作。因此還沒提到形勢不利的實際情況以前，我們應該先來說明他的準備工作。因為我覺得，如歷史所示，當時的人，無論其所處地位，或者從事何種工作（共產主義者除外），那時候對將來，可能都沒有什麼希望，可是蔣總裁對其將來卻抱著毅然的決心，虛心檢討自己的缺失，從而改善自己的體質，注意各方面的動態，往下一個時代堂堂正正地走上他的康莊大道。所以，我要先來敍述蔣總裁的動向。而這樣做，我們也能夠瞭解經國先生的心態及其活動。

一九四九年二月一日，中國國民黨中央黨部自南京遷到廣州。這是蔣總裁下野後所採取的措施。一月六日，被任命爲台灣省政府主席的陳誠，依二月四日蔣總裁的指示，以「民生第一，人民至上」的施政原則，根據孫中山先生「耕者有其田」的遺教，發表要實施「三七五減租」。（註一）

換句話說，爲了要把台灣建設爲反攻大陸的基地，從首先應該改善農業和農民的生活這種基本思想出發，以重建黨國的基礎。這表明正在進行中的與中共的和談，決非要對中共全面投降。後面將具體地指出，這也是牽制對於受毛澤東「八項條件」影響變成軟弱，且時或暴露其野心的代理總統職權之李宗仁的措施。

在上一章我們說過，作爲台灣財政經濟之基本的黃金的輸送，已經照預定完成，（註二）台灣農業政策也依照民生主義原則邁出其步伐，因此，蔣總裁雖然引退了總統，但卻正在思索如何革新中國國民黨。他引退第二天這樣寫著：

「當政二十年，對其社會改造與民衆福利，毫未著手，而黨政軍事教育人員，只重做官，而未注意三民主義之實行；今後對於一切教育，皆應以民生爲基礎，亡羊補牢，爲時未晚。

「黨應爲政治之神經中樞與軍隊之靈魂，但過去對於軍政幹部無思想領導，馴至幹部本身無思想，而在形式上，黨政軍三種幹部互相衝突，黨與軍政分立，使黨立於軍政之外，乃至黨的幹部自相分化。幹部政治教育，不能使全黨黨員理解中央之政策；而且對於幹部亦未能集體的、配合的、系統的領導與運用。於是，領導之方向不明，而無力貫徹政策之執行；使每一個幹部只感覺受其拘束，無權力；於是心存怨望，且諉卸責任。要改正上述缺點，應擬定具體綱要實施才行。

「一切以組織爲主，紀律爲輔。故組織應在紀律之先。組織的對象：第一爲人，第二爲事與物（包括經費在內）。至於幹部訓練與重建之方針：必須陶冶舊幹部，訓練新幹部。其基本原則：㈠以思想爲結合；㈡以工作爲訓練；㈢以成績爲黜陟。」（註三）

以這種反省和新的決心爲基礎，蔣總裁將黨的中心組織分爲「總務、財務、監察、人事、情報、行動、宣傳、通信、設計研究、訓練」各組，俾發揮其機能。（註四）三月二十日，經國先生擬呈「重整革命之初步組織意見書」。蔣總裁「認爲可用，但以各部主管人選不易物色爲慮，並批示應注意下列各點：『㈠應嚴謹而不狹小，應切實而不求速效。㈡組織應以幹部自動發起，不能由領袖命令行事。㈢青年運動之起點，在組織流亡學生。』」（註五）蔣總裁根據經國先生等之研究報告，於六月九日，批定「幹部政策與訓練要旨」，作爲今後幹部重建之方針。（註六）除此之外，蔣總裁以改革黨的一環，參考唐代取士辦法，俾選拔全國才德兼備之優秀幹部。（註七）

七月一日，成立「總裁辦公室」。這個辦公室具有非常重要的機能。首先它設立每週開會一次，必要時要舉行臨時會議的「設計委員會」。同時任命十四人爲設計委員，並依各出席人員之專長分成黨務、政治、軍事、外交、財政、文化宣傳等六個組，加上六個組的負責人，由總裁主席，或指定委員一人主持會議。各組設副組長，經國先生被任命爲第一組副組長（黨務），並兼任政治和軍事兩組的組員。（註八）七月八日，召開整理黨務會議，討論了中國國民黨改造方案，蔣總裁「力主本黨性質應爲革命民主政黨，而不能純爲民主政黨」，改造方案，於是大致已定，同時決定「總統辦公室組織大綱」。（註九）

中國國民黨與從事基本的和將來之體制改造的同時，爲因應目前的非常情況也做了機構上的改革。五月二十八日，「中國國民黨中央執行委員會爲適應非常時期緊急事態之需要，特設非常委員會，爲本黨對於政治問題之決策機構，代行中央政治委員會之職權」，通過「中央非常委員會組織條例」。（註一〇）七月十六日，非常委員會成立於廣州，並召開第一次會議，原則通過閻錫山行政院長所提出「扭轉時局方案」。（註一一）

七月十八日，中國國民黨中央常務委員會議通過接受蔣總裁所交議之「本黨改造案」。其「主旨在對黨的組織形態、領導方式、黨的作風，予以嚴正之檢討，確立基本方針；訂定實施程序，以指示改造步驟；揭櫫現階段政治主張，以表達奮鬥目標；期使黨的同志，改正過去錯誤，奮發革命精神，建立堅强組織，以爲改革政治，整飭軍事樞紐，及救國家、爭自由之動力，團結愛國志士，喚起廣大民衆，爭取反共戰爭勝利，完成革命建國大業。」（註一二）決定這個改造案後沒多久，值得注目的是，決定成立革命實踐研究院。蔣總裁「手擬挑選黨、政、軍幹部之標準，訓練期間定爲一年或六個月，課程分黨務、哲學、軍政、經濟、教育、人事制度及革命理論與目標等。」（註一三）

九月二十日，蔣總裁「爲中國國民黨改造，發表告全黨同志書。號召同志研討改造方案，要求以新組織、新綱領、新風氣，與共匪奮鬥。」「爲本黨改造告全黨同志書」，因爲篇幅關係，無法全錄。不過在與共軍的戰事日趨惡化的情形之下，告全黨同志書，究竟得到多大關心，實不得而知。對它，經國先生祇以兩行文字提到而已。但對於革命鬥士，一直走著苦難之路的蔣總裁堅忍不拔的精神，我真是佩服。告全黨同志書指出，中國國民黨苦難歷史中，有過「名存而實亡」的時期，而且這次的失敗，是中華民國建國以來第十次的失敗，中國國民黨既然必須「把失敗主義的毒素徹底肅清」，蔣總裁的這個決心，在台灣海峽兩岸，即使經過種種波折，也必定要予以實現。（註一四）

一九四九年十一月三十日，情勢告急，臨時首都重慶落到中共手裏。（註一五）十二月五日，李宗仁以治病名義由香港前往美國，（註一六）七日，中央政府決定遷往台北，設大本營於西昌，並於成都設置防衛司令部。（註一七）在此以前，中國國民黨內部對李宗仁已經非常不滿，並懇請蔣總裁再度出馬，第一屆國民大會代表七百一十二人集會於台北，同時決議一致電請蔣總裁即日宣告繼續行使總統職權。（註一八）十二月十日，蔣總裁與經國先生在成都，下午二時，陸軍官校分校大門附近布滿親共軍隊，因而由鳳凰山機場起飛，六時三十分返抵台北松山機場。（註一九）十一日，中國國民黨中央黨部遷移台北辦公。（註二〇）

十二月三十、三十一兩日，蔣總裁在日月潭涵碧樓召集陳立夫、黃少谷、谷正綱、陶希聖、鄭彥棻等，研討黨務改造方案。經國先生也列席了這項會議。蔣總裁在十二月二十五日的日記說：「近日獨思黨政軍改革方針與著手之點甚切，此時若不能將現在的黨徹底改造，決無法擔負革命工作之效能也。其次為整頓軍隊，以求內部精純，團結一致。」（註二一）蔣總裁在三十一日的會議認為：「改造要旨，在湔雪全黨過去之錯誤，徹底改正作風與領導方式，以改造革命風氣；凡不能在行動生活與思想精神方面，徹底與共黨鬥爭者，皆應自動退黨，而讓有為之志士革命建國也。」對此經國先生在十二月三十一日的日記說：「父親抱著破釜沈舟的決心，來改造本黨，無非欲重整旗鼓，自力更生，以達成反共復國之使命。決定國家生死存亡的一年，就在今夜過去了。」（註二二）由此可見，蔣總裁和經國先生如何地為黨國前途沈思和設想。

在這個會議所確定中國國民黨的「改造計畫」，於一九五〇年七月二十二日的中國國民黨中央常務委員會臨時會議，正式決定為「中國國民黨改造案」，二十六日，任命中央改造委員會委員，經國先生亦爲其中之一人。（註二三）八月五日，中國國民黨改造委員會正式成立，十四日，蔣總裁提示「本黨今後努力的方向」。（註二四）根據這個改造計畫，實際上從事了各種改造，而中央改造委員會不僅改造中國國民黨本身，對青年、知識分子、農工業生產者等廣大民衆也積極接近，一九五二年二月一日，通過「反共抗俄總動員運動綱領」，（註二五）七月二十四日，中央改造委員會決議：「定於明年一月起，推行限田政策，扶植自耕農。」（註二六）又在下一章我們將說明其活動的內容，十月三十一日成立，以經國先生爲主任的「中國青年反共救國團」，應該也與中央改造委員會有關係才對。（註二七）

以上是蔣總裁引退總統後，專心於改造中國國民黨的簡單經過，現在我們來看看，在這動盪的局勢中，經國先生的足跡。

蔣總統下野後，由李宗仁代行總統職權，李宗仁響應毛澤東所提出「八項條件」，並派邵力子爲首席代表，與中共進行「和談」。傅作義竟以「北平局部和平」爲理由，公然投降中共。（註二八）因此祇留下一小部分國軍以維持秩序外，從北平開始移駐郊外。對此形勢，蔣總裁乃於一月二十四日，囑經國先生建議空軍，派機飛赴北平，散發傳單，警告中共，勿阻撓國軍空運南撤。同時要顧祝同參謀總長電令李文副總司令，指揮北平中央各軍，積極準備戰鬥，寧爲玉碎，不可聽任中共宰割。（註二九）

二月，李宗仁的和平代表爲中共所拒絕，因而準備改派「人民代表」顏惠慶到北平，但在上海爲孫科行政院長和吳鐵城副院長所反對。中共且廣播：「不承認李宗仁所代表之南京政府」；中共發言人更說：「只許顏惠慶等以私人資格前往參觀，至於和平談判，因準備工作尚未作好，目前無從談起。」（註三〇）

二月十三日，李宗仁的私人代表邵力子、顏惠慶等，由上海飛往北平，與中共開始「和談」。（註三一）中國國民黨沒有正式承認所謂八項條件時，以它爲前提與中共談判，國軍士氣當然低落，中共又以「和談」爲餌，來剝弱和打擊國軍的士氣。一般國民亦以「和談」在望，陷入中共的術策而不自知，形勢之極爲危險自不待言。（註三二）

三月八日，極力反對李宗仁的孫科行政院長，抗議所謂八項條件沒有經過中央政治委員會的決議，也沒有經過行政院同意，就接受作爲「和談」的基礎而辭職。經過種種波折，李宗仁提名何應欽爲行政院長，獲得立法院同意，於三月二十一日組織新政府。（註三三）如前面說過，經國先生對蔣總裁提出「重整革命之初步組織意見書」，以及李宗仁之要求把從上海搬到台灣和廈門的黃金搬回大陸也是這個時候。三月二十六日，中共透過廣播說，將於四月一日在北平舉行「和談」。

於是中國國民黨中央執行委員會常務委員、中央監察委員會常務委員和中央政治委員會委員於廣州舉行聯席會議，決定「和談」的五項基本原則：「㈠停戰須在和談以前實現；㈡

國體不容變更；㈢修改憲法須依法定手續；㈣人民之自由生活方式必須保障；㈤土地改革首先實行，但反對以暴力實行土地革命。」（註三五）

四月五日，於北平開始「和談」，但中共卻對李宗仁提出最後通牒，迫其在十二日以內投降。四月六日，蔣總裁令經國先生轉達中央黨部補充指示：「㈠和談必須先訂停戰協定；㈡共匪何日渡江，則和談何日停止；其破壞責任應由共方負之。」（註三六）

四月七日，李宗仁對中共提議要「隔長江而分治」，但中共堅持「無論和、戰，均須渡江」。（註三七）同日，江蘇的儀徵失守，共軍迫近長江北岸，長江的交通發生困難。（註三八）八日，中國國民黨中央常務委員會於廣州舉行會議，決定設立和平問題特種委員會。（註三九）

四月十三日，「和談」的第一次「正式」會議舉行於北平，中共「首席代表」周恩來提出所謂「國內和平協定」草案，凡八條二十四款。其要點為：「㈠『戰犯』在原則上必須懲辦；㈡廢止『中華民國憲法』；㈢廢除『國民政府』一切法統』；㈣國民政府所屬一切武力全部實行改編為『人民解放軍』……『人民解放軍』開進時，南京國民政府所屬部隊不得抵抗。……」（註四〇）這些原則「文字上修正可商量，但不能改變其原則」。十九日，國民政府決定拒絕中共的提案。理由是，中共的提案，「不啻為征服者對被征服者之處置。」（註四一）

四月二十日，共軍渡江，因而「和談」破裂。中共利用「和談」，加緊準備，徵集渡江船隻，依朱德命令，全面發動攻擊。（註四二）經國先生在四月二十日的日記這樣寫著：「匪軍五十萬人全面向江南進攻，欲以武力壓迫我政府簽訂投降式之協定。匪利用『和談』掩護，在江北整補大軍，達四個月之久，今傾巢來犯，只證其毫無『和談』誠意……」。（註四三）

四月二十二日，蔣總裁以局勢嚴重，遂飛赴杭州，與李宗仁、何應欽、張羣、吳忠信、王世杰等人會商，李宗仁首先即席說明：「和平方針既告失敗，請蔣總裁復職。」（註四四）次日，李宗仁竟不顧其職責，飛往桂林；張治中和邵力子變節靠攏中共。（註四五）這是一般常識所不能判斷的事情。與其他民族的戰爭不同，因為是國內的戰事，故在和平談判才會發生這種現象，但無論如何，「和談」代表的行動是很奇妙而令人難以理解的。因此，蔣總裁認為中國國民黨非作根本的改革不可。

但在另一方面，在戰場上卻發生了令中國國民喚起國魂的事件。即太原於四月九日，受到共酋彭德懷所指揮四十萬大軍的攻擊，共軍以「人海」、「火海」交織的戰術，於二十四日太原失陷，山西省政府代理主席梁敦厚、省婦女會理事長閻慧卿、統計處長徐端、警察局長師則程、縣長尹遵黨等五百人，集於指揮所一起服毒自殺，舉火同燼，以令屍體不見共軍。（註四六）其壯烈犧牲，可謂中國國民黨黨員之楷模。四月二十四日，經國先生的日記提到梁敦厚代主席壯烈殉國說：「梁敦厚同志服毒自焚，使我與無限之感想，我與他雖相識不久，但數度長談，意見甚爲投契，且深覺其爲人豪爽正直。」同時又說：「內外形勢已臨絕望邊緣，前途充滿暗影，精神之抑鬱與內心之沈痛，不可言狀；正『山雨欲來風滿樓』之情景也。竊念家園雖好，未可久居。乃決計將妻兒送往台灣暫住，以免後顧之憂，得以盡瘁國事。」（註四七）

當天中午，蔣總裁囑咐經國先生把船隻準備好，以便明天離開，經國先生請示前往目的地，但總裁沒有回答。準備好的軍艦，「太康」艦長黎玉璽晚上問經國先生將到那裡去，經國先生回答說：「我也不知道，不過以這次取道水路看來，目的不外兩個地方：一是基隆，一是廈門」。黎艦長甚表同感。

四月二十五日上午，經國先生「隨父親辭別先祖母墓，再走上飛鳳山頂，極目四望，溪山無語，雖未流淚，但悲痛之情，難以言宣。」下午，登太康軍艦後，蔣總裁才說：「到上海去！」經國先生和黎艦長都覺得非常意外。此時，共軍已渡過長江，上海情勢，非常危急，經國先生的日記說：「要在最危險的時候，到最危險的地方去！父親一生冒險犯難，又豈獨此而已哉！」（註四八）

隔日上午，太康軍艦進入吳淞口，下午一時抵達黃埔江的復興島。蔣總裁隨即接見顧祝同、徐永昌、湯恩伯、周至柔、桂永清、谷正綱等，指示戰鬥部署。（註四九）由於「我們住在島上，離市區太遠，對於那些前來謁見和請示的人員，很多不便。因此父親要遷住市區，令我到市區去準備住所。我聽了這話，十分驚訝，立刻向父親報告說：『時局已經這樣嚴重和緊張，市區內危險萬分，怎麼還可以搬進市區去住呢？』」

「父親好嚴厲地說：『危險！你知道，難道我還不知道？』我不敢違拗父親的意旨，只好遵命辦理了。上午進城在市區金神父路的勵志社布置父親住所，下午遷居。」蔣總裁遂召集地方人士會商，或召集黃埔同學訓話，幾無片刻休息。由此，淞滬人心士氣，爲之一振。次日，蔣總裁親自巡視上海街道。（註五〇）

經國先生在上海陪蔣總裁到五月六日黃昏，以局勢緊迫，乃在復興島乘江靜輪，七日早晨六時，啓程前往舟山羣島。八日，李宗仁自桂林飛抵廣州。五月十五日，經國先生奉蔣總裁之命，飛赴上海。因爲自五月十三日起，共軍開始攻擊月浦，企圖奪取吳淞。十四日早晨，展開全面攻擊，上海陷於共軍包圍之中，情勢極其危急。湯恩伯告訴經國先生說：「浦東方面沒有把握，社會秩序是否將變爲紊亂，亦未可逆料；但祇有盡心力而爲之。」五月十六日上午，經國先生飛離上海，抵達定海機場，並詳細報告蔣總裁上海的情勢。（註五一）

五月十七日，經國先生跟隨蔣總裁離開定海機場，「沿途俯瞰三門灣、海門、樂清、雁蕩山、永嘉、平陽、三都澳、以及閩、浙交界之山地海岸。……（下午）四時五十分飛抵馬公降落。」（註五二）出發當天，中國國民黨中央執行委員會電請蔣總裁：「打銷遁跡遠隱之意」。下野以後將近四個月，雖然回到自己家鄉，但如前面所說，蔣總裁爲著創造中國的光明前途而著手改造中國國民黨，在最危險的時候到最危險的地方去。隨戰局的惡化，各方面紛紛請求蔣總裁恢復總統職位；而基於民族和時代的使命感，蔣總裁也有此種想法，但他卻似給一般國民以「遁跡遠隱」之印象。蔣總裁此次前往馬公，當然不是爲了「遊山玩水」。他從空中視察，我相信是爲著要作與中共在台灣海峽的作戰依據。經國先生亦當如是。

到達馬公的第二天，上海中央銀行總裁俞鴻鈞前來台北晉見蔣總裁，商量台灣幣制改革問題。五月十九日，經國先生奉蔣總裁之命，飛往福州，訪問朱紹良主席於福建省政府，當日飛返馬公。因爲三天前，南平（延平）爲土共所陷，福州動搖不安。（註五三）局勢的動盪，波及全國。五月二十二日，西安撤守，二十三日，南昌、九江、德安也失陷。二十四日，經國先生再度飛往福州，與朱紹良主席洽商有關構築防禦工事。經國先生報告蔣總裁，因前一天國軍克服南平，故福州情勢已較穩定。（註五四）五月二十五日，經國先生又奉命飛往上海，途中在象山附近上空，由地上通信知得上海江灣機場受到共軍砲擊，不能降落，因而飛返嘉義。經國先生此次的使命是對湯恩伯總司令傳達意旨，但該日共軍已進犯上海，國軍不得不開始向定海、台灣方面撤退。（註五五）上海的失守，對政府的損失太大了。

從這個時候起，台灣注定成爲中華民國的復興基地。五月三十一日，經國先生的日記說：「父親本日草擬防守以及治理台灣的計畫。」六月一日，經國先生「傍晚隨父親視察高雄要塞；登壽山嶺視察形勢，西爲左營軍港、南爲高雄商港，壯麗雄峻，誠不愧爲高雄之稱。」（註五六）六月三日，經國先生說：「父親認爲今後應以台灣防務爲第一。」因而蔣總裁自記：「宜立即召集台灣軍事會議，解決兵額、編組與部署巡防通信交通等問題。」（註五七）六月六日，「父親與黎玉璽司令乘永興艦由高雄海關碼頭出港，沿海岸至左營軍港及海軍總部視察。」（註五八）此時，對上海採取海上封鎖的戰術，舟山、台灣、瓊島、長山四羣島還有基地，福建省雖然不安定，但還有基地可用，大陸西區各省仍有基地。在財政金融方面，分成重慶、廣州、台灣三區，俾與共黨抗衡。（註五九）

要與中共長期作戰，需要有能夠從容策劃與準備的環境，所以在台灣居住便具有很重大的意義。六月二十一日，經國先生隨蔣總裁，由高雄飛往桃園，然後到大溪去。大溪有山有水，其風景和氣氛，與溪口很相類似，氣候也比較涼爽，故能安眠，精神愉快。（註六〇）六月二十四日，經國先生陪蔣總裁由大溪到台北，參加了東南區軍事會議，並遷居草山（即今日的陽明山）。（註六一）而前面所說「總裁辦公室」的設立，便決定於這一天。是即台灣逐漸成爲與中共博鬥的真正基地。八月一日，草山的總裁辦公室，正式開始辦公。以台灣爲基地，蔣總裁又再次踏入大陸。

七月九日，蔣總裁由台北飛往福州，在福州空軍補給站接見團長以上軍官，並與朱紹良主席談有關福建省的軍政問題。當日乘原機，經由平潭島飛返台北。（註六二）七月十四日，蔣總裁由台南飛往廣州，到達天河機場，翌日，與李宗仁對談一個小時，但蔣總裁非常失望，認爲「彼只知爭權奪利，而不知盡責任，今後更覺與其共事之難矣，不知如何方能精誠感召，以達成團結一致共同反共救國之目的也。」（註六三）

七月十六日，在廣州成立中央非常委員會，十八日，中國國民黨中央常務委員會議通過蔣總裁所交議之「本黨改造案」，行政院會議決議設立東南軍政長官公署，直轄江蘇、浙江、福建、台灣、海南五省區，以陳誠爲東南軍政長官。七月十九日，蔣總裁在黃埔召集在粵高級將領，指示保衛廣州計畫，直至深夜。經國先生認爲：「保衛廣州最主要的條件應在『人和』。」（註六四）七月二十一日，蔣總裁由黃埔乘華聯輪前往廈門視察，二十三日，接見湯恩伯總司令和朱紹良省主席，並以中國國民黨總裁身分，召集閩南各軍師長以上黨籍將領開會，討論防衛辦法。二十四日，由廈門飛返台北。（註六五）

應大韓民國之邀請，蔣總裁於八月三日，由台北飛往定海，旋即乘輪至普陀山，宿文昌閣。六日，由定海飛往韓國，到達鎮海機場。在這期間，美國發表「中國白皮書」，對中華民國政府非常不利。但蔣總裁卻仍然「談笑自若」，因而經國先生以「此乃得力於『寓理帥氣』之修養工夫也。」（註六六）父親無言的教育，再給經國先生將來做領導者的一次訓練機會。

但美國的「中國白皮書」，卻給廣州一般將領之心理以很大影響。尤其鈍化固守廣州的決心。而湖南程潛之投靠中共，更使其發生動搖。福州軍事緊張，而東南長官署又遲遲未能成立。八月十六日，福州守軍撤退，長山羣島陣地亦轉移。（註六七）經國先生的「第二故鄉」贛州也被共軍佔領了。經國先生以極其悲痛的心情在日記寫下：「一草一木，一街一巷，對我都具有深刻的印象和親切的情感。再加上居住那裡的成千成萬善良老百姓和許多幹部，現在都將被匪凌虐和殘殺，……」。（註六八）

八月二十三日，廣州保衛戰進入短兵相接狀況，這可以說是，決定最後成敗的一戰。因此，蔣總裁對廣州的軍事部署，沒有片刻忘懷。它是出師北伐之聖地，軍事人才輩出的黃埔軍校所在地。南京失守後，廣州是中華民國政府的根據地，是中華民國的臨時首都。此時此刻，蔣總裁自不能袖手旁觀。於是當日上午十時，蔣總裁起飛台北，下午一時四十五分到達廣州，受到粵中重要軍政首領歡迎。蔣總裁此行之目的，在研討已往部署之錯誤，並了解其實施的情形。（註六九）

隔天，由廣州飛往重慶。重慶是抗戰期間，軍民一致同甘共苦抗戰到底的城市。所以重慶的存在價值實不同凡響。故無論如何要守住重慶。經國先生說：「沒有西南，抗戰不會成功的。」（註七〇）但自李宗仁開始「和談」以後，四川和西康地方的軍人如劉文輝、鄧錫侯等人，即暗中與反動分子勾結，企圖與中共進行「局部和平」。（註七一）爲了促進地方政治、經濟、軍事各方面負責人團結一致抗共，蔣總裁飛往重慶，並於八月二十九日，主持西南行政長官公署會議，除雲南省主席盧漢未到外，其他中國國民黨籍川、黔、康各省主席，川、陝、甘及川、鄂、湘各邊區將領，皆到會參加。爾後盧漢來渝晉見蔣總裁，爲著與盧漢見面，經國先生與蔣總裁亦先後前往昆明。（註七二）會中對各方面情勢加以檢討，決定拒共軍於川境之外；下午進城時，受到民衆夾道歡呼。掌聲不絕，令蔣總裁父子感動不已。

蔣總裁與經國先生於十月三日返抵台北；並於六日，自基隆乘輪前往廈門，此時共軍砲聲在耳，距離祇有九千公尺。八日由馬公飛返台北。（註七三）華北、西北、西南各重要地區相繼落入中共之手。海南島與舟山羣島亦陷於孤立無援狀態，而補給困難。因接獲放棄舟山六橫各島，金塘亦隨之失陷的報告，爲親自確認這個事實，於十月十一日下午一時四十五分，經國先生陪同蔣總裁飛往定海。這是該年內經國先生第四次到定海。此時金塘島已被共軍佔領。蔣總裁父子在定海待到十四日上午。（註七四）十月十二日，政府宣布自廣州遷至重慶辦公。經國先生於上午七時半，乘B－25，飛往金塘、大榭、梅山諸島、穿山半島、鎮海、寧波上空視察。蔣總裁召集桂永清、石覺等陸海空軍將領舉行會議，研究防衛定海及收復金塘、六橫島之計畫。（註七五）十三日，大嶝島爲中共所佔，金門大受威脅。李宗仁於當日離開廣州前往桂林，廣州由之失守。上午九時，蔣總裁乘車出定海西門，並步行至天童山麓，沿途視察駐軍陣地。（註七六）翌日，由定海飛返台北。

十月十六日上午，接獲共軍從多方面襲擊廈門，並已部分登陸之報告，最後，國軍主動撤離廈門，退守金門。（註七七）蔣總裁認爲，金門在軍事上和政治上的意義極其重大，絕對要固守到底。因而電令湯恩伯將軍：「不能再失，必須就地督戰，負責盡職，不能請辭易將。」經國先生説：「此所謂『置之死地而後生也』。」（註七八）

十月二十六日早晨，湯恩伯總司令電話報告：「金門登陸之匪已大部肅清，並俘獲匪方高級軍官多人。」經國先生當日奉命由台北飛往金門，慰勞將士。共軍似以人海戰術要强行登陸古寧頭一帶，惟因陸海空軍的共同作戰，而獲得輝煌戰果，但國軍也死傷不少人。古寧頭的輝煌戰果，大振國軍士氣，爾後屢次在金門殲滅共軍，奠定了金門在軍事上和政治上的重要地位。我們在序章説過，經國先生於一九四九年十月二十六日，首次插足金門以後，曾經訪問過金門一百二十三次，總共待了三百五十二天。恐怕他自己都没想過他竟會到金門那麼多次。

十一月四日蔣總裁農曆六三華誕前夕，經國先生等陪他上阿里山。夜宿阿里山招待所。五日，經國先生於「凌晨三時三十分起身，向父親行禮祝壽後，即隨父在月光下步行，復蜿蜒登祝山。明月高照，清光無極，如入水晶世界，美麗無比，難以筆墨形容。……父親東向肅立，對天地禱告」。此時，國軍與共軍在登步島作殊死戰，六日上午，國軍將共軍完全肅清，繼金門大捷之後又一次勝利。（註七九）三天後，經國先生又奉命飛往定海，慰問三軍將士，十二日回來報告說：「軍心士氣，皆已好轉」。（註八〇）但還是不能挽回在大陸的敗勢，十一月十四日，蔣總裁父子由台北飛往重慶，十五日，經國先生前往川東前線視察，並慰問傷患，激勵士氣。（註八一）當日，貴陽失陷，二十一日，遵義失守，共軍日趨迫近重慶。（註八二）

以後的情況，一如本章前半所略述。

一九五〇年三月二十八日，在大陸有組織的戰鬥告一段落，五月，國軍也從舟山羣島和海南島撤守。在這期間由於立法院立法委員聯名，以及中國國民黨中央常務委員、中央監察委員、中央政治委員、中央非常委員聯席會議，一致要求，蔣總裁終於三月一日復行總統職權，重新主持國政。

父子這樣緊密合作，相依爲命的例子，在歷史上恐怕不多。兒子能學父親剛毅的精神，以砥礪自己而成長。實在太美了。

註釋

（註一）前述，「總統　蔣公大事長編初稿」，卷七，下册，二四八——二四九頁。

（註二）同右，二五一頁。根據奉派在上海之周宏濤秘書二月十日的報告，保管於中央銀行的黃金，除留下二十萬兩外，大部分都按照計畫，運到廈門和台灣。

（註三）前述，「蔣總統經國先生言論著述彙編」，第二集，五五七——五五八頁。經國先生說：

「這是失敗基因的深刻檢討，亦是重整革命的正確南針；我們必須隨時隨地，至誠至謹，加以領略，服膺與力行。」

（註四）前述，「總統　蔣公大事長編初稿」，卷七，下冊，二六二頁。

（註五）同右，二六二——二六三頁。

（註六）同右，三〇五頁。

（註七）同右，三〇六頁。

（註八）同右，三一五——三一七頁。

（註九）同右，三二四頁。

（註一〇）同右，二九〇——二九一頁。

（註一一）同右，三三〇——三三一頁。「扭轉時局方案」的主要內容爲：「㈠政治配合軍事；㈡軍事改變過去戰略，保衛華南、西南；㈢財政收支平衡，開源節流，穩定銀元卷基礎；㈣外交站在反侵略前哨；㈤爭取反侵略陣線」。

（註一二）同右，三三一頁。

（註一三）同右，三三二頁。

（註一四）同右，三五八——三七五頁。

（註一五）同右，四八七頁。蔣總裁一直待到前一天。

（註一六）同右，四九〇頁。

（註一七）同右，四九一頁。

（註一八）同右，四九二頁。

（註一九）同右，四九五——四九六頁。它說，蔣總裁父子唱完國歌後才離開陸軍官校分校。

（註二〇）同右，四九六頁。

（註二一）前述，「蔣總統經國先生言論著述彙編」，第二集，七〇二頁。
（註二二）同右，七〇三頁。
（註二三）前述，「總統 蔣公大事長編初稿」，卷八，九頁。二十六日，任命了十五位中央改造委員會委員。
（註二四）同右，一〇頁。幾天後，該委員會發表了「本黨現階段政治主張」。
（註二五）同右，二一頁。
（註二六）同右，二三頁。
（註二七）同右，二五頁。
（註二八）前述，「總統 蔣公大事長編初稿」，卷七，下册，二四一頁。
（註二九）同右，二四三——二四四頁。
（註三〇）同右，二五一頁。
（註三一）同右，二五四頁。
（註三二）同右，二五五頁。
（註三三）同右，二六〇及二六三頁。
（註三四）同右，二六四頁。
（註三五）同右，二六五頁。
（註三六）同右，二六七頁。
（註三七）同右，二六八頁。
（註三八）同右，二六九頁。
（註三九）同右。這個委員會是根據中央常務委員會決定的原則而設，委員十一人，經國先生不是委員。

（註四〇）同右，二七二——二七三頁。

（註四一）同右，二七七頁。

（註四二）同右，二七八頁。

（註四三）前述，「蔣總統經國先生言論著述彙編」，第二集，六〇〇頁。

（註四四）前述，「總統　蔣公大事長編初稿」，卷七，下冊，三七八頁。

（註四五）同右，二八〇頁。

（註四六）同右，二八一——二八二頁。

（註四七）前述，「蔣總統經國先生言論著述彙編」，第二集，六〇三——六〇四頁。

（註四八）同右，六〇五頁。

（註四九）同右，六〇七頁。

（註五〇）同右，六〇七頁。

前述，「總統　蔣公大事長編初稿」，卷七，下冊，二九〇頁。

（註五一）前述，「蔣總統經國先生言論著述彙編」，第二集，六一七——六一八頁。

（註五二）同右，六一九頁。

（註五三）前述，「總統　蔣公大事長編初稿」，卷七，下冊，二九九頁。

（註五四）同右，三〇〇頁。

（註五五）同右，三〇一頁。

（註五六）前述，「蔣總統經國先生言論著述彙編」，第二集，六二二——六二三頁。

（註五七）前述，「總統　蔣公大事長編初稿」，卷七，下冊，三〇三頁。

（註五八）前述，「蔣總統經國先生言論著述彙編」，第二集，六二四頁。

（註五九）前述，「總統　蔣公大事長編初稿」，卷七，下冊，三〇四頁。

（註六〇）前述，「蔣總統經國先生言論著述彙編」，第二集，六三〇頁。
（註六一）前述，「蔣總統經國先生哀思錄」，第三編，八〇一頁。
（註六二）前述，「蔣總統經國先生言論著述彙編」，第二集，六三八頁。
（註六三）前述，「總統　蔣公大事長編初稿」，卷七，下冊，三三〇頁。
（註六四）同右，三三二頁。
前述，「蔣總統經國先生言論著述彙編」，第二集，六四一頁。
（註六五）同右。
（註六六）同右，六四六頁。
（註六七）同右，六五〇頁。
（註六八）同右，六五〇——六五一頁。對於經國先生來說，一定是很痛苦的消息。
（註六九）同右，六五一頁。
（註七〇）同右，六五三頁。
（註七一）前述，「總統　蔣公大事長編初稿」，卷七，下冊，三四八頁。
（註七二）前述，「蔣總統經國先生言論著述彙編」，第二集，六五三、六五六——六五八、六六一頁。此時，經國先生認爲，雲南的動向是國家存亡，革命成功與否的最後關鍵。
（註七三）同右，六六八頁。
（註七四）同右，六六九頁。
（註七五）同右，六七〇頁。
（註七六）同右。
（註七七）前述，「總統　蔣公大事長編初稿」，卷七，下冊，四〇二——四〇三頁。
前述，「蔣總統經國先生言論著述彙編」，第二集，六七一頁。

（註七八）同右，六七二——六七三頁。

（註七九）前述，「總統　蔣公大事長編初稿」，卷七，下册，四一一——四一二頁。

（註八〇）同右，四一五頁。

（註八一）同右，四一六——四一七頁。

（註八二）同右，四二一頁。

第九章　猶如百萬雄兵

——從總政治部主任到國防部長——

我們在上一章最末尾說過，一九五〇年三月一日，蔣總統復行視事，三月二十一日，經國先生就任國防部總政治部主任。當時經國先生四十一歲。他的任務是，要把從大陸到台灣的軍隊整編，訓練其成爲充滿自信的軍隊，從而建設復興基地。爲此，經國先生除擔任總政治部主任之外，又兼任總統府資料室主任，以負責情報和治安的工作。客觀來說，這時經國先生已是蔣總統最信任的一個人，而且具有可以放心把左右國家命運之秘密活動交給他的實力。（註一）

乘著混亂，不但在國軍裡頭，中共的鷹犬也滲透台灣的社會，而日治時代潛入地下的共產主義者日漸抬頭，隨情勢的惡化，左顧右盼，受中共工作影響，竟有高級將官與中共偷偷通款者。經國先生奉命，從事清除這些敗類的工作。譬如被捕槍斃者之中，就有陳儀、吳石等軍事首腦。（註二）前者曾任台灣省行政長官兼台灣警備總司令，後來擔任浙江省主席時，欲靠攏中共而被捕，並被帶來台灣槍斃。後者是國防部人事次長。他每日供給中共情報，他家的小型無線電收音機，他被捕後五十二天之久，收到毛澤東發給中共在台特務的訓令，根據這個線索，吳石一夥人被捕，由之更逮捕了九百五十三個中共的特務。（註三）

在中國大陸，戰爭還在繼續的一九四七年二月二十七日晚上，因爲街上的一件小小糾紛而引起的「二二八事件」，竟波及整個台灣，並且很長時間，忌諱談論這件事。（註四）我們從這個事件的政治、社會、經濟上所得到的教訓是：國軍的存在，社會治安良好，經濟發展時，反攻大陸的基地台灣才穩如磐石。因此，當時最重要的課題便是：迅速確保治安和如何防止共產主義的滲透。所以，經國先生的任務，可以說是解決台灣內部問題的一個起步。

事實上，當時國民政府在國際上孤立，也得不到美國的援助，因而只有以不屈不撓的精神自己站起來。在經濟上和社會上，到處有令台灣不安定的因素，而其爲共產主義蔓延的溫床是不待煩言的。故此時此刻應該特別留意的，不是共軍的進攻，而是台灣軍民心理上的動搖。中共日夜透過廣播，叫囂要血洗台灣，以作宣傳工作。但從一九五〇年一月到七月，在台灣破獲了中共的地下組織。（註五）「五月十三日，蔣經國國防部總政治部主任破獲了八十多個中共的地下組織，並發表逮捕了中共台灣省工作委員會的最高負責人蔡孝乾等人。蔡孝乾於五月三十一日投誠，並向台灣全省廣播。他於一九八二年，病歿台灣。」（註六）要之，虛虛實實而拼命工作的政治工作，展開於當時的台灣。

在這種情況之下，經國先生就任總政治部主任之後，立刻開始國軍政治工作制度的改制。（註七）爲著灌輸軍人精神，和改革政治工作，訂定以下六大目標。㈠建立政治幕僚長制；㈡確立監察制度；㈢加强保防工作；㈣恢復軍隊黨務；㈤實行四大公開；㈥革新政治訓練。政工的目的，在於提高軍人士氣，整備組織，加强戰力，消除弊端，鼓吹進取的革命精神，使其成爲一種信仰。這可以說是他在俄國關心軍事問題，在大陸與中共鬥爭所得教訓，而於台灣所創造出來的。他希望透過政工的幹部，對國軍士兵徹底灌輸三民主義的思想和信仰。

但這個政治的軍事化，軍事的政治化却不是那麼簡單，一稍微不慎，軍隊本身的指揮系統可能發生混亂，或將像中共有從「槍桿子出政權」的危險性。作爲由於軍部干預政治，日本以天皇之名義走向軍國主義國家國民的我，非常關心這一點，所以我想以經國先生的言論來看他對政工的構想。

蔣中正總統要以台灣爲民族復興的基地，以及三民主義的模範省，而於三月十五日任命陳誠爲行政院長，實行國父孫中山先生以地方自治爲民主政治之基石的遺教，從政治層面來着手民族復興基地的建設。（註八）四月五日，行政院通過「台灣省各縣市地方自治綱要」，四月二十四日正式公布，七月二日開始實施。（註九）而爲重振中國國民黨的革命精

·民國三十九年八月，經國先生受任中國國民黨中央改造委員會委員，出席會議研商黨務改造工作進行目標。

神，於前一年七月十八日向召開於廣州的中央常會所提出「本黨改造案」，經過一年的綜合檢討結果，於七月二十二日，中央常會修正通過「中國國民黨改造方案」。爲此而編成的中央改造委員會，經國先生也被任命爲其委員之一。（註一〇）

改造委員會於八月五日正式成立，經國先生就任直屬該委員會的幹部訓練委員會主任委員。這是經國先生透過黨政軍幹部的訓練，積極活動的開端，也是他走上作爲政治家和國家領導者的開始。此時，由於爆發韓戰，中華民國與美國的關係開始好轉，美國深怕台灣被赤化，因而表明將防止對台灣的任何軍事攻擊，同時對於中華民國政府的反攻大陸也予以某種限制。這個情勢對於國民政府固然有好的一面，但在軍事上，被美國限制反攻大陸，對於國軍的士氣有負面的作用。因此，在經國先生所負責的訓練部門，對於反攻大陸的理論和精神，便更要强調。而還沒對它作具體説明之前，我們應該先來談談經國先生訓練幹部的具體政策。

對於幹部的訓練，他首先創設了兩個組織。一個是政治工作幹部學校，另外一個是中國青年反共救國團，經國先生並兼主任。前者乃於一九五〇年九月，令總政治部第一組副組長王昇設計所建。（註一一）一九五一年二月，政工幹校十六名委員開始籌備，十一月一日正式開學。（註一二）在開學典禮席上，經國先生説：「現在我們所最需要的是志氣」，而要求青年爲國家奮鬥。（註一三）他强調，黃埔軍校使北伐成功，廬山峨嵋訓練團促使抗戰勝利，今日為完成國家中興大業，特地創辦此校以培養「部隊的政治工作者」為目的，披瀝革命的武裝學校論。（註一四）總之，它以「自強忍耐」為基礎，以「滅共復國」為其責任，以此校為「革命精神的策源地」。政工幹校的特色是，文武合一的新式學校，其畢業生要到軍中去從事精神教育，以堅定士兵的思想和改善他們的生活。（註一五）

經國先生對政工幹校之教育如何熱心，我們可以從他的講課情形窺悉。他每星期不但對正規班學生講課，也對於學校的教職員，和情報方面的訓練人員講課。而且對於受過正規教育已經工作者，或者成為預備的，也給予再授課，真是徹底而不斷地講課。他所講的內容，譬如大風大雨的時候，他就說政工幹校的學生要有「風雨同舟」的精神，今天的天氣象徵著它，臨機應變地對學生提出問題，令學生思考，鍛鍊精神，展開簡單明瞭的說明。（註一六）他不僅對政工幹校的人員，對於總政治部的工作者也要隨機演講三民主義。從量來說，就有「蔣總統經國先生言論著述彙編」第二集，從八九頁到四四二頁。又在第三集的六九頁，刊有一九五一年四月二十五日，他對於政工幹校第一屆畢業生所作的講話。（註一七）當然對於幹校的講課還是繼續，例如第四集，於一九五六年五月十九日對第四期學生的講課，他的熱情仍然連綿不絕。他名副其實地對青年們作到「教而不倦，學而不厭」的地步。

在經國先生的講話中，最引起我注意的有兩項。第一項是他特別強調雪恥。他在授課中再三提到它，雪恥可以說是政工幹校教育的重要理念。目前，台灣雖然站在守的立場，但將

・蔣公伉儷與家人在浙江省奉化縣溪口鎮祭祖掃墓後合影。

來台灣要光復大陸，而為其理論上和思想上的根據者就是「雪恥復國」。而且雪恥和復國是不可分的。要復國，必須雪恥。若是，雪恥復國教育的着眼點在那裡呢？即要發揚中國的優良傳統。這個優良傳統便是「忠孝仁愛信義和平」，而最近的一部分年輕人以為這是落伍的觀念，封建而頹迷固陋的思想，但這是錯誤的。因為如果放棄「忠孝仁愛信義和平」，則等於放棄了中華民族的傳統文化。經國先生舉例說，日本維新八十年以來，其所以能夠成為一個强國，就是因為他們沒有放棄大和民族的固有精神。他更舉出固有的民族精神，能使國家强盛的好幾個例子。（註一八）

對於復國，我們不能作消極的解釋，而應該積極地把它解釋為一種前進和創造，因此，經國先生認為，今日的復國是我們建國的開始。而雪恥的思想，具體來說，對於大陸被敵人竊據，我們每個人要感到恥辱，從全體國民而言，這是國家的恥辱，我們必須有洗雪這個恥辱的決心。（註一九）

這個恥辱的心理，乃由以下兩個階段所構成。第一個階段是大陸被敵人佔去的恥辱，亦即由第三者看來極無面子的恥辱，則心理學上的所謂他人思考型的心理作用；第二個階段是既然承認其失敗，如果不收復大陸，對自己便是一種恥辱，由之要求其積極行動。（註二〇）在這種意義上，對於年輕人有關恥辱的教育，則把重點放在第二個階段。因為年輕的一代，與第一個階段沒有關係。「雪恥復國」教育的困難在此。而經國先生對於大陸的淪陷愈感覺其責任，則他愈不怕到最危險的地方去。

經國先生在政工幹校的講話中，特別令我關心的第二點是，他的講話，一方面非常實用，極其政策性，但在另一方面，却對於人應有的基本態度，引經據典，對年輕人作簡單扼要的說明。其所以能夠這樣做，乃由於父親的良好教育和指示，令他不斷地學習和吸收古典，面對人生所使然。譬如他對於正在從事政治工作的同志再教育的課程中說，正如醫生要找出病因以治療，政治工作也同樣地要找出其不能發揮效用的病根，結果經國先生發現，其病根乃在於工作人員沒有中心思想，和不能把握奮鬥目標。（註二一）

於是經國先生從明朝的學者洪自誠的「菜根譚」挑選十條，並予以自己的解釋，俾芟除其病根。我認爲「菜根譚」的這十條，是瞭解經國先生思想非常好的材料，所以我把它列舉如下。他曾經兩度以這個方法，和完全不同的內容來說明。

「㈠天地有萬古，此生不再得，人生只百歲，此日最易過，幸生其間者，不可不知有生之樂，亦不可不懷虛生之憂。

㈡心不可不虛，虛則義理來居；心不可不實，實則物欲不入。

㈢我有功於人不可念，而過則不可不念；人有恩於我不可忘，而怨則不可不忘。

㈣鷹立如睡，虎行似病，正是它攫人噬人的手段處。故君子要聰明不露，才華不逞，才有肩鴻任鉅的力量。

㈤為惡而畏人知，惡中猶有善路，為善而急人知，善處即是惡根。

㈥不責人小過，不發人陰私，不念人舊惡，三者可以養德，亦可以遠害。

㈦覺人之詐，不形於言，受人之侮，不動於色，此中有無窮意味，亦有無窮受用。

㈧攻人之惡，毋太嚴，要思其堪受；教人以善，毋過信，當使其可從。

㈨聲妓晚景從良，一世之煙花無礙；貞婦白頭失守，半生之清苦俱非。語云：看人只看後半截，真名言也。

㈩我貴而人奉之，奉此峨冠大帶也；我賤而人侮之，侮此布衣草履也；然則原非奉我，我胡為喜，原非侮我，我胡為怒。」（註二二）

（譯者按：就以上十條，經國先生皆有極其精闢而具體的註解與說明。）

這十條，可能是經國先生讀「菜根譚」時，覺得這些可以用而直觀地選出來的。說明之中，對於第八條，他說這句話對於政工幹校的訓導工作最為重要。尤其令我感覺興趣的是，第九條有醜聞的妓女的譬喻。經國先生把這些以前很好，後來變節投共的人物（六月二十日，在石牌訓練班講課時，列出了人名），說得一文不值。相反地，被變相地扣留在俄國十二年的經國先生，在這期間信奉托洛斯基，身為中國國民黨黨員，同時又加入「共產主義青年團」。但在回國半年前的一九三六年九月，他卻被剝奪共產黨候補黨員的資格。（註二三）但好不容易回國以後，他便徹底地反對共產主義。「菜根譚」的作者洪自誠之說「看人只看後半截」爲「至理名言」，可能給經國先生很大的勇氣。的確，經國先生隨其年齡的增長，尤其是他人生後半段的活動，建立了他作爲歷史上政治領導者不可移易的聲譽。

其次，經國先生爲教育青年所創設的第二個組織是，一九五二年十月三十一日成立的中國青年反共救國團（通稱救國團），他並被任命爲該團主任。（註二四）他擔任救國團主任達二十一年之久。即一九七二年六月二十一日就任行政院長（等於日本的首相）以後，兼任救國團主任大約一年，惟因公務太忙，而於一九七三年五月三十一日才辭去主任職務。（註二五）由此可見，經國先生如何熱心於青年的教育和訓練，他做主任不是掛名，而實際上與青年爲伍，他這種積極的努力，奠定了下一章將要敍述的「蔣經國時代」的基礎。

成立救國團前，經國先生有這樣的看法：「空軍有空軍的基地，海陸軍有海陸軍的基地；政工幹校就是革命政工的基地，……目前青年救國團還有很多辦法沒有決定，……我對救國團有兩句話，就是：『用青年人的血肉，保衛自己的民族，用青年人的雙手，建設自己的國家。』我們要在這個大前提下，團結青年。」（註二六）救國團未正式成立之前，他在政工幹校的講話中，提到出席南部海空軍官校的結業與軍校預備軍官訓練班開學典禮而說：

「前面一排都是各機關的高級長官，後面的都是年輕而剛畢業的學生，我心裏感覺到後面的人不起來，前面的將逐漸老去無法完成艱鉅的革命責任，今天中國的革命沒有青年起來就不能成功，可是青年人起來以後，如果沒有組織去團結青年的力量，也只能在一個時期發揮一點短暫的力量，不能持久，最後還是全歸失敗。」（註二七）

經國先生在另外一個機會，就需要組織愛國的青年這樣說：

「中國今天不僅是反共的支柱，更不是沒有愛國的青年，但過去青年爲什麼對於國家沒有貢獻呢？我想這個問題就在於過去沒有把愛國的青年組織起來，使他們團結成一個堅强無比的力量。例如海上的沙、泥和水，到處都有，數量雖然很多，但它散布在自己地上的時候，却沒有什麼用處，可是如果將水沙和泥摶搓，使它凝結在一起時，它便形成了團體，假若再加上鋼筋，那就更能發生最鞏固的力量。」（註二八）

以這些基本觀念爲基礎，而成立了中國青年反共救國團，他感覺責任之重大而說：

「抗戰時期，漢口失去了可退到衡陽，衡陽失去了再可以退到桂林，桂林失去了還可以退到貴陽，今天却再沒有地方可退了。死就是死，活就是活，所以救國只許成功，不許失敗的。因爲不能再使中國青年失望，而國家失去了青年，便失去了中心力量，就

只有失敗。可是這個責任雖然如此重大，我們仍是要去完成的，因爲這是我們無可推卸的責任。」（註二九）

在這樣以非常之決心成立的救國團，正如經國先生於一九五二年十二月一日，在台北地區宣誓入救國團的大會所說：「親愛的青年朋友們：今天一萬個黃帝的子孫在國家生死存亡的最後關頭，宣誓加入中國青年反共救國團。」（註三〇）他並說：「這個宣誓典禮就是我們中國青年誓死反共抗俄，決心收復大陸的堅決表示，所以有著非常重大的歷史意義。」若是，救國團對青年們要做什麼呢？他明確地答說：第一要實施愛國教育，統一救國思想，第二要使青年獲得軍事常識與技能，第三要使每個青年發揮服務精神，第四與國軍反共大陸時，併肩作戰，收復大陸後，做救濟難民、教育青年和安定社會等工作。（註三一）

救國團的團員，並不限於男生，它鼓勵女青年積極參加，編成女青年工作大隊，並於一九五三年十月二十六日，開始第一期的訓練。而且，也歡迎愛國的海外青年參加反共戰爭的行列，成立海外青年先鋒營，以訓練海外的男女青年。（註三二）救國團的作風，則參考過去的教訓，由青年來領導青年，以創造自主自動自發的組織。爲此，對於副大隊長和大隊長，則給予特別的教育和訓練，並在各地方設立救國團支部，以擴大組織。（註三三）

對於成立六年，應該順利發展的救國團，經國先生主持救國團的工作會議時，不知何

・民國三十九年二月六日，經國先生隨侍　蔣夫人巡視金門前哨慰問士兵。

故，特別講了該團的性質、任務與工作。（註三四）他説，救國團並非神秘的政治團體，而是堂堂正正的青年組織，不是從事情報、調查等工作的團體。救國團是鼓勵青年愛國家，做學問，以培養現代國民的組織。救國團的基本政策是反共抗俄，重要任務是反攻大陸，最後目的是實行三民主義，以國家的利益爲最優先。除此之外，沒有任何其他政治主張和企圖。救國團所實施的學校軍訓，是教育系統內的一部門，軍訓工作不是教育行政以外的另一系統。經國先生之所以作這種説明，我認爲，一定有人故意中傷和攻擊救國團，爲抵抗阻礙青年運動的健全發展，經國先生才有這樣堅決的表示。關於其證據，我準備在後面敍述，而這正説明了救國團的成就。

但在另一方面，經國先生也非常留意救國團可能犯的缺陷和弊端，並繼續不斷地摸索青年運動的正確方向，凡此都可以從他爾後的言論找到根據。譬如打破「個人利害爲結合要素」的自私觀念，消滅「爲滿足個人政治慾望而用幹部」的卑劣作風，打破士大夫觀念與升官發財的思想，他如此這般，一再强調。（註三五）前面我們説過，經國先生因爲公務繁忙，到第二十一年終於辭掉救國團主任。這時，他回憶成立救國團時的情形，在青年工作的座談會，就「青年工作要點」作了以下的指示。（註三六）因爲社會的發展和國內外情勢的變化，青年的輔導、培養和鼓勵的方法雖然也隨之而變，但國家需要青年，青年需要國家却沒有變。因此，政府要負起開創新局的責任，同時青年更應該發奮圖强，以建設自由民主的三民主義國家，這是千載一時的大好機會。所以，政府應使青年理解國事，開拓青年的就業機會，寬籌青年創業基金，輔導青年自力創業，協助青年職業進修，指導青年身心健康，設置奬貸學金，鼓勵青年發明研究，照顧身心殘缺青年，輔導海外青年回國服務，號召大陸青年從事反共鬥爭等等十項的重點工作。

從政府對於青年學生這十項工作的觀點來說，經過二十年的歲月，救國團本身自有很大的變化。經國先生對於學生所期待的，固然没有變，但隨復興基地台灣的內容和分量的增加，學生對國家的期待，愈物質化，因而政府對其因應的方法當然也要有所變化。而呼反攻大陸口號的聲音和內容的逐漸變化，也影響了救國團工作的變化。

一九五四年九月五日，經國先生轉任國防會議副秘書長。這個工作需要更廣闊的視野和長遠的眼光。其轉任與國民黨一連串的政治大變化有關係。具體言之，一九五三年四月十日，台灣省主席吳國楨，後來所謂吳國楨事件的政治糾紛的中心人物，到美國一去不返，因而由俞鴻鈞繼任；次年，在美國的李宗仁副總統，受到彈劾失去副總統身分；一九五四年三月，蔣中正先生當選第二任總統，陳誠出任副總統，總統府秘書長張羣，台灣省主席俞鴻鈞升任行政院長，嚴家淦繼任台灣省主席。國防部長俞大維，孫立人任總統府參軍長，兩年前參謀總長的周至柔被任命爲國防會議秘書長。（註三七）

經國先生還没開始國防會議副秘書長工作之前，他所最尊敬，事事請教，對他有如人生之燈塔的吳稚暉先生與世長辭。吳稚暉先生是經國先生從小孩時候，就有師生關係，凡事都與他商量，是看經國先生長大的人物。經國先生到俄國之前，首先商量的是他，自俄國回國以後，遇到困難問題，就給予鼓勵的也是他。總政治部主任時，因爲有困難，星期天到中山北路五條通吳稚暉先生公館，直接說明他所面臨的政治問題。吳先生說：「我知道有許多人，想用各種手段反對你，也有人造謠中傷你；但是這些事，想明白了，算不得什麼！爲了你的　父親，爲了你的同事，你都必須好好的做。一個沒有被人打擊過的人，是不會成人的。我覺得你所受到的打擊還是太少了。你現在不但是爲了自己的工作，要好好幹下去；即使爲了你的各種各樣敵人，更應該好好的幹，因爲任何敵人所希望的，是你放手、讓步、不幹！」經國先生得到吳稚暉先生這番安慰和鼓勵，而勇氣百倍。爾後吳老先生健康惡化，從而去世。一九五三年十二月一日，按照吳老先生的遺囑，經國先生將他的遺骨運到金門，雇用漁船，把它葬於厦門南面海底。經國先生祇有向吳老先生在天之靈禱告，請他保佑國人能夠早日光復大陸。（註三八）從吳稚暉先生對經國先生所講的話，我們可以知道經國先生經常遭遇到別人的中傷和造謠，不是事事順利的。對於欲捨身爲國家貢獻，但年紀輕輕而步步高昇的經國先生，一定有人嫉妒和不滿。這可以說是生爲蔣中正先生長公子所注定的命運。

作爲國防會議副秘書長之經國先生所留下來的最大工作是，雖然不是中華民國政府之所願，但其結果卻增強了對經國先生個人的信賴。那就是他指揮了軍民從大陳島的撤退作戰。

以韓戰告一個段落爲機會，中共從一九五四年五月中旬，有攻擊大陳島海域的動向。與此同時，中華民國海軍也積極準備反攻。（註三九）迨至九月，金門島對岸砲擊激烈，守備部隊也不斷地予以還擊。（註四〇）數日後，亦即於一九五四年九月五日，經國先生被任命爲國防會議副秘書長。因此這個任命，可以說是爲着因應大陸海面島嶼的戰鬥而行的。

在此種情勢之下，一九五四年十二月三日，中華民國政府與美國政府在華盛頓簽訂了共同防禦條約。數日後，國軍突擊大伯島奏捷。（註四一）但中共於一九五五年一月十八日，對浙江省海門鎮海面台州列島，大陳島外側的一江山島，以陸海空軍開始總攻擊。經過三天三夜的戰鬥，守備軍司令以下七百二十人，壯烈殉國。其中包括了女性的游擊隊員。（註四二）接下來由於中共可能攻擊大陳島，爲着不使民衆被捲入戰禍，遂決定撤退。大陳島是離開復興基地台灣最遠的最前線，其補給和陣地的構築都遠不如金門。惟大陳島是對大陸展開游擊戰的基地，失去它在戰略上是不利的。但可能考慮到相當得依賴美國海軍，將來要防衛這十一個台州列島，犧牲太大，故決定縮小守備範圍，將軍力集中於金門和馬祖，放棄大陳。蔣經國國防會議副秘書長遂以總統代理的身分，前往前線，慰問殉國軍人的遺族，並指揮大陳島的撤退。（註四三）

美國政府於一月二十九日，經過國會的同意，宣布其武裝部隊的使用範圍限於確保台灣和澎湖的安全。（註四四）但對於撤退作戰，美國海軍也參加。一九五五年二月一日，開始從大陳撤退。由於遭遇到中共空軍的攻擊，故撤退工作相當困難。在這以前，經國先生去過好幾次大陳島，對其地理非常熟悉，與民衆的關係極其良好。二月二日，目睹經國先生來訪，島民都很放心。（註四五）但上午要到營房途中，警報一響，立刻受到中共飛機的槍擊。走在前面大約一公尺的中校倒下去了，隨行的周少左瞬間把經國先生按伏在地。他沒想到他這樣做，竟受到經國先生苛責：「你爲什麼按倒我！軍人，怕死？」經國先生從沒有這樣生氣過。周少左覺得非常難過和可恥。回到大陳專員公署以後，在門前的石階，經國先生對他說：「來，我們照個像。」

周少左珍藏了這張照片二十多年。一九七五年經國先生到中興新村視察時，他在省政府把這張照片給經國先生看。經國先生看了良久，似勾起了當年往事的無限回憶，並在那張照片上寫下「毋忘大陳」四個字。（註四六）在大陳島那一天，經國先生曾經前往訪問懸樑自盡的一位老村民家屬；這位老人重病纏身，他的妻兒本來想留在大陳照顧他的。但他說：「我是遲早要死的，爲了我，你們都走不成。這樣不是害了你們嗎？」而以一死來割斷不忍拋別妻兒的念頭。第一批大約一百個老人，於二月六日離開了大陳島。（註四七）

爾後，美國艦隊也前往支援撤退，島民的輸送於一九五五年二月十日完成。那一天，經國先生與全體守備隊員最後一次升上青天白日國旗。十二日中午，海軍高安艦啓程，最後離開大陳。（註四八）

大陳撤退工作告一個段落以後，經國先生繼續積極推動政工幹校的教育，並確定其教育體系爲基礎教育、專科教育和深造教育三大階段。（註四九）但其教育成果，不是沒有問題。尤其是指揮大陳撤退工作時，經國先生遭遇過很嚴重的問題。即從自大陸撤到台灣所經驗的恥辱，和滿腔熱情要反共復國，而在惡劣環境奮鬥中的經國先生來說，有些政工幹校的畢業生還是不行。

因此，從大陳回來沒多久，經國先生便召集了總政治部、救國團和政工幹校的全體教官講話。在一江山的戰鬥，在最後戰壕所發現的是，六個政工幹校的畢業生。他們不怕犧牲，領導游擊隊員壯烈陣亡，是政工人員的光榮。但經國先生卻認爲：「一般政工同志的作風不夠積極，整個的風氣還沒有徹底的改造……目前有幾種現象，實在是政工的危機，……在現實環境激盪中，他們的『角』漸漸的由方變成了圓，一切都在敷衍妥協中混過」。（註五〇）經國先生舉出從艦隊司令到下級軍官的具體例子，大聲疾呼政工的危機。而且，這次的作戰還有美國艦隊的官兵參加，與他們比較，國軍的紀律實在大有問題。（註五一）而不正常的社會心理，很顯然的影響到一部分的政工人員。（註五二）加以一天到晚開會，浪費時間、公文、報表之多，拖累了實際政治工作，這些都是問題。（註五三）

要把他「一切爲國家，一切爲勝利」這種信念，「國家的命運就是我們的命運」，「對於革命的成敗和國家的存亡我們應該負責任」這種想法，使政工人員徹底力行之如何地困難，由以上所述，當可瞭解。所以經國先生的工作，一定非常辛苦。但從結果來看他獲得了國民絕對信賴。

而這與他於一九五六年四月二十八日，就任國軍退除役官兵就業輔導委員會（以下簡稱輔導會，該委員會係於一九五四年十一月一日，以嚴家淦台灣省主席爲主任委員而成立）副主任委員並兼代主任委員的工作大有關係。（註五四）翌年五月二十五日，他正式被任命爲行政院輔導委員會主任委員。（註五五）這個工作並不顯目，蔣中正總統要他：「必須好好地照顧退除役官兵，就像照顧自己家人一樣！」而經國先生本身喜歡這分工作。（註五六）

就任副主任委員以後，經國先生馬上召集輔導會的有關人員，就工作目標、過去工作成果的檢討，和作風有所指示。（註五七）該會的工作原則是適材適所，拔擢人材。但輔導會的同志，起初有九〇％以上的人沒有公務員的任用資格。這是輔導會最大的瓶頸。因而一再地與主管公務員考試工作的考試院洽商，並由其通過「國軍退除役人員轉任公務人員特種考試規則」案。（註五八）如此這般，輔導會的人事逐漸具有彈性，同時也檢討輔導的方法和應該從事什麼事業。（註五九）

經國先生於一九五六年六月二十九日，率領公路局長林則彬、台灣製片廠長龍芳、國防部印製廠長黃密、美國顧問團團員楊帝澤、何志浩將軍、新生報記者黃漢和中央日報記者劉毅夫等人，由松山機場搭空軍運輸機飛往花蓮，換乘卡車到銅門，然後橫斷中央山脈。他們

·經國先生在臺灣省中央山脈開鑿横貫公路時留影。

一行，南向玉山，北望奇萊山和合歡山，走着人從沒走過的地方。經國先生與楊帝澤登上奇萊山後，在盧山與其他人馬匯合，爾後到埔里。這是建設橫貫公路首次的研究遠行。當時經國先生是四十七歲。（註六〇）隔年六月底，經國先生又從台中往東上合歡山頂，七月六日到達天祥，次日抵達太魯閣，以八天時間橫斷了中央山脈。

總之，經國先生一決定要建設橫貫公路，便親自去勘查，並與公路局長在現地商量，非常積極，是位典型的率先示範領導者。像這種事，他大可以用地圖，督勵部下進行。經國先生之所以爲經國先生，其理由在此。又，橫貫公路的構想，乃以使用退役軍人從事土木工作爲前提。他相信以退役軍人可以完成這項工程。而連結東西公路的建設，在經濟、軍事上的價值，更促進此項建設的原因。因此這個建設，可以說是經國先生對輔導會的熱情和責任感的產物。他以身作則說明了輔導會的重要性。

輔導會檢討如何安排抗戰時期和討伐中共時負傷以及年老退除役軍人過其日子的結果，決定爲他們與辦各種事業。大約有十萬退除役軍人無家可歸，無依無靠，有的雖然不是完全老衰，但却生病，甚至於殘廢。對於這些需要各種不同援助的退除役官兵，輔導會便是一個大家庭，要來照顧他們。但這不是救濟窮困者的慈善事業，而是國家應盡的責任。這也能促使現役軍人對國家盡忠。（註六一）

而榮民總醫院的建設，就是此項事業的一環。提供他們工作的場所，給他們升學的機會也是很重要的工作。年輕就退役的軍人，希望升學者不少，而且每年都有，所以退役軍人就業、升學的輔導是刻不容緩的。輔導會的工作必須有計畫而慎重。其事業的成功與否，關係國民政府的前途極其重大。而事實上，輔導會克服許多困難，其工作和事業都非常成功。

輔導會成立迄今已逾大約三十年，在這期間，有七十萬左右榮民在就業、就學、就醫、就養方面受到某種照顧。（註六二）資料顯示：過着安定的老年生活者大約有六萬人，其中平均年齡六十八歲以上者一萬九千五百多人，八十歲以上者一千七百八十餘人，九十歲以上者四十人。升學獲得博士學位者四十三人，碩士二百六十七人，大約有五百人出國留學。又，畢業大學者達三千至四千人。

輔導會的事業，範圍很廣，包括農村、漁業、牧畜、工業、礦業、建設、服務及其合資事業，其中國內的重大建設事業有高速公路、台中港、鐵路的電化、北迴鐵路和翡翠水庫的建設。最近，榮民還經營福壽、清境、武陵等農場，生產許多水果類。又從一九六六年，開始參與海外的建設事業，從事公路、橋樑、建築、浚渫、港灣、供水、公園、工業區、下水道等公共設施的建造，貢獻良多。當然，這些對於台灣的經濟發展，財政金融有很大的幫助。（註六三）第二任主任委員經國先生，八年兩個月對榮民的這些卓越貢獻，不但贏得榮民的讚賞，而且更獲得中華民國全體國民的稱讚。橫貫公路於一九五六年五月開工，以四年的時間完成。在這期間，經國先生曾經到工地二十一次，看看搬運建設資材和物資的「亡命

之徒」，並與他們同宿於終宵。（註六四）

經國先生就任輔導會主任委員以後，繼續不斷地到處跑和看；但現在，我們要來說明撤退大陳島後，與中共在金門的砲戰。因爲這個砲戰使經國先生的大勇更加突出。金門砲戰不特留下許多國軍英勇奮鬥的光輝紀錄，使今日金門成爲難以攻下的要塞，並且給予中華民國國民很大的自信，使其創造全世界人士另眼相看的經濟奇蹟，更成爲其政治民主化的起點。

中共一直揚言要奪取台灣，故乘國軍撤退大陳島之勢，欲以武力攻取金門。是即「金門戰事，不是地方性或局部性的事件，亦不是一項新的或突發的行動」。（註六五）中共一方面說要「血洗台灣」，另方面「中共浙江省的報紙說，整修了經國先生祖母王太夫人墓，並在墓前中共代表表示致意」，中共利用死者，俾引起經國先生的注意。中共的中央機關刊物甚至於造謠：「蔣經國到北京與周恩來會談」。（註六六）

迨至一九五八年六月，馬祖海域也開始緊張，時或發生海戰，六月十六日，中華民國海軍的南巡支隊與北巡支隊與中共海軍交戰，並給予很大的損害。（註六七）八月，國防部以台灣海峽情勢緊張，因而宣布金馬和台灣全省進入緊急備戰狀態。（註六八）八月十日，國防會議副秘書長經國先生奉命，前往金門傳達加强防務的重要指示。（註六九）在馬祖空戰和平潭島的海戰，擊落中共米格機三架，和擊沉中共艦艇三艘。（註七〇）蔣中正總統也於八月十八日前往金馬前線，以勉勵將士。（註七一）八月二十三日，開始了「生死存亡的戰鬥」。

所謂「八二三砲戰」，是中共一天平均打來一萬發砲彈的砲戰，這樣連續打了三天，從八月二十五日以後，以廣播要求「投降」，但金門內部毫無反應，故又開始砲擊，到九月四日，突然停止，爾後又開始砲轟，爲了截斷對金門的補給，砲擊的重點便移到機場、港口和艦艇。但在砲彈爆炸中，中華民國對金門的補給仍然繼續。尤其中共對大二担島的砲擊，遠超過二次大戰時美國對硫黃島的砲擊。中共對大二担，每一平方公里打了九萬發砲彈，硫黃島只是四千發，其情況之激烈，當可想像，但大二担官兵，却每天升起青天白日國旗在火海裏飄揚。（註七二）在激戰中經國先生到達小金門，使守備官兵，歡欣鼓舞。

當金門砲戰最激烈的時候，南部兵團司令劉安祺將軍（退役後爲總統府戰略顧問）被任命爲金門防衛司令部司令。他赴任前一天晚上，在高雄與經國先生告別。他在金門四年任期中，經國先生每星期前往金門一次，但經國先生從不直往司令部，而必先到戰況激烈的地方，慰問醫院裡的傷兵，去看看廚房和士兵的營房，與士兵一起吃飯。劉安祺上將說：「苦行僧一般的生活與熱情，是經國先生一生的寫照」，「經國先生雖然不在我們身邊，但是他的精神，仍然常存在我們心中。」（註七三）我覺得劉安祺將軍説經國先生是「苦行僧」，再恰當不過。對於經國先生一定要到危險的地方去，前國防部長高魁元將軍也這樣說，本章標題係採自高將軍的話：「蔣先生來，猶如百萬雄兵」，由於我没有上戰場的經驗，所以我

·經國先生往最前綫馬祖基地視察，與官兵乘坐渡輪時留影。

不敢妄斷，不過這句話實有神秘的超人性。（註七四）總之，經國先生之充分具有領導者的條件，乃是不爭的事實。

經國先生所努力於處理的問題，包括本章所敍述有關直接的戰鬥，很多是爲一般國民所不大知道的。但因爲他所做的工作，透過某種媒體，而逐漸增加國民對他的尊敬和感激。譬如經國先生首次越過中央山脈下山，由廬山到達埔里時，偶然碰到利用暑假到軍中勞軍的學生們。學生們看到登山服裝模樣的經國先生，興高采烈。這樣一點一滴的接觸，成爲支持經國先生作爲國家領導者的强大力量。雖然很質樸，但稍稍與其接觸，他那種獨特的平民性格，便會變成强而有力的接合劑。

一九六四年三月十二日，行政院會議通過經國先生以政務委員兼任國防部副部長。（註七五）從日後的人事變動來說，這應該是他升任國防部長的準備時期。該年七月一日，他把輔導會主任委員的位子交給趙聚鈺。現在我們再把一九四八年經國先生出任台灣省黨部主委以後職務的變遷，作一個整理，因爲經國先生常常尚未辭去原職務就接新的職務。

一九五〇年國防部總政治部主任→至一九五六年。

一九五二年中國青年反共救國團主任→至一九七三年。

一九五四年行政院國軍退除役官兵就業輔導委員會主任委員→至一九六四年。

一九六四年國防部副部長↓至一九六五年。

一九六五年國防部長↓至一九六九年。

一九六九年行政院副院長↓至一九七二年。

一九七二年行政院長↓至一九七八年。

一九七八年中華民國第六任總統↓一九八四年。

一九八四年中華民國第七任總統↓一九八八年逝世。

一九六四年三月，就任國防部副部長的經國先生，在升任部長以前的十個月，以空軍總部、陸軍總部、聯勤總部、海軍總部、國防部、台灣警備總部的順序，對其首長發表他的意見。（註七六）因爲該年七月，他辭去輔導會的主任委員，所以在每年舉行一次的第八屆輔導會擴大業務會報，於五月間講過話。（註七七）

在國防部方面，他以爲政府播遷來台已經十五年，這是很重要的一個環節。爲著達成任務，各部門準備作長期的鬥爭，因爲不知道要再過幾個十五年才能打倒敵人。中華民國在國際上的環境雖然不好，但她的前途是光明的。反此，中共的情況，無論其裝備、訓練、士氣、運作等等都比中華民國差。今日中共的軍隊，如它自己所招認，不是「紅軍」時代的軍，也不是八路軍和新四軍，更非「解放戰爭」時代的軍隊。在戰鬥力方面，它日趨衰退。

因此敵人並不可怕，可怕的是在長年敵對關係中，我們慣於過著和平安穩的日子。這種風氣，將侵蝕我們的戰鬥意志和革命精神。（註七八）所以，此時最重要的是我們的思想、意志和決心。我們絕不能忘記我們自己過去的錯誤，民主集團內部的矛盾所帶來的姑息氣氛，將籠罩一般人的心理，故我們必須特別留意。（註七九）我們更不能忘記我們還沒洗雪從前所受的恥辱，我們時時刻刻面臨敵人的威脅，因此我們必須培養鞏固台灣，維護我革命政府的力量。所以，我們要上下一致，有如弟兄，共謀解決一切問題，加强內部的協調。（註八〇）

在輔導會方面，經國先生的話，充滿來自他在俄國所得經驗的體貼，由於是他辭職前的講話，所以令聽衆非常感動。他回憶完成橫貫公路建設時，把大理石的橋命名「慈母橋」的事，懷念爲該項工程犧牲的榮民，處處流露他對榮民的關懷。他同時表示了今後輔導會工作人員的期望。他說，最近立法院通過了退除役軍人輔導條例，但我們不能消極地只根據法律來輔導，爲完成我們的責任，我們應該積極地努力於達成自己的任務。（註八一）

註釋

（註一）前述，李雲漢「蔣經國先生傳」，七四頁。

（註二）前述，「蔣總統經國先生言論著述彙編」，第二集，一六頁。民國三十九年六月二十九日，「對情治人員講」。

（註三）前述，「平凡平淡平實的蔣經國先生」，一四五頁。

（註四）馬起華編著「二二八研究」，中華民國公共秩序研究會，民國七十六年十月出版。馬起華教授的「二二八日誌」和「二二八事件論結」，可以說是有關這個事件的精心巨作。「二二八研究」當是台灣現代史不可或缺的資料，但在日本很少人知道此書的存在。

（註五）戴國煇「台灣」－岩波新書，一九八八年十月二十日，一二三頁。

（註六）同右，一二四頁。

（註七）前述，「蔣總統經國先生哀思錄」，第三編，八〇三頁。

（註八）前述，「總統　蔣公大事長編初稿」，卷八，五頁。

（註九）前述，「中國國民黨與中華民國」，二四七頁。

（註一〇）前述，「總統　蔣公大事長編初稿」，卷八，九頁。

（註一一）前述，「蔣總統經國先生哀思錄」，第三編，八〇三頁。

（註一二）同右。

（註一三）前述，「蔣總統經國先生言論著述彙編」，第二集，九〇頁，「自強忍耐・滅共復國」，民國四十年十一月一日，對政工幹校第一期學生講。

（註一四）同右，九一，九三頁。

（註一五）前述，李雲漢「蔣經國先生傳」，七三頁。

（註一六）前述，「蔣總統經國先生言論著述彙編」，第二集，二六五頁。民國四十一年七月十八日，對政工幹校第一期第一學期末訓練閉幕典禮講。又第一期學生於翌年四月二十八日畢業，當時蔣中正先生曾去致祝辭。（前述，「總統　蔣公大事長編初稿」，卷八，二八頁）。

（註一七）前述，「蔣總統經國先生言論著述彙編」，第三集，六九頁，民國四十二年四月二十五日，對政工幹校第一期畢業生講。

（註一八）前述，「蔣總統經國先生言論著述彙編」，第二集，一八一—一八九頁。民國四十一年四月二十一日，對政工幹校第一期學生講「雪恥復國做劃時代的好漢」。關於恥，東海大學馮滬祥教授在「經國之治的精神」一文說，經國先生曾經告訴他，經國先生很重視管子的哲學，尤其提到管子的「衣食足然後知榮辱」。（前述，「蔣總統經國先生哀思錄」，第一編，六四一頁。管子又說：「牧民者，欲民有恥」，即欲養民支配人民者，必須先令人民知恥。（諸橋轍次「中國古典名言事典」，講談社學術文庫，昭和五十四年三月，三九九頁。）

（註一九）同右，一八四頁。

（註二〇）小此木啓吾：「恥の心理」，「日本人の阿闍世コンプレックス」，中央公論社，昭和五十七年四月十日。他說：「依照自己理想，自己所體驗恥的感情，有自己不全感、劣等感、失敗感、無價值感等型態，這是自己與自己理想不一致，欲達到那種境界的欲望挫折時的感情體驗」。「此時的恥，不是『人家怎麼想我』，而是『自己對自己覺得可恥』」。

（註二一）前述，「蔣總統經國先生言論著述彙編」，第四集，二九—四〇頁。民國四十四年六月二十日，對石牌訓練班研究班第四期講「革命的道德與修養」。同右，四一—四八頁。民國四十四年六月二十一日，對政工幹校高初級班第二期學員講「確立中心思想，把握奮鬥目標」。

（註二二）前述，「蔣總統經國先生言論著述彙編」，第四集，二九—四〇頁。

（註二三）陳政農「那個時候，他的名字叫作做尼．葉利札洛夫」，「新新聞」周刊，一九八九年十月十五日，四六—五二頁。他說俄國發表了以尼．葉利札洛夫的名義在「烏拉機器製造廠印刷廠全蘇聯共產黨基層組織」申請要做正式黨員的資料，而這個人就是蔣經國。但根據經國先生自己說，他已被剝奪了候補黨員的資格，所以這個申請書，在十一月十六日還寫候補黨員證的號碼，因此其申請正式入黨問題，需要再作進一步研究。這也許與第二章所說的僞信，同其性質。因此，有關經國先生的研究，實有待經國先生在俄國時代資料更多的發表。

（註二四）前述，「蔣總統經國先生言論著述彙編」，第三集，八〇四頁。
（註二五）同右，八二二頁。
（註二六）前述，「平凡平淡平實的蔣經國先生」，一八九頁。
（註二七）前述，「蔣總統經國先生言論著述彙編」，第二集，三二〇頁。民國四十一年九月十二日，對政工幹校儲幹班第二期結業典禮講「救國只許成功不許失敗」。前述，「平凡平淡平實的蔣經國先生」，一八七頁。
（註二八）同右，「平凡平淡平實的蔣經國先生」，一八八頁。
（註二九）前述，「蔣總統經國先生言論著述彙編」，第二集，三三三頁。
（註三〇）同右，四一七頁。
（註三一）同右，四二〇—四二一頁。
（註三二）同右，第三集，一四三—一四八頁。
（註三三）同右，二二九頁—二三七頁；三二一頁—三三六頁。
（註三四）同右，第四集，四三三—四三五頁。
（註三五）同右，四九三頁。
（註三六）同右，第八集，三八九—三九二頁。
（註三七）前述，「總統　蔣公大事長編初稿」，卷八，二八—三六頁。

（註三八）前述，「蔣總統經國先生言論著述彙編」，第三集，四〇七—四一三頁。
（註三九）前述，「總統　蔣公大事長編初稿」，卷八，三四頁。
（註四〇）同右，三六頁。
（註四一）同右，三七頁。
（註四二）同右，三八頁。
（註四三）前述，「蔣總統經國先生哀思錄」，第三編，八〇六頁。
（註四四）前述，「總統　蔣公大事長編初稿」，卷八，三頁。
（註四五）陳仁和「效法經國先生大智、大仁、大勇的精神」，蔣總統經國先生哀思錄」第一編，七三八—七四一頁。此時，經國先生前來大陳島的微笑、沈著、鎮靜的行動，給島民和守備隊官兵帶來無比的安定感。有人說，這有如十萬勇士的到來」。
（註四六）周少左「與勇者的緣遇」，前述「蔣總統經國先生哀思錄」第一編，七七〇—七七一頁。周少左於二月一日隨經國先生前往大陳島，他是政工幹校幹訓班，經國先生的學生，因爲他的名字很特別，被經國先生問其緣由，因而爲經國先生的部下。他說，經國先生一到大陳島，島民便豎起大拇指競相走告「他又來了！」而高興。大拇指在大陳島代表「蔣主任」。
（註四七）前述，「平凡平淡平實的蔣經國先生」，一七八頁。
（註四八）前述，「蔣總統經國先生哀思錄」，第三編，八〇六頁。
（註四九）同右。
（註五〇）前述，「蔣總統經國先生言論著述彙編」，第四集，一—四頁。
（註五一）同右，六—一一頁。經國先生舉出合法離開戰場的政治部副主任，不知道自己部下名字的艦隊司令部政治部主任，在戰場維持日常生活的政治部主任，在地上拚命拍發電報哀訴大陳危機的艦隊司令等例子。

（註五二）同右，一五—一六頁。經國先生舉出依賴外國人，貪一時安逸的風氣和動搖的心理，只顧自己利益，不管國家利益的心理，並予以指責。

（註五三）同右，一七頁。

（註五四）前述，「總統　蔣公大事長編初稿」，三七頁；及「蔣總統經國先生哀思錄」，第三編，八〇六頁。

（註五五）同右，八〇七頁。

（註五六）前述，「平凡平淡平實的蔣經國先生」，二三九頁。「假設今天在我們前面是一個火坑，只要需要我們跳，我們要毫不猶豫地跳下去。跳火坑是我們的責任，至於跳下去的結果如何，不是我們應該考慮的，這是今天革命幹部所必須堅定的一種心理。」（前述，「蔣總統經國先生言論著述彙編」第四集，一六〇—一六一頁。

（註五七）前述，「蔣總統經國先生言論著述彙編」，第四集，一三九—一四二頁。

（註五八）劉士湊「歷史必然肯定」，「蔣總統經國先生哀思錄」第一編，七七五頁。劉士湊於民國四十四年底被任命政工幹校訓導處副處長，成立輔導會後，也參與建立其人事制度的工作。

（註五九）前述，「蔣總統經國先生哀思錄」，第三編，八〇六頁。一九五六年五月四日，經國先生邀請有關機關首長，舉行橫貫公路興建籌備會議，決定興建工程事宜，六月六日，榮民總醫院興建工程，經國先生與嚴兼主任委員家淦共同主持。

（註六〇）劉毅夫「經國先生冒險犯難」，「蔣總統經國先生哀思錄」，第一編，七五七—七六一頁。根據此文，第一橫斷中央山脈，係由東而西，第二次是由西而東，「蔣總統經國先生哀思錄」第三編，八〇七頁的年表只有第一次橫貫中央山脈的記載，而且說是台中入山，究竟那一說對，我還沒考證。

（註六一）前述，「蔣總統經國先生言論著述彙編」，第四集，一九三頁。

（註六二）湯河元「蔣故總統經國先生與榮民」，「蔣總統經國先生哀思錄」第一編，七七二—七七五頁。

（註六三）同右，七七四頁。

（註六四）前述，「平凡平淡平實的蔣經國先生」，二五一頁。此時經國先生對他們所說的話，非常感人。經國先生在總統任內，每年元旦都要去訪問台北監獄，那時，我不懂其原因，現在懂了。

（註六五）前述，「蔣總統經國先生言論著述彙編」，第四集，五三七頁。

（註六六）前述，「人間蔣經國」，一三九頁。

（註六七）前述，「總統　蔣公大事長編初稿」，卷八，六四—六五頁。

（註六八）同右，六六頁。

（註六九）同右。根據經國先生的日記，當時他所傳達的是：「應提早完成隧道工程；並將所有彈藥移藏於地下，從速加强砲兵陣地，多儲糧食，注意飲水設備等。除金門本島外，必須特別注意大、二担島列嶼之防務。」（前述，「蔣總統經國先生言論著述彙編」，第四集，「金門之行」，七四一頁。

（註七〇）同右。

（註七一）同右，六七頁。八月十八日，從基隆乘軍艦，隨侍蔣中正總統巡視馬祖列島，然後轉乘快艇登各島，視察陣地，十九日晚離開馬祖列島，次晨抵達金門料羅灣，上岸後又到小金門，該夜九時由金門飛返台北。（同右，「金門之行」，七四三—七四六頁。）

（註七二）前述，「蔣總統經國先生言論著述彙編」，第四集，五二九—五三一頁。

（註七三）劉安祺「苦行僧的生活」，「蔣總統經國先生哀思錄」，第一編，八三一—八三三頁。
（註七四）高魁元「無懼艱難，智勇兼備」，同右，八三三—八三四頁。
（註七五）前述，「總統　蔣公大事長編初稿」，卷八，一一〇頁。
（註七六）前述，「蔣總統經國先生言論著述彙編」，第五集，三七九—四四八頁。
（註七七）同右，四七三—四八三頁。
（註七八）同右，三八一—四一二頁。
（註七九）同右，三九四頁。
（註八〇）同右，四七一頁。
（註八一）同右，四七六—四七八頁以及四八三頁。

第十章　蔣經國時代

——置國家於磐石之上——

一九六五年一月十三日，中華民國政府發表行政院的一部分人事調動，國防部長俞大維奉准辭職，由副部長蔣經國升任。俞前部長仍留任政務委員。此外，閻振興和李國鼎分別出任教育部長和經濟部長。海軍總司令馬紀壯升任國防部副部長。新國防部長與新副部長，首次邂逅於一九四九年四月下旬，淞滬地區軍事將領會議的時候。馬紀壯將軍說：「聆聽他分析時局，覺得他認識深刻，憂國之情，溢於言表。」（註一）新上任的三位新部長，基於蔣中正總統重視科學方面的開發研究，共同召集全國科學家會議，由學術界和產業界一起設立「中正科學技術講座基金委員會」，經國先生指派馬紀壯副部長，與經濟部「建立國防與經濟部會報」。（註二）。

經國先生上任後在國防部首次週會講「以歷史情感和理想　開拓國家前途」時，就他在俄國勞動營做工時候的事情說：

「我的左鄰是一位大學生，右鄰是一位教授，在晚間將睡時，左邊的說：『一天又過去了，距離死的日子又近了一天。』右邊的持反對的說法：『一天又過去了，離我出去享受自由的日子又接近一天。』我們也應該這樣說，過去了一年，即接近成功一年，不必只想過去，而應該建立新的觀念，樹立新的風氣，大家一條心，一條命，貢獻國家，為我們共同的反共目標努力邁進。」（註三）

由於過去飽經許多嚴厲的考驗，所以對於如何處世和奉獻，經國先生是很樂觀的。但他的樂觀主義並非諦念，而是一種視一切事物都有其時機，即充滿自然觀的想法。

新國防部長於三月八日，發表國防部的施政方針，如下：

㈠要構成嚴密堅固的台澎和金馬防線；

㈡要準備一股强大的、機動的打擊兵力；

㈢加强有力量、有權威的政治作戰與情報組織；

㈣要鞏固台灣省的兵源的基礎；

㈤要擴充我們自己的兵工建設；

㈥要從事原子能的研究和發展；

㈦擴展對大陸以及在大陸抗暴運動；

㈧改善軍人生活，加强軍人保健，使得我們全軍官兵，都有健壯的體格；

㈨培養革命實踐軍風，提高軍事行政功能。（註四）

與此同時，展開「毋忘在莒」運動。「毋忘在莒」這四個字是於一九五二年一月三十日，刻在金門的太武山，而成爲前線官兵日日訓練、實踐和勤務的指導理念。（註五）因此，這不是普通的口號，也不是一種形式，而是積極的精神運動。對這個運動，敵人即以擴音機、傳單、收音機對國軍展開心理作戰。中共說：「田單復國五年就復國了，你們十五年還沒有什麼動靜！」「田單那時候沒有台灣海峽，今天你們有台灣海峽。」經國先生認爲這些極其幼稚，但對於中共所說以下兩點，雖也只是狂妄的讕言，卻不能不特別留意。他說：「田單當年復國的時候，田單的軍民都是刻苦耐勞，現在台灣是花天酒地」；「田單復國的時候，田單所領導的軍民萬衆一心，現在台灣是四分五裂。」但我們有「臥薪嘗膽」的精神，國民精神絕沒有四分五裂。台灣有花天酒地這個事實，但這是社會的一部分現象，應該改正過來。我們軍人仍然在堅苦奮鬥。（註六）

經國先生在另外一個地方，就「毋忘在莒」運動的內容也有所說明。「毋忘三十八年慘痛失敗的恥辱和教訓；毋忘爲反共救國而犧牲罹難的同志朋友；毋忘共匪狠毒狡猾；毋忘責任、毋忘敵人、毋忘目的。」（註七）蔣經國國防部長爲「再整軍、再建軍」的新軍事行政，平實的提出九項「實踐箴言」：

㈠自己能解決的問題，自己解決。

㈡今天能辦的事，今天辦完。

㈢把公家的事，當作自己的事來認真辦理。

㈣把公家的錢，當作自己的錢來有效使用。

㈤不必要開的會不開，凡是要開的會，會前必須有準備，會後必求有結果。

㈥凡是不切實際的，沒有效果的，不必要的公文，就不要辦。凡是應該辦的，就要辦到底，追到底。

㈦提供上級意見，是每一位幹部最高的權利，接受部下意見，是每一位主管最重要的義務。

㈧別人的缺點，就是我們的缺點，別人的好處，就是我們的好處。

㈨虛心的學，有恆的做。

國防部長經國先生的任務，並不只限於通常所想像直接與國防部有關係的領域，他有時候要正式去訪問友好國家，譬如美國。經國先生訪問過美國五次，而且每次身分都不同。第一次是應美國政府之邀請，自一九五三年九月十一日至十月二十日，當時他是國防部總政治部主任。第二次是從一九六三年九月六日到十九日，當時他是行政院政務委員，是應美國國務院之邀請去訪問的。第三次為他出任國防部長那一年的九月四日，乃應美國國防部長麥納瑪拉之邀請訪問的，並於十月四日回國。第四次是以蔣中正總統的特使，於一九六九年三月三十日，前往美國參加詹森總統的葬禮後立刻回國。第五次也是最後的一次是，以行政院副院長身分，於一九七〇年四月十八日動身，在華府與尼克森總統會談，經由紐約，在舊金山與美國太平洋總司令晤談，應佐藤榮作首相之邀請到日本，五月一日重踏國土。此次訪美，因在紐約遭遇到台獨分子黃文雄之狙擊，而轟動一時。（註八）

在五次的正式訪問美國，經國先生所留下來的小故事和演講當中，令我印象最深刻的是他訪問麥克阿瑟元帥時，有關美、蘇關係與中國問題的部分。經國先生說麥帥對他表示：

「希望你們要好好的準備；忍辱待時，千萬不可輕舉妄動，因為你的反攻，是只許成功不許稍有失敗的；差之毫釐，謬以千里，其影響於未來中國和世界的前途，關係實在太大了！」「今天台灣的存在，不僅是中國反共復國的根據地，而其最大的意義，乃在使世界各國了解中國問題並沒有解決。有台灣存在一天，共匪就不能安枕。」麥帥相信中國必有一天能夠收復大陸，成為亞洲的安定力量。（註九）

民國五十二年九月，經國先生第二次訪美，在華盛頓白宮與甘迺迪總統會談中美共同問題。

在美國國務院的歡宴席上，經國先生說：「我們自己承認在大陸上是失敗了。但是我們被共匪打敗的，只是過去的軍隊，而不是我們追求真理的信心，我們目前喪失的，不過是土地；至爲國家民族生存而奮鬥到底的精神，不但沒有喪失，反而愈挫愈強。」此時，尼克森副總統、參謀首長聯席會議主席、海軍部長、陸軍部長、中央情報局長等三十多人在場，而尼克森則致詞特別強調：「今天在此作客之蔣將軍，實爲此偉大民族之代表！」（註一〇）

在第二次訪美時，曾與甘迺迪總統、魯斯克國務卿、麥納瑪拉國防部長、哈里曼副國務卿，以及美國政府的最高首腦會談。並且應許多美國新聞記者的訪問。「紐約時報」尤其出專刊，讚譽經國先生爲「極其聰慧，具有堅定信念，絕對誠實的民主領導者」。從首次訪美，已經過十年，而這次經國先生也到紐約去拜訪麥克阿瑟元帥。在這期間，他倆曾有通信，此次跟十年前一樣，在同一個地方，坐同一個椅子對談，經國先生對於麥克阿瑟元帥比從前更高超的見識和更長遠的眼光非常感佩。當天會談後，麥帥將他自己的照片送往經國先生所住的旅館，經國先生，則把麥帥的照片，與鄒容烈士、吳稚暉先生的照片掛在他的辦公室。次年四月十日，麥帥出殯時，對於具有「雖千萬人我亦往矣」之道德勇氣的麥帥之歸西山，經國先生遠隔重洋，虔誠祈禱，祈求他在天國中得到安息。（註一一）

就任了國防部長的經國先生，於一九六五年九月十日，第三次訪問美國。此次訪美的目的，是要與美國國防部長就亞洲情勢充分交換意見，雙方同意中華民國政府對越南加強技術援助，但對於中華民國擬派遣軍隊到越南一事，沒有獲得結論。又，美國對中華民國的經濟援助雖然將停止，但軍事援助仍然要繼續。（註一二）

經國先生此次訪美，應美國大衆傳播界的領導者亨利·魯斯（「紐約時報」、「時代」、「生活」、「幸福」等報刊老闆）之邀，出席午餐會所發表演說，最受人們注目。

「我們的政府從大陸遷到台灣已經十六年，在這期間，一面實施憲政，擴大民主政治，以和平方式推行土地改革，他方面增强軍事力量，積極準備反攻大陸，收復失土。……今日在此可奉告美國盟友的是，台澎金馬的基地，經濟繁榮，國民生活日趨富裕，軍隊的戰力亦日益加强。……如果比較我們的三民主義制度與共產制度，當有天淵之別。如果讓大陸六億人民選擇的話，我深信，他們必定選擇我們的自由生活方式，並唾棄大陸的共產制度。……如果今天在大陸的不是中共僞政權，而是中華民國政府，相信不會發生韓戰、越戰、印尼與馬來西亞的戰爭，和印巴戰爭。我認爲絕對不會發生這些事體。……若是，一九四九年中華民國政府爲什麼在大陸失敗呢？……我承認我們確也有過若干缺失。但最主要的原因是，當時國際間人士與國民對中共的本質認識不足，和我們的反共鬥爭經驗不夠。……一般人往往只從表面看中共說什麼，而不去深入探討中共眞正想做的是什麼。……最近還有一部分人認爲，可以與中共以和平談判的方式解決紛爭，但這些人根本就不知道毛澤東說過：『和平談判是下一場戰爭的政治上準備。』……今天我們所面臨的情勢，與一七七五年獨立戰爭時美國所發表『爲什麼要拿起武器？』的宣言所說一節很相類似。『我們目標正大，團結緊密。……必要時我們可以爭取外援。……我們被敵人逼迫著拿起武器。我們將運用這些武器來保衛我們的自由。因爲我們寧願作自由人而捐軀，不願作奴隸而苟存。』……反攻大陸是國內合法政府討伐叛亂集團的作戰，我們不認爲也不希望這個戰爭具有國際性。……我回答說中華民國政府的政策要與美國的政策同其步調。中美兩國國民的政治思想和國民性是共通的，利害是一致的。……毛澤東造勢敵對美國，並不斷地採取打倒美國的行動。（註一三）」

這個演說，在美國引起很大的反應，尤其是美國大衆傳播界都認爲，經國先生是代表現代中國的新領導者，他爲人極其誠實，該主張者就主張，是位充滿强烈責任感的人物。（註一四）

爾後，因前總統艾森豪的去世，經國先生以蔣中正總統代表的身分訪美參加葬禮，又從翌（一九七〇）年四月十六日到二十八日，第五次訪美。這時，經國先生是行政院的副院長。

在第三次與第四次訪美之間，即一九六七年十一月二十七日，經國先生曾經應佐藤榮作首相之邀請，以日本政府公賓（貴賓）身分，率領十位隨員抵達東京羽田機場。在羽田機場，經國先生發表聲明說：「未來中日兩國，同文同種，歷史悠遠，時至今日，我們又同屬自由世界之一分子，對亞洲負有維護人類自由和平的共同責任，自應共同致力於彼此間了解加深，進而做到彼此間合作之愈益加强。」「今天中共的黨權、政權、軍權，都已在『奪權』、『鬥爭』中，陷於組織解體的局面，尤其是大陸七億人心，對中共的憎恨唾棄，已到了忍無可忍的地步。深信在不久將來，我們就必定推翻中共暴政，爲國家開創新運，爲亞洲消弭禍源。」（註一五）

下午，經國先生造訪佐藤首相於首相官邸，親自面交蔣中正總統親筆函，並進行第一次會談。爾後前往外務省，訪問三木武夫外相。晚餐時，桌子上有「和平」（Peace）與「希望」（Hope）兩種香烟。經國先生對三木外相說：「我們大家都希望和平，但是我們也必須瞭解，我們必須爲和平付出代價。」（註一六）二十八日，訪問參衆兩院議長和增田甲子七防衛廳長官；下午，進皇宮晉見日皇，表示敬意，晚上出席了佐藤首相的歡迎餐會。日皇曾對經國先生說，他永遠不會忘記蔣中正總統對日本所採取以德報怨的寬大政策。（註一七）

石井光次郎衆議院議長對於經國先生的訪問致辭表示，希望以孫中山先生的「大亞洲主義」爲基礎，保持中日兩國之間的永久友誼，維護亞洲的和平，並願以「不念舊惡，以德報

·民國五十六年十一月，經國先生訪日，與佐藤榮作首相舉行會談。

怨」政策，作爲中日兩國人民友好合作的基礎。對此，經國先生以「和即利，分即害」這兩句話，期望增進兩國的關係。（註一八）訪問增田防衛廳長官時，大概談到戰後東北的事情，經國先生說，對於日本婦女的回國問題，蔣中正總統曾經指示他要把她們當作自己姊妹一樣，特別關照。（註一九）既然是國防部長與防衛廳長官的對談，似乎應該談到軍事情勢等等，但記錄上只有日僑回國的事。關於這件事，我在本書第四章末段，介紹過經國先生日記中有關長春日僑可憐境遇的部分，但經國先生的首次訪日，還有一個插曲。「二、三年前，我訪問日本時，說了一些那種話，回來報告父親後，被父親大訓了一頓。父親說，東方的道德是，爲人家做了好事也不必講，更不能常掛在嘴裡。」這裡的所謂「那種話」，可能是指簽訂中日和平條約時，放棄了賠償的要求等等「以德報怨」般的話，而這也許包括蔣中正總統對於日僑從東北回日本的指示。（註二〇）

經國先生再度與佐藤首相暢敘之後，招待新聞記者，出席自民黨亞洲問題研究會、亞洲各國議員聯盟和日本全國外交問題研究會主辦的酒會，與留日華僑座談，然後前往關西、與大阪、京都的華僑座談後，由大阪搭機回國。在日本的歡迎非常盛大，尤其是外國人記者俱樂部的歡迎酒會，特別請來了棒球界的王貞治、圍棋界的林海峯、和女歌星翁倩玉。經國先生說：「他們長駐日本，長期而有效的做促進兩國友好關係的工作，他們的工作還在我此次訪問之上。我今天藉這個機會介紹他們與大家見面。」此時一位美國記者說：「一次高度政

治性的記者會，却是如此多采多姿的富有戲劇性的結束。」而由此，我們更可以知道經國先生平易近人的一斑。（註二一）

訪問日本之後，於一九六九年二月二十四日往訪大韓民國，與朴正熙大總統和丁一權總理會談，互約要團結反共。訪問結束回國的前一天，正值韓國人最重要的「三一獨立紀念日」五十周年，故經國先生特別發表談話：「中韓兩國的革命歷史同樣艱苦，革命的使命也同樣重大，革命的前途更將同樣獲得勝利和成功。在此地我要對貴國光榮的『三一運動』表示崇高的敬意」，而起飛漢城。這是經國先生第二次訪問大韓民國，第一次訪問是一九六六年四月二十四日。第二次訪韓時氣候最冷，但在南部陸軍部隊閱兵時，經國先生却没有穿大衣，因而贏得韓國官兵的讚美。（註二二）

此外，經國先生還正式訪問過泰國和越南。泰國是自一九六九年五月十四日至十七日；越南爲從一九七〇年五月十一日到十四日。泰國之行是以蔣中正總統特使的身分，五月十四日，在經國先生他儂首相的歡迎餐會强調：「亞洲各國的禍源是連在一起的，由於毛共的狂亂給鄰邦帶來無窮的災禍，所以亞太地區的任何國家，爲達到現代化建設的目標，必須先根除現代文明的仇敵——毛共。」（註二三）

一九六九年四月四日，中國國民黨第十次全國代表大會全體一致通過各種提案和蔣中正先生連任總裁，以及蔣總裁所提出一百五十三位中央評議委員，並由蔣經國、嚴家淦、谷正綱等九十九位當選爲中央委員，大會圓滿結束。繼而在十居第一次中央委員全體會議，決定二十一位常務委員，經經國先生也是其中之一位。中央委員會秘書長由張寶樹出任。（註二四）隨後經國先生便前往泰國訪問。六月二十五日，行政院發表一份人事命令，副總統嚴家淦兼任行政院長，國防部長經國先生升任行政院副院長。台灣省政府主席黃杰轉任國防部長，陸軍總司令陳大慶被任命爲台灣省政府主席。這次人事調動的特徵是，理科出身者和留學外國者佔了重要位子。譬如中央委員會秘書長張寶樹是東京帝國大學農學部的出身，從經濟部長轉任財政部長的李國鼎是國立中央大學物理系的畢業生，是位留學英國劍橋大學的原子核物理和低溫物理的專家，鍾皎光教育部長畢業於國立交通大學，是美國麻省理工學院的博士，陶聲洋經濟部長畢業上海聖約翰大學之後，留學德國，專攻機械。（註二五）

七月三十一日，行政院設立財政經濟金融會報，由蔣經國副院長主持，八月四日，經國先生兼任行政院經濟合作發展委員會主任委員。八月六日，財政經濟金融會報召開第一次會議，研討副院長報告之後，認爲「副院長在會報所作有關今後財政、經濟、金融合作應注意事項指示」，對於今後的經濟發展關係重大，應即時特別留意，並決定「以副院長在會報所作對今後財政、經濟、金融措施的指示爲基本原則，各有關機關應該著實遵守和處理」（註二六）老實說，蔣經國副院長的指示成爲財政、經濟、金融措施的基本原則，顯示「蔣經國時代」的到來。此時，台灣的經濟「正是空前繁榮」，院長既然是副總統兼任，副院長主持財政經濟金融會報，經國先生就是國家經濟部門實際上的最高負責人。這正是他發揮其才華的時候。政府遷台之前，他在上海從事過管制經濟的工作，這個經驗對他一定有不少幫助。一九四八年，擔任過上海經濟管制委員的他說：「他因此讀了一部經濟學，得了許多寶貴的教訓。」

行政院當局又說：「蔣副院長主持第一次財政經濟金融會報，聽取了有關機關報告之後，即時指示，從今天的報告我們知道我們的財政、經濟、金融方面已有基礎，尤其是經濟建設繼續、加速的發展中。目前，我們的共同目標是，根據國家建設要綱與第五次經濟建設四年計畫的規定，照預定完成它」。同時，蔣副院長對於「今後財政、金融與經濟應注意問題」作了如下的指示。

㈠增加稅收問題：目前，應把重點擺在整頓現行稅制，不增加稅目及稅率，不能加重納稅者的負擔，防止漏稅和逃稅，以期公平。

㈡安定通貨問題：安定通貨、抑制發行額是經濟建設的基本條件，要注意經常調整，一方面抑制通貨，另方面協助經濟發展，以達到安定中求進步的目的。

㈢確立現代銀行制度的問題：在金融方面，必須確立現代的銀行制度，並有效適切地運用資金以協助經濟建設。

㈣擴大貿易問題：關於擴大對外貿易，必須特別注意市場、信用和品質三方面。

㈤經濟建設與發展國防的配合：正在繼續實施中的經濟建設計畫，今後必須更要與軍事發展密切的配合。

㈥修改法規問題：廢止不合乎時代要求，而且將萎縮經濟的各種法令，並應該迅速制訂新的必要法令。

㈦糧食政策問題：適應當前的經濟發展，對於現行糧食政策作綜合性的檢討，並應該作迅速而合理的修改。

㈧統計數字問題：統計數字要正確，並要努力於檢討和改善，俾能合乎情況。

以上問題與經濟發展，關係甚大，希望特別留意。今後要提倡集體的創造，個人與個人，機關與機關，政府與民間要更誠實的合作，政府要多吸收專家、學者的經驗，加深對民間需求的瞭解，在各方面優先給人民方便，民間要理解政府的政策，創造新風氣，以促進農業、工業及基本建設三方面的平均發展，在經濟結構日趨複雜的今日，要避免資金、人力、原料在運用上的浪費、重複、逸出常軌和互相牽制，並努力於加速增强國力，改善國民生活。（註二七）

在這種基本方針之下，行政院遂於該年八月二十一日的院會，接受國際經濟合作發展委員會（經合會）的建議，決定擬於一九七三年完成梧棲港，並於一九七八年左右建設淡水港。前者的費用大約爲四十三億元，後者大約爲五十一億元。與此同時，當天的院會也決定：將先建設經合會所提案基隆、高雄間南北縱貫高速公路中北部區間二重與中壢（經由林口特定區）的路段。（註二八）

經國先生一方面負責國家經濟，另方面也要負台灣之安全的責任。一九六九年九月十五日，蔣中正總統主持第十四次國家軍事會議，經國先生也每天參加。此項會議的詳細內容雖然不得而知，但卻仔細討論了「建軍備戰的檢討與推進」。（註二九）

可是只經過三個月，行政院又有一部分的人事調動。即孫運璿交通部長調任經濟部長，經濟部次長張繼正升任交通部長。留學德國的技術專家，前途似錦，在行政院最年輕的經濟部長陶聲洋，發現患癌症，立刻到美國開刀，惟因其他併發症，不幸於九月二十八日去世。（註三〇）新經濟部長孫運璿是俄國人所創辦哈爾濱工業大學的畢業生，參加過抗日戰爭，後來赴美在田納西流域管理局（ＴＶＡ）擔任開發電源的工程師，後來回到重慶，對於台灣電源的開發，很有貢獻。他得到蔣中正總統和經國先生的知遇，一九七八年出任行政院長，惟於一九八四年，因爲腦溢血開刀。辭職後被聘爲總統府資政，並榮獲文官最高的一等卿雲勳章。

一九七〇年二月十一日，經國先生所主持的行政院財政經濟金融會報通過穩定物價基本政策；二十六日，決定興建台灣南北高速公路，二重、楊梅段先行施工；三月十一日，決定降低肥料現金配銷價格及換穀比率，以減輕農民成本，增加農業生產，提高農民所得。（註三一）經國先生繼而應美國國務卿魯斯克之邀請，第五次訪問美國。但這次的訪美與前幾次有很大的不同，因爲美國國內情勢的變化，可能導致美國外交政策的變化。是即一九六九年成立的尼克森政府，爲著減輕美國在國際上的負擔，七月發表「關島主義」，次年二月又以尼克森主義，聲稱美國雖然願意遵守對於亞洲各國的條約上義務，但却將縮小干與和介入其他國家的問題。事實上，返國述職的周書楷駐美大使於四月八日的記者招待會表明了如下的見解：

「美國現在面臨有關經濟、青年各種社會問題，因此有不少人主張集中人力、財力先解決美國本身的問題，同時減少對外諾言和義務。……在國際局勢千變萬化中，友邦對我國的支援和理解，時有有利的影響，時有不利的作用是自然的，我們應該長遠地看，必須知道收復大陸之前，這種起伏會更多。」（註三二）

經國先生於一九七〇年四月十八日離開台北，從舊金山乘美國政府專機抵達華盛頓，與尼克森總統等美國首腦會談之後，五月一日，經由東京回國，在機場的記者招待會，對於美國的保障說：㈠美國將遵守一切條約上義務；㈡繼續支持中華民國在聯合國的席位；㈢處理國際事務時一定尊重中華民國的基本權利。（註三三）在立法院作了秘密報告之後，黃國書立法院長對於經國先生此次訪美和日本政府首腦會談說：「對全世界的反共大計有極大貢獻和成果。」（註三四）但尼克森就任總統以後，美國政府已經開始研究改變中國政策，該年十月，羅馬尼亞總統焦色斯克訪問美國時，美國政府特地以「中華人民共和國」稱呼中共。（註三五）一九七一年的美國行動，即「尼克森衝擊」，給予東亞各國很大的動搖。一九七一年七月所發表，越過日本「頭上」之美國與中共的「和解」，爲戰後從未表面化過的美日關係提出互信的新問題。（註三六）

但一九七一年六月十六日，蔣中正總統發表「我們國家的立場與國民的精神」，昭示國人要莊敬自強，處變不驚。（註三七）繼而經國先生就尼克森總統的想法做了如下的分析。第一，現在美國國內一時瀰漫「姑息主義」和「現實主義」，社會不安以各種形態出現，爲要再度當選總統，必須出於孤注一擲。第二，需要趕快結束越南戰爭。越戰已達十年，用了一千億美元以上戰費，陣亡五萬六千人，因戰略和政略的錯誤所得到的只是很大的犧牲，故無論如何得趕緊結束越戰。二次大戰以後，美國在韓戰和越戰所犧牲十萬青年的生命算什麼呢？是一種浪費嗎？第三，美國希望擴大中共與蘇聯的矛盾，並勾結中共以抵制蘇聯。中共與蘇聯的最後目標是美國，尼克森以爲他訪問中國大陸，中共的基本目標就會改變嗎？（註三八）

一九七一年十月二十五日，中華民國以她參與創設的聯合國「自毀憲章」而退出該項組織。但中華民國政府聲明：她將在國際社會，跟以往一樣，遵從聯合國憲章的主旨和原則，繼續維護國際間的公理、正義以及世界的和平與安全。（註三九）這樣大的國際環境的變化，令各方面懇求經國先生的領導，因此，自一九七二年二月二十日召開的第一屆國民大會第五次會議，有一千一百八十三位國大代表聯名籲請蔣中正總統任命經國先生為行政院長。理由是：

「蔣經國先生志行高潔，器識宏通，氣魄雄渾，襟懷謙沖，在以往數十年獻身黨國之奮鬥中，凡所作為，皆有極卓越之成就。因此博得國際稱譽，國人信愛，匪敵更為之忌憚，實乃當前主持政院之唯一最佳人選。在昔　鈞座謙抑為懷，未盡發揮其才猷，誠為國家之損失，今當面臨空前之變局，宜有大開大闔之作風，似不必有所瞻顧。」（註四〇）

同年三月六日，中國國民黨召開第十屆三中全會，經國先生等二十一人當選為中央常務委員，五月一日，行政院長嚴家淦懇切陳明辭意，並鄭重推荐經國先生為行政院長。五月十七日，中央常務委員會就此作了四點決議。其中特別表示：「當此大敵未靖之際，信如嚴家淦同志之所推舉，蔣經國同志確屬今日主持國家行政院最理想之人選，中央常委謹一致籲請總裁不以內舉徵嫌，慶國興復之至計，允即徵召蔣經國同志爲行政院長。」（註四一）五月二十六日，立法院行使同意權，出席委員四百零八名當中，經國先生獲得三百八十一票，爲歷屆行政院院長得票率最高者。（註四二）六月一日，經國先生就任行政院長。這是名副其實地「蔣經國時代」的開始。

「蔣經國時代」的一個特徵是，權力上層的人事結構「年輕化」、「本土化」和「專業化」。具體言之，徐慶鐘行政院副院長、林金生內政部長、高玉樹交通部長、謝東閔台灣省政府主席、張豐緒台北市長是台灣省的出身，此種傾向，以後更是明顯。所謂「本土化」是，要多起用台灣省籍的優秀人材於中央政府的意思。「專業化」是，指學有專長的專家從政而言。亦即這些上層的政治家，其權力要與其見識相稱，故有領導國民的「技術政治化」、「經濟政治化」等現象。

經國先生就任行政院長時，提出了以下幾種看法：

(一)「第一想到這正是可視之爲自己向黨國、向同胞贖罪的機會；

(二)「第二想到領袖曾經說過：『我們革命者一向是孤軍奮鬥的，是孤立於艱難險阻之中，孤立於道義正氣之上的。而且我們是常在爲人所侮辱打擊分化不堪之後，一次又一次扭轉劣勢，而終底於成的。』所以經國做行政院院長，自己也認爲是體認　領袖的啓示，和本黨同志共患難、同榮辱，來扭轉今天的劣勢，開創新局，共同奮鬥的一個機會；

㈢「第三想到我們台澎金馬的一千五百萬同胞，都是善良的、勤勞的、守法的、忠厚的、愛國的同胞，我更要以到行政院工作，作為替擴大民衆服務的機會；

㈣「第四想到今天是經國自己和行政院同仁為了要實現我們所信仰的三民主義，把主義的理想變成事實的一個努力機會。」

成立蔣經國內閣時，有的新聞記者把它叫做「財經內閣」，有的稱它為「戰鬥內閣」，更有人把它命名為「自强內閣」，但經國先生本身却希望它是「為國效命，為民服務的內閣」。（註四四）

但對於蔣經國政府第一個和最大的問題是，戰後日本對中華民國一直採取的外交政策，因為中共進入聯合國和美國的改變態度，經濟動物般的日本，有放棄中日邦交的跡象。換句話說，日本對於「以德報怨」的國家，準備以「以怨報德」相對。所以經國先生說，日本將要犯第四個錯誤。對於「飲鴆止渴」的愚行勸告無效，中日關係終於中斷。當然，一切責任應由日本負責。（註四五）

經國先生的新內閣，在國內政策上，迅速而踏實地展開了重要措施，實在令人另眼相看。因為篇幅關係無法一一詳細說明其內容，故只按照時間順序簡介如下。

一九七二年六月八日，行政院提出「十項行政革新」，明示全國各級行政人員應有的態度（行動準則）。這個「行動準則」，似乎與經國先生在贛南對於當地公務人員所要求者有關聯，因此它可以說是應用過去經驗的行政革新。以後，違反這個「行動準則」者，皆受到嚴重處分，其人數達九百二十六人，地位最高者爲前台北縣縣長。（註四六）八月一日，經國先生向各級行政人員致公開信，要他們以不驚民、不擾民、不害民爲原則。（註四七）九月二十七日，在農業建設問題座談會席上，爲加强農業經濟建設，經國先生提出了九項措施。（註四八）九月二十九日，蔣行政院長在立法院的施政報告中，明確表示四個「不變原則」。㈠中華民國憲法所規定的國體絕不改變；㈡中華民國反共復國的總目標絕不改變；㈢中華民國永遠站在民主陣營一邊，伸張正義與公理，維護世界和平的意志絕不改變；㈣中華民國對共產叛亂集團絕對不妥協的堅固立場絕不改變。（註四九）十二月六日，在台灣省健全發展都市座談會，提出有關今後都市建設的九項重要措施。

一九七三年一月四日，在行政院會議提出工作重點，勉全國行政人員以任勞、任怨、任謗，與盡心、盡力、盡責之精神，苦幹實幹，往下紮根，置國家於磐石之上。（註五〇）本章副題，就是採自最後一句話。三月六日，在立法院提出八點有關政治與社會革新事項，並宣布政府對平抑物價之九項措施。（註五一）八項革新包括「要守法，不行賄；政府是爲民服務的，民衆有什麼困難，可以堂堂正正的要求政府解決，千萬不要犯法行賄」，在這點犯法者不少，而爲其最大者就是前人事行政局局長王正誼因貪污受賄，被判有期徒刑。（註五

二）

此時，經國先生辭去救國團主任職務，由現任行政院長李煥繼任。李院長和經國先生的關係，始於他由國立復旦大學畢業，於一九四四年四月進中央幹部學校研究部第一期時，經國先生是教育長，四五年抗戰勝利後，李煥以瀋陽和大連的三民主義青年團書記隨軍前往東北，但經國先生要他回南京，告訴他學生運動的重要性，因而在救國團待了二十六年。爾後轉到黨部，努力於黨務，經由教育部長、中央黨部秘書長，而至於今日。他是經國先生逝世後，中華民國最重要的人士之一。爲什麼我要寫這些呢？因爲經國先生逝世時，許多名人以很悲痛的心情寫了與經國先生交往和軼事，讀它可以知道經國先生的種種。其中有人說經國先生是「伯樂」。這是我也見過幾次面的蔣復璁先生。蔣復璁先生曾在中央圖書館工作三十多年，曾任故宮博物院院長十八年，退休後出任總統府國策顧問。許多人，可能因爲與蔣中正先生和經國先生的邂逅，被發覺其才華而獲得提拔和重用，並順利地完成他的任務。其中，有的人，今後還要繼續負國家的重要責任。而李煥行政院長，在這種意義上，是遇到了經國先生這個「伯樂」。（註五三）

現在，我們來談談當時中華民國所面臨的經濟危機。第一次石油危機來臨時，由於台灣經濟與世界經濟關係密切，所以直接受到了影響。如前面所說，中華民國退出聯合國之後，在國際政治上有些孤立，但在經濟方面，第一次石油危機之前的成長是相當順利的，而且隨經濟的國際化，長期和安定發展的中華民國的存在是不容忽視的。因此，安定發展型的台灣經濟，因爲石油危機，而逐漸變成具有通貨膨脹的「停滯膨脹型」經濟。但在一九七三年十一月十二日，中國國民黨第十屆四中全會第一次大會的行政工作報告，發表了五年之內將完成九項國家重要建設。這九項建設是：南北高速公路、台中港、北迴鐵路、蘇澳港、石化工業、大製鋼廠、大造船廠、鐵路電氣化和桃園國際機場建設。（註五四）後來加上原子能發電廠的建設，而稱爲十大建設。

但發表了十大建設計畫之後的台灣經濟，却發生了令人憂慮的現象。那就是一九七三年的經濟成長率雖達到一二．八％，但七四年却降到一．一二％。爲著克服這種危機，政府遂把經濟政策目標改變爲「安定中求進步」的方式。即一九七四年一月二十六日的行政院會議，決定「關於安定目前經濟措施方案」，並同日開始實施。（註五五）這個措施包括經濟、財政金融和建設三個部門。經濟部門把重點放在物價的安定，調整有關物資的需求和供給，抑制消費；財政金融部門則控制通貨膨脹，積極把財政資金用於支援於經濟發展，公告地價，以爲市價參考，同時提高酒類的價格。建設方面，已經開始的九項重要建設，將發行國家建設公債以完成。但要抑制土地的投機和農地的隨便轉用。這些方案實施四個月之後，行政院將於六月六日進行檢討。由於官民共同努力的結果，克服了一切困難，對於基本重要建設，毫無影響。（註五六）

由於國際上物價大幅上漲，對於要在台灣全面實施大型的十大建設，國內外都有人認爲太冒險。但在議論紛紛情況中，經國先生堅決表明他的態度說：「十項重要建設的完成，將使我國由開發中國家成爲開發國家。我們深知，十項建設計畫同時執行，就現階段言，對於政府和人民都是相當沉重的負担，但是，爲了突破經濟發展的瓶頸，改換經濟結構的型態，使國力加强，我們就必須勇敢的肩起此項無可規避的責任；這不是我們固執，而是我們深切了解，如果不明確的把建設目標訂出來，因循下去，可能十年二十年還不能有明確的方向道路；今天不做，明天必將懊悔！現在，工作的目標既已公諸國人，我們必須匯合政府和民間的力量，一步一步的朝著既定目標前進。」（註五六）

這真不愧爲領導者的談話。（註五七）當時，如果因爲石油危機而停止這些計畫的話，不可能有今日中華民國的經濟奇蹟，更不會有與先進國家並肩爲世界經濟之一個主角的中華民國的存在。經國先生「遠見之明」與「超越目前障碍的幹勁」，給跟他的人們以無比的自信，經國先生確是上乘的領導人。

一九七四年六月十日，經國先生在台灣省政府擴大首長會談中發表當前國家建設四大目標：㈠政治修明；㈡國防堅强；㈢經濟繁榮；㈣治安良好。該年九月十七日，蔣行政院長在立法院作施政報告時，就十大建設問題重新表明：

「推動重要建設，現在各方面最關心的問題是，有沒有照計畫完成它的人力、財力和物力。的確在這個時期要同時進行各種十大計畫，對政府和人民是很大的負担，但到富強之路沒有近道。要積極發展我國經濟，使其棲身現代開發國家，必須忍耐艱難，以血汗作代價，決然肩負起無法廻避逡巡的大任。對於一切有關問題，政府想過最好的道路，在正常保持國家經濟和國民生活的條件下，我們要有在期限內完成一切十大建設的決心和信心。

一九七四年十二月二十五日，蔣行政院長在該年度的國民大會報告行政工作，提出「新精神、新生命、新力量」三句話。（註五八）

一九七五年二月二十一日，蔣行政院長作了施政報告，提到十大建設的建設情形。他説，高雄一百萬公噸的船塢，九月間將開始建造超大型油輪，祇有桃園國際機場的進度慢些，原子能發電廠在一年之內將開始發電。他並説：「政府之計畫這個十大建設，乃著眼於很遠的將來，建設是智慧、資金和勞力的結晶，它的效益乃屬於全國國民所共有」。（註五九）

這些目標，在經國先生來説絕不只是一種口號，他以身作則前往當地，在建設現場提出具體的問題。他一再地到十大建設的現場，並與工人一起搬過石頭，令他們非常感動。他那

・民國六十四年，經國先生巡視臺中港親自加入傳遞石頭的行列。

橫斷中央山脈的氣力和精神，到了六十歲的中半，還是一點也沒衰退。

但這個報告以後沒多久，中華民國發生了極大的不幸。即一九七五年四月五日，蔣中正總統因心臟病而與世長辭。這有如斷了中華民國的大樑柱。關於此事，我將在最後一章敍述。

四月二十八日，中國國民黨中央委員會召開臨時全體委員會議，推舉經國先生爲主席，和中央常務委員會的主席。理由是：

「蔣經國同志具備高邁之革命志節和卓越之領導能力，就任行政院長以來，沉着因應國際危機，大規模推進國家建設，斷然的反共決心爲常務委員會所全力支持，其親民愛民之風格，更爲民衆所擁戴。

當前國際情勢變動激烈，反共陣營動搖，本黨爲遵奉總裁遺囑，掌握革命機勢，及早鞏固領導，赤誠團結，始能發揮革命民主政黨之最大功能。」（註六〇）

它很平實地肯定了經國先生的成績。但經國先生却在當天的日記這樣寫着：「晚餐後寶樹兄前來探視，並告以今日中央委員會臨時全體會議推我爲本黨中央委員會主席並爲中央常務委會主席，聞之至感惶恐不安。自覺才淺德薄，何敢任此重責，徘徊於靈堂，一夜未

眠」。（註六一）

台灣驚人的經濟發展，固然是經國先生的決斷和政府與人民共同努力的結果，但在這裡，我們必須說明中華民國反共政策的成果。因為從國際上來看，台灣非常的經濟發展，以及日後的政治民主化問題，在日本也有所報導。所以在一般日本人的心目中，以政治、經濟發展為背景的台灣，在東南亞過着和平的日子。但事實上，領導者經國先生實具有反攻大陸的重要使命，我們絕不能輕視經國先生作為反共運動之領導者的角色。因此，不僅有前述的「毋忘在莒」運動，我們還要敘述為收復大陸所做的各種努力。經國先生堅決反共的態度，從沒有改變過。所以我想就這部分作說明以結束行政院長時代。

一九七六年九月十一日，蔣主席發表了「告大陸同胞書」，因與四月四日「清明節」在北平天安門前廣場所發生民衆的暴亂事件有關係，故一併敘述。根據外電報導的前一天，中華民國政府所得到的情報，民衆的抗暴行動也發生於上海、杭州和無錫，這說明民衆不滿的爆發遍於大陸各地。文革以後十年所發生的天安門事件，是「豎起紅旗反對紅旗」之典型的民衆對中共政權的全面抗爭，而不是單純的中共的派系鬥爭。蔣主席的「告大陸同胞書」，由國軍印成傳單空飄大陸，它說：「毛澤東死了。你們已經不必再懼怕毛澤東所創威脅的裝置，抱着『毛澤東體制』和『毛澤東思想』，害怕一小撮的實權派，和對它存幻想。……中國國民堅定的信念是反共復國必成，自由民主必勝。……」（註六二）

一九七七年一月二十三日的「自由日」，蔣主席也對大陸同胞發表文告，以勉勵大陸同胞。（註六三）同年三月十四日，蔣院長在立法院慣例的施政報告詳細說明中華民國政府所派地下工作人員的努力開花結果，最近在大陸擴大了變亂情勢。其活動範圍，自邊境在內地，從南到北由大衆社會滲透到中共組織內部。（註六四）

蔣院長在中國國民黨與政府的幹部會議席上又說：「我們正在爲中華民國的興亡，中華民族的絕續，獻身反共戰爭。我們不是沒有與大陸接觸。但我們所接觸的是呻吟於中共暴政下的七、八億同胞」。（註六五）

我想我就引用到這裡，總之，蔣院長正式發表的言論，絕大部分是有關大陸的動向，對大陸同胞的文告，以及收復大陸的決心，這是我們應該特別留意的一點。

蔣中正總統逝世以後，依照憲法規定，由嚴家淦副總統繼任總統，其任期到一九七八年五月爲止。因此於元月九日，由總統公布第一屆第六次國民大會召集令，二月十九日大會揭幕，三月二十一日選舉總統，二十二日選舉副總統。但在一九七八年一月七日召開的臨時會議，曾經決議要推薦蔣經國行政院長爲中華民國第六任總統候選人。而在這以前，嚴總統曾經致函張寶樹中央委員會秘書長說：「環顧革命情勢，最後的成功愈接近，困難愈多，衝擊愈大，因而深感除非有堅忍、毅然、睿智的領導，不能克服難關，達成反共復國的一大任務。故黨主席蔣經國同志最適於第六任總統本黨候選人」。所以，蔣院長之就任總統已經成

爲不爭的事實。（註六六）

蔣經國第六任總統在就任談話中說，他將全力「實踐三民主義，光復大陸國土，復興民族文化，堅守民主陣容」。這些都是經國先生天天實踐的事情，沒有新的因素，只是更突出了「蔣經國時代」而已。惟對於備受世界注目的新總統的上任，從各方面提出許多問題，結果他對某些事表示得更明確，而這些對於瞭解蔣經國總統很有幫助，故我想把這些事介紹一下。

我認爲，經國先生的想法和見解，從行政院長時代到出任總統，完全沒有改變。問題在於質問者的情況變了，因而使他的想法顯得更明確。換句話說，他的基本原則（立場）一點也沒有改變。一九七二年九月二十九日他在立法院施政報告的一段充分說明了這一點。

「由於當前世局的多變，因之一般國人都有『求變』的心理，希望政府以變應變，甚至許多國際友人也盼望我們有所轉變。不錯，政府在各種施政上，針對主客觀環境的變動，已經隨時斟酌輕重緩急，採取各項因應的行動。但是，我們縱然通權達變，而在『通權』之中，決不離開『守經』的原則。也就是在『達變』之中，仍有『不變』的基本原則。這不變的原則，也就是要牢牢把握我們反共復國的基本國策。今天經國要向　貴院、同時也向全體海內外同胞，以及國際間的所有人士嚴肅的表明，我們堅守的不變原則是：

—中華民國憲法所制定的國體決不改變！

—中華民國反共復國的總目標決不改變！

—中華民國永遠站在民主陣營的一邊，爲伸張正義公理，維護世界和平的職志決不改變！

—中華民國對於共匪叛亂集團絕不妥協的堅定立場決不改變！（註六七）

這個基本原則，與此次就任總統時所表明的態度，在原則部分完全一樣。可是，美國卡特總統於一九七八年三月八日給華國鋒的書信答應：根據「上海公報」，美國願意與中共完成「關係正常化」。關於這一點，蔣經國總統很明確地說：「中華民國不承認尼克森與周恩來所簽訂的所謂上海公報爲有效的法律文件」。（註六八）對於美國願意與中共「建交」，蔣經國總統表示：「這簡直是自毀萬里長城的行爲。美國的友邦，特別是亞洲的自由國家對於美國的信賴感，因而受到很大的打擊。……美國與中共的關係正常化，對中華民國的影響，在客觀情勢上成爲很多的壓力。但這種壓力，並沒沮喪和萎縮我們的士氣。（註六九）

又有人問：「有人建議，美國和中華民國的關係，採取日本模式，中止外交關係，但要廣汎地維持貿易關係。對此總統覺得怎樣？」蔣總統答說：「我們不能接受此種想法。美國與我國的關係，和日本與我國的關係完全不同。中華民國與美國長年保持正式而友好的關

・經國先生蒞臨臺灣區運動會場向民眾揮手致意。

係，兩國曾經並肩作戰，以打破日本的侵略。同時，兩國之間還有美國參議院通過的共同防禦條約的存在，是項條約具有法律上的地位」。（註七〇）這個回答，確以歷史事實爲前提，中華民國對美國和對日本的關係之不同，極其明顯。但我覺得日本人往往忘記這個事實。時至今日，在中國人心裡，對美國人遠比日本人有親密感，而且這種感覺，以後也決不會消失。對中華民國來說，日本到底曾經是加害者，如與中共的關係說，是個出賣者。更有人問：「總統對於保障台灣安全的美國的『防禦誓約』有什麼看法？您相信美國政府和國會嗎？防禦誓約會不會名存實亡？」蔣總統答說：「美國宣布本年底將結束與我國所訂的共同防禦條約，但美國國會最近所通過，卡特總統簽署的『台灣關係法』，美國對台灣的安全表示重大的關切。中美關係的長期利害是一致的，『合則兩利，分則兩害』。美國政府如果注意這一點，我相信不會再有出賣友邦的行爲」。（註七一）這個答覆，充分說明了他對美國基本上的信賴。這使我感覺，中華民國與日本，在地理上雖然很靠近，同文同種，有互相親密的心情，但這兩國之間還是有超越不了的鴻溝。這不是單純地與美國比較的問題，而是日本和日本人，從中國人和美國人看來，總覺得是「異己」的存在。

本書最後部分，本來應該來一個比較圓滿的總結，很遺憾話頭轉到意外的方向，變成好像自己給自己澆了一盆冷水之自我反省的文字。我的用意是，想把作者太靠近經國先生的感情拉開來觀察，而現在正是時候。我介紹作爲總統之經國先生的想法，結果導出了他很特別的對日本人觀，亦即透過代表中國人而為我們所尊敬的經國先生，我自己面對了身為日本人的我，因而更覺得對中國人，我們應該作更慎重的研究。我自己反省，憑我這一點點知識，以為透過中國古典來看中國人，更能夠理解中國人的想法。我如果跟一般人一樣的觀察，或許會有更深一層的理解也說不定。

在這種意義上，我覺得蔣經國總統於一九八一年一月二十六日，在某地主持國軍軍事會議時所講的話，更能夠幫助我們瞭解中華民國的基本立場。它表明了經國先生基本的看法。以下我扼要介紹它的內容。

㈠為什麼絕對不與中共談判？理由非常明白。在中共心目中，和談事實上是別種戰爭，即政治戰、心理戰和宣傳戰，是政治炸彈。中共使用此種策略，企圖動搖我們堅定的反共決心，製造我們內部的矛盾和分裂，以達到奪取台灣的目的。

㈡除非打倒大陸的共產暴政不能真正解決中國問題。中國問題的真正解決，必定要在大陸實行三民主義，重建中國。解決中國問題，我們要有遠大的眼光。現在中共因為與蘇聯對立，所以暫時要利用次要敵人（民主國家），以對抗主要敵人（蘇聯），但國際間實力的均衡如果發生變化，或者蘇聯與中共的關係有所變化時，中共的政策立刻會改變。此時，次要的敵人即變成中共的主要敵人。

㈢要打倒共產暴政，要靠中國人民的力量。暴虐政權的推翻，皆以人民的不滿和反抗為導火線。因此推翻大陸共產暴政的主力，不是武力而是民心，即在大陸和自由地區的中國民心。

（四）對於中共會不會「行使武力」的看法。對中共來說，和談是讓我們吃毒藥慢慢死的方法，行使武力是用銳利的刀子，要把我們一下子殺死。外國人之中，有人認爲中共內部困難重重，故不會行使武力。但我不能贊成這種看法。因爲中共跟發瘋一樣很好戰，有依冒險求取僥倖的習性。中共是暴力主義者，相信唯有以槍桿子才能解決問題。

（五）確保台灣海峽安全的有效方法。美國賣給我們精密武器，增强我們的防禦能力，同時不賣武器給中共，不加强其軍事力量，才是確保台灣海峽安全與西太平洋和平的有效方法。

（六）爲什麼不跟中共通商、通航、通郵？因爲這一切只是中共和談陰謀的一部分而已。同時這些事體將使中共更容易對台灣滲透和破壞。

（七）對「台獨」問題應有的認識。今日在海外的「台獨」組織和活動，事實上都是受中共駐外機構及地下組織的指示與統制。因此「台獨」是中共手中的一種政治工具。

（八）我們絕不與蘇聯聯合的理由。今日，民主國家所面臨的，不只是一個共產國家的問題，更重要的是，一種與我們完全不同的思想方式和生活方式。從帝俄到蘇聯，都想把中國置於其支配之下。因此我們不能幻想利用蘇聯以牽制中共，引狼入室，帶來無限的災禍。外面有人說，我們與蘇聯有接觸，但這完全是中共所揑造和散布的謠言。

以上是蔣經國總統的基本立場，也是中華民國政策上的原則。由此我們可以知道，經國先生對中共澈底的不信任，和絕對反共到底的精神。但經國先生對台灣內部的政治立場却極其民主和寬容，並很有耐心地走向民主化的道路。解嚴在中華民國被認爲是邁向民主一大步，但十幾年前就有此種構想了。關於這一點，如作者在「中華民國的遠景」一書所指出，有很長的要使「富國」與「强兵」能夠兩立的民主化的準備期間，但很多人却不知道這個事實。（註七三）經國先生所遺留下來的中華民國政治民主化的過程，從一九四七年制定憲法的當時，就決心要實施民主憲政這個事實來看，四十年以前就有政治民主化的具體構想。而且自中華民國政府播遷來台以來所採取的一切政治、經濟措施，都是以實施民主憲政爲最大目標。

自一九四九年五月二十日開始實施的台灣地區戒嚴令，經過三十八年，終於一九八七年七月十五日上午零時解除。經國先生說：「解除戒嚴令，是爲了促進這個地區的民主化。我們要成爲十億中國人的希望之燈塔。我們一向認爲人民有集會和結社的權利。但他們必須認同憲法，和贊同這個憲法所制定的國家體制。新的政黨必須是反共的，並且不得從事任何分離運動。」台灣既然受着中共軍事侵犯的威脅，「台灣即使解除戒嚴令，尚未平定中共叛亂之前，國家仍然處於動員戡亂時期。這很清楚地與太平社會不同，解嚴後還需要有適當的因應」。（註七四）

這樣有條件的解嚴，在短期間內，竟出現了多數政黨制、發行報紙之自由、准許回大陸探親等等，一般國民實享受着幾乎沒有任何限制的自由的狀態。一般公務員和軍人，沒有回大陸探親的自由。（但已放寬了一部分——譯者）這是與中共敵對狀態所使然。但經國先生所遺留下來的民主化政策，的確有很大的成果，這是中華民國的任何人所不能否認的。一年四季那樣粗暴的民進黨，對於經國先生還是很尊敬，充分說明了經國先生的偉大。

換句話說，經國先生實兼有堅定不移的反共精神，和寬容的民主主義的理想。他是爲著實現這兩個思想，爲國家民族的前途，將其一切奉獻出來的領導者。因爲糖尿病，醫生非常嚴格地限制他的飲食，但與民衆談笑而吃飯時，民衆給他吃的東西，他從沒有拒絕過。因此他的主治醫師榮民總醫院院長羅光瑞先生說，經國先生是「一位非常好的總統，但却不是一位好的病人」，而這或許是經國先生的真面目。（註七五）說經國先生最喜歡與民衆在一起，並不貶低經國先生的地位，我倒認爲這正是最尊敬經國先生的說法。

經國先生的逝世，或許意味着「蔣經國時代」的結束。但對於追求經國先生所遺留下來之理想的繼承者及其同志來說，要使經國先生堅定的反共精神和寬容的民主主義理想能夠兩立，自應該很認真地研讀、分析和體會經國先生所說的話和所寫的文章。

註釋

(註一)馬紀壯，「我所崇敬的經國先生」，「蔣總統經國先生哀思錄」，第一編，四〇七頁。

(註二)李國鼎，「回憶往事 懷念巨人」，同右，四一一頁。

(註三)前述，「蔣總統經國先生言論著述彙編」，第五集，民國五十四年一月十八日於國防部元月份週會講，五〇六頁。

(註四)同右，「貫徹毋忘在莒運動」，民國五十四年三月八日於國防部三月份月會講，五一五—五一七頁。

(註五)前述，「總統 蔣公大事年編初稿」，卷八，二二二頁。

(註六)同右，五二二三—五二二四頁。

(註七)前述，「蔣總統經國先生」，二〇二頁。

(註八)前述，「蔣總統經國先生哀思錄」，第三編，蔣總統經國先生年表。

(註九)前述，「蔣總統經國先生」，一八五頁。

(註一〇)同右，一八六頁。

(註一一)前述，「蔣總統經國先生言論著述彙論」，第五集，「永不熄滅的明燈：追憶麥克阿瑟元帥」，民國五十三年四月十日，六五九—六六二頁。

(註一二)前述，「蔣總統經國先生言論著述彙編」，第六集，「第三次訪美與美國國防部長麥納瑪拉聯合聲明節要」，民國五十四年九月二十二日，六三三頁。

(註一三)前述，「中華週報」，一九六五年十月十八日，第二八二號，「なぜ武器をとらねばならぬか」。

(註一四)前述，「平凡、平淡、平實的蔣經國先生」，二八九頁。

(註一五)前述，「蔣總統經國先生言論著述彙編」，第七集，「抵日後在羽田機場之談話」，民國五十六年十一月二十七日下午，五〇一—五〇二頁。

（註一六）同右，「應日外相三木武夫歡宴時之談話」，民國五十六年十一月二十七日晚，五〇三頁。

（註一七）前述，「蔣總統經國先生哀思錄」，第三編，八一五頁。

（註一八）前述，「蔣總統經國先生言論著述彙編」，第七集，「對日衆議院議長石井光次郎之談話」，民國五十六年十二月二十八日上午，五〇五—五〇六頁。

（註一九）同右，「應日防衛廳長官增田甲子七午宴之談話」，民國五十六年十一月十八日，五〇七頁。

（註二〇）蔣經國談，「中華民國　斷腸の記」，大久保傳藏，「歴史は教える」，一九八六年十月三十一日，早稲田出版，一〇三頁。

（註二一）前述，「平凡、平淡、平實的蔣經國先生」，二九三頁。

（註二二）前述，「中華週報」，第四五六號，一九六九年三月十七日，「蔣國防部長、訪韓終了で聲明」。

（註二三）前述，「中華週報」，第四六六號，一九六九年五月二十六日，「蔣特使，訪タイ終えて聲明」。

（註二四）前述，「總統　蔣公大事年編初稿」，卷八，一四八—一五〇頁。

（註二五）前述，「中華週報」，第四七二號，一九六九年七月七日。

（註二六）前述，「中華週報」，第四七九號，一九六九年八月二十五日，「蔣副院長財經基本原則を指示、國力の增強民生の改善速める」。

（註二七）同右。

（註二八）前述，「中華週報」，第四八〇號，一九六九年九月一日，「行政院閣議で決定」。

（註二九）前述，「總統　蔣公大事長編初稿」，卷八，一五三頁，及「蔣總統經國先生哀思錄」，

第三編，八一七頁。

（註三〇）楊艾俐，「孫運璿傳」，「天下」雜誌，一九八九年四月十日，一一四頁。

（註三一）前述，「總統　蔣公大事長編初稿」，卷八，一五六―一五七頁。

（註三二）前述，「中華週報」，第五一三號，一九七〇年四月二十七日，「周書楷大使・中米外交關係を分析」。

（註三三）前述，「中華週報」，第五一五號，一九七〇年五月十一日，「蔣副院長訪米感想を語る」。

（註三四）前述，「中華週報」，第五一六號，一九七〇年五月十八日，「立法院長が訪米成果を稱贊」。

（註三五）前述，「蔣介石秘錄」（下），五三〇頁。

（註三六）神谷不二，「戰後史の中の日米關係」，新潮社，一九八九年二月，一四七頁。

（註三七）前述，「蔣總統經國先生哀思錄」，第三編，八一九頁。

（註三八）前述，「蔣總統經國先生言論著述彙編」，第七集。

（註三九）前述，「蔣總統經國先生哀思錄」，第三編，八一九頁。

（註四〇）前述，「蔣總統經國先生」，二〇四頁。

（註四一）同右，及「蔣總統經國先生哀思錄」，第三編，八一九頁。「平凡、平淡、平實的蔣經國先生」，二九七頁。

（註四二）同右，八二〇頁。

（註四三）前述，「蔣總統經國先生」，二〇五頁。

（註四四）同右，二〇六頁。

（註四五）前述，「中華民國　斷腸の記」，一一三頁。「日本在近代史上，犯過三次很大的錯誤。

瀋陽事變、中日戰爭的開端盧溝橋事變和對美國的珍珠港事變。……」

（註四六）前述，「蔣總統經國先生哀思錄」，第三編，八二〇頁，及「平凡、平淡、平實的蔣經國先生」，三〇四頁。

（註四七）同右，八二〇頁。

（註四八）「蔣經國先生領導下的台灣」，「聯合月刊」，民國七十一年六月，一七頁。

（註四九）前述，「蔣總統經國先生哀思錄」，第三編，八二一頁。

（註五〇）同右。（往下紮根，置國家於盤石之上）

（註五一）同右。

（註五二）前述，「平凡、平淡、平實的蔣經國先生」，三〇五—三〇六頁。

（註五三）李煥，「無盡的悲慟」，前述，「蔣總統經國先生哀思錄」，第三編，三九八—四〇二頁。蔣復璁，「經國先生是伯樂」，同右，八三六—八三七頁。

（註五四）前述，「蔣總統經國先生哀思錄」，第三編，八二三頁。

（註五五）「石油危機——經濟風暴下的十大建設」，「聯合月刊」，民國七十二年八月二十五日，二二一—二二三頁。前述，「蔣總統經國先生哀思錄」，第三編，八二四頁。

（註五六）同右，八二五頁。「平凡、平淡、平實的蔣經國先生」，三一九—三二〇頁。

（註五七）前述，「蔣總統經國先生」，二二〇頁。

（註五八）「中華週報」，第七三一號，一九七四年十月十四日。

（註五九）同右，第七五〇號，一九七五年三月十日。

（註六〇）同右，第七五八號，一九七五年五月十二日。

（註六一）前述，「蔣總統經國先生言論著述彙編」，第九集，六三六頁。

（註六二）「中華週報」，第八二五號，一九七六年九月二十七日，「蔣主席、大陸同胞に呼びか

（註六三）同右，第八四三號，一九七七年二月七日，「蔣經國主席、自由デーに大陸同胞を激

け」。

（註六四）同右，第八四八號，一九七七年三月十四日，「蔣行政院長、施政報告で情勢を説明」。

（註六五）同右，第八五八號，一九七七年五月三十日，「蔣行政院長、重ねて立場を宣明」。

（註六六）同右，第八八九號，一九七八年一月二十三日。

（註六七）「蔣經國先生言論選輯」，童園出版事業有限公司，民國六十七年十月十日，八頁。

（註六八）同右，第九〇八號，一九七八年六月十二日，「蔣總統、リーダーズダイジエスト記者

に指摘」。

（註六九）同右，第九六〇號，一九七九年七月十六日，「蔣經國總統、サンケイ記者との單獨會見

で强調」。

（註七〇）同右，第九〇八號。

（註七一）同右，第九六〇號。

（註七二）同右，第一〇三一號，一九八一年一月二十六日，「中華民國の基本的立場と政策」。

（註七三）前述，「中華民國的遠景」，一六—一九頁。

（註七四）同右，五二頁。

（註七五）「我趕到時已經太晚了」，「新新聞周刊」，一九八九年一月二—八日，三二頁。

終章　大孝大節大巧

——忠孝兩全名留青史的非凡領導者——

要總結本書時，在這裡，我想對經國先生嘗試一種人物評論。如在序章說過，我不敢妄想要把經國先生的一切刻畫出來，而即使這樣想過，說實在話，我沒有這個本領，自己深感素養和學識不足，以貧乏的表達能力，日夜在做自我挑戰。因此，對於經國先生的事功，有些地方我一定沒有做十分的交代。但以我在本書所說的，經國先生就能當本章的副題「名留青史的非凡領導者」而無愧，我相信各位讀者不會反對我這種看法。在序章，我說我以「嚮慕和嫉妒」的心情撰寫本書，而此種心情，至今仍然不變。以這種態度爲基礎，希望對本書的缺陷有所彌補，我將很坦率地和盤托出我的看法，以描繪經國先生的「實像」。

要作經國先生的人物評論，有一件事我們絕不能跳過去，那就是如何理解蔣中正先生、經國先生父子的密切關係。

經國先生在他七十九年的生涯中，曾經面臨過幾次很大的考驗。俄國十二年的生活，和「危急存亡之秋」便是。一九七五年，經國先生遭遇到他最可寶貴（這個說法是否妥當，姑暫不談）的父親蔣中正先生的逝世。與父親永訣雖然是任何人都無法避免的命運，但就經國先生來說，這是無從形容的喪失。在此種意義上，一九七五年是他人生的晚年必須備嘗的，充滿苦澀的一年。故於公於私，這是他永遠不能忘記的「最長的一年」（註一）。

蔣中正總統於該年四月五日下午十一時五十分，在士林官邸結束了他歷盡滄桑的一生；是名副其實的無痛而終。六日凌晨，人們還在睡夢中時，雷雨交加，經國先生在他日記說：「天地同哭」。秦孝儀侍從（現任故宮博物院院長兼中國國民黨黨史委員會主任委員）遂請經國先生以行政院長身分在三月二十九日乃父所留下來的遺囑上簽名，但經國先生手指發抖，無法簽字，對於趕來者雖然回禮了，但卻不記得那些人來過。（註二）又，秦孝儀院長是蔣中正總統遺囑的執筆人，也是三位葬儀籌備委員會委員之一。（註三）。

經國先生立刻向中央常務委員會，以從政黨員身分，提出行政院長職務之辭呈，但中常會一致決定予以慰留。（註四）他當時的心情，一定是想把行政職務辭掉，依中國人的傳統方式好好服喪（帶孝）。

因爲經國先生在三十歲時，有無論如何不肯離開家鄉溪口的，虔誠的佛教徒的母親，被日機炸斃的悲痛回憶。而且，他對於沒有好好安葬母親，一直非常後悔。按照當時中國人的習慣，對於父母的帶孝期間是三年，其中半年要穿喪服，服喪是對父母盡孝最重要的社會表徵，他對母親沒有盡孝一直覺得很過意不去，所以一定很想爲父親好好帶孝。

他雖然知道，國家將爲他父親舉辦很盛大的葬禮，但爲人兒子的他，還是希望擺開一切，要爲他父親弔喪。並且經國先生也牢牢地記著：他祖母去世時，父親奔走國事，因爲同志的請求，父親將後事交給經國先生和緯國，而離開家鄉的經過。因此，經國先生之欲辭去公職，以便服喪的心情，可以說是理所當然的。加以經國先生的極其悲痛，不只來自父子之親情。因爲就經國先生來說，蔣中正先生是「嚴師」、「慈父」和「領袖」。他常常這樣說。譬如蔣中正先生逝世一年半後，他的九十周歲的一九七六年十月三十一日，經國先生便寫了一篇「領袖、慈父、嚴師」的長文。（註五）。

要之，經國先生與其父親的關係，跟一般人單純的父子關係不同，而有特別的複雜關係。即作爲服從領袖的臣下，敬慕慈父的兒子，願安承教嚴師之門徒的關係。他倆這種特別關係，從外面也可以看得很清楚。時或在槍林彈雨中，奉最高指揮官的命令，投身前線去做傳令的工作，前往被敵軍包圍的友軍陣地，將指示與勉勵的父親信交給司令官；冒險犯難視察前線，並向其父親做詳細報告，是即蔣中正先生要其兒子經國先生做最可信賴和最忠實的部下才能做的工作。蔣中正先生的命令，有時候是近乎苛刻而危險的。而這也是爲什麼有那麼多人稱讚經國先生爲「大勇」者的主要原因。但槍林彈雨中的勇敢，不一定算是「大勇」，就經國先生而言，「父爲天之子」這種敬父就是敬天的教義，使他具有服從父命就是服從天命的觀念，因而能把在戰場的生死置之度外，從而成爲「大勇」。

時或陪著爲解除奔走國事之疲勞，而欣賞故鄉山河，或走在月下林間吟著唐詩散步的父親，經國先生對其享受一時之寧靜的父親，深感乃父的慈愛。他跟父親最後的談話是極其普通的一句話。但這句話是父親對兒子最典型的愛心的流露。一九七五年四月五日早晨，經國先生上班前曾經前往士林官邸去看他父親，坐在輪椅上的父親對他說：「您應好好多休息」。聽到這句話時，經國先生在他的日記寫著：「兒聆此言心中忽然有說不出的感觸。誰知這就是對兒之最後叮嚀。」（註六）。

經國先生又從蔣中正先生的信函和與他對話中，學到許多唯有精通中國古典者始能指出的事體。他父親去世後經國先生這樣寫著：「父親逝世之後，再無人教訓我了，所以我應虛心向他人去訪問、去徵詢、去請教，來充實我的知能。」從此我們可以看出他如何寂寞，和何等謙虛。對於經國先生來講，他父親不但是他學問上的老師，也是作爲國家民族之領導者的老師，更是統率和戰略方面的老師。

以下，我想舉出具體的例子，以證明這個事實。這是蔣中正先生逝世後十四天，經國先生的日記，它說：

·經國先生隨侍　蔣公視察澎湖縣基地時手提河豚標本留影。

> 父親嚴而又慈，愛兒教兒無微不至；尤以撤離大陸之時，父子共冒危險，出生入死，同受譭謗和攻擊，始終貫徹反共救國之意志。父親對兒作之君、作之師。今日革命在將成未成之際，我　父子同離故鄉，而今　父親不在人世矣。嗚呼哀哉。　父親去世至今已十有四日，但余實不能相信，　父親竟離兒永別。今留宿慈湖，每至夜半，必起身徘徊於　父靈左右。又獨坐庭中，夜深人靜，悲苦中來。半月當空，回憶往事，多少心酸。不孝之罪大矣。（註八）

經國先生不僅失去「慈父」，同時也失去了「嚴師」和「領袖」。一般人失去父親，當然也很悲傷。但他等於同時失去了扮演不同角色的三個極其重要的人，因此他的悲痛自不同凡響。他說：「夜夢羣蛇襲我，前又有鐵絲網擋路。此夢象徵目前之處境。」（註九）他同時又說：「自　父親逝世以來，無時不感失去生命與生存之依靠。」（註一〇）

但從悲痛之中，他必須站起來，而且站起來了。由此，中華民國名副其實地進入了「蔣經國時代」。他在其偉大的父親逝世以後的十三年，以從父親蔣中正總統所受的影響爲基礎，在現實的政治開花結果，於最後的十年，作爲總統留下偉大的紀錄。留下偉大的成績，當然值得大書而特書。但經國先生的偉大，不能祇是從他所留下來的成績單來予以評估。我認爲，對於經國先生，我們應該以另外一種標準來衡量。那就是孟子對其弟子萬章所答覆的話。

「人少則慕父母，知好色則慕少艾，有妻子則慕妻子，仕則慕君，不得於君則熱中。大孝終身慕父母，五十而慕者，予於大舜見之矣。」（註一一）

我認爲可與這段文字最後一句話「大孝終身慕父母」者舜帝的「大孝」比擬的就是經國先生。尤其是他嚮慕和尊崇蔣中正先生之情，使我感佩不已。這不僅面對其父親之去世，而是一直到其最晚年。（註一二）這說明蔣中正先生不祇是他普通的父親。

經國先生對其父親　大孝的意識和行動，乃他與生俱來的命運，其父親教育的成果，以及他本身的自覺而刻苦奮勉所自然產生的結果（特徵）。他的這種特徵，看來與其父親有些不同。但這個不同，是表面的部分，其本質並沒有兩樣。關於這一點，所引述秦孝儀院長的「大痛無文」說，蔣中正先生一生爲革命奮鬥，「完全以實現民主主義爲目標」，「經國先生一生則是以革命的精神和革命的毅力，來推動民主。」「這是一體之兩面」，本質並沒有變，兒子乃站在父親延長線上這種理解是正確的。是即蔣中正先生「以國家興亡爲己任，置個人死生於度外」的絕筆的話，是蔣中正、經國父子的本質。

惟出現於表面的，蔣中正先生是超人的印象，而經國先生卻是百分之百的孝，這個孝自動地成爲忠，此時忠與孝是合一的。盡忠就是盡孝，盡孝就是盡忠，因此他遂成爲「忠孝兩全」的人。

關於父子關係，在這裡我想介紹一下以經國先生爲父親的兩位先生的感想。一位是最近出任亞東關係協會駐日代表的經國先生的次子蔣孝武。以經國先生所受蔣中正先生嚴格的家庭教育爲背景，我問他，經國先生對他的教育如何，他答說是很嚴格，這是以中國歷史文化爲基礎的嚴格，而且是一連串的，他且舉了一個例子。

他有一個十七歲的兒子，有一天他要這個兒子做某種事，兒子說他不想做。不過兒子又說：「如果父親您叫我做，我雖然討厭，但我還是要做」。孝武先生說，他聽到這個回答，深感時代和潮流變得很多，同時也覺得中國人的父子關係並沒有改變，下一代還有中國人的傳統而非常高興。孝武先生特別强調他父親慈祥的一面。他還在新加坡工作時，因爲父親病重，故回來看父親。這是他父親去世一個月以前的事情。經國先生對他說，經國先生不在人間以後，要他好好照顧他媽媽；你媽媽是偉大而可敬和可愛的人，你不要忘記她一生是爲了你們這些兒女。經國先生最後的一句話是要他牢牢記住這件事。這是經國先生對於爲着情愛遠離其祖國蘇聯之母親的萬感交集慰勞之言。時代變化，中華民國與俄國開始有所接觸，如果經國先生能多活幾年，也許有與其夫人重訪西伯利亞的一天。

另外一位先生是經國先生與章亞若女士所生的雙胞胎兒子之一，現任中國國民黨海外工

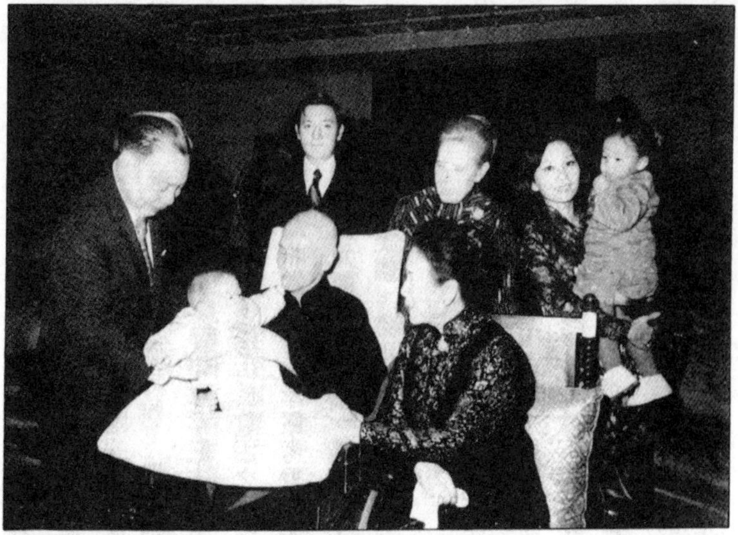

·蔣公伉儷與家人四代同堂含飴弄孫。

作會主任的章孝嚴。一九八九年十二月底，作者曾經拜訪他於外交部次長的辦公室。從今年度，他轉任海工會主任。根據最近的資料，孝嚴、孝慈兩位兄弟知道他們的祖父是中華民國的領導者蔣中正先生，爲學生們譽爲「青年導師」經國先生之爲他們的父親，是一九六〇年底，他們十八歲時候的事情。（註一三）但那個時候，他們都不對外面表示他們是蔣家的人。而在有關人士之間，這些話是一種禁忌。譬如章孝嚴夫人黃美倫女士，便完全不知道他先生是經國先生的兒子。（註一四）不特此，生活於貧困之中的他倆弟兄，在東吳大學讀書時，一直是半工半讀。但他倆的成績却非常好，章孝嚴考取了外交官考試，也許有清朝最後的科舉考中狀元，後來担任律師的祖父章貢濤的影響，章孝慈對法律很有興趣。他畢業東吳大學中文系以後，又學法律，並留學美國，獲得兩個碩士學位和法學博士的學位。（註一五）

他倆弟兄到蔣中正先生葬禮時，才非正式地以蔣中正先生的第三代家族參加儀式。當時，章孝嚴在中華民國駐美大使館服務，因蔣中正先生逝世，向大使申請回國，大使才知道他是經國先生的兒子。（註一六）我在章孝嚴外交部次長辦公室，只看到國父孫中山先生及其祖父的半身像，而沒有看到蔣經國總統的照片。我問他爲什麼，他説他的寢室放着經國先生（他也稱呼爲經國先生）和他母親的照片。根據「聯合報」的報導，經國先生在昏迷狀態時，「時隔五十年，外面剛強理智」的經國先生，大概回憶起心底的往事，以不清晰的話説

著「亞若」。無需說，「亞若」就是章孝嚴、章孝慈的母親章亞若。（註一七）

一九七二年六月一日，經國先生就任行政院長時，曾經以「平凡、平淡、平實」這三句話形容他自己的人生觀。平凡是要做一個平凡的人；平淡是對名利要淡泊；平實是做事要實實在在。他淡然以這六個字從事行政工作，同時說要發揮團隊精神。此外，他還强調意味着資訊公開的「公正、公平、公開」，和「誠實、確實、踏實」。惟「平凡、平淡、平實」這三句話，念起來很順，非常吸引人，所以爲大家所喜歡。經國先生似乎想以這三句話來自勉和勉勵鼓舞國民。（註一八）因爲國際情勢對中華民國極其不利，尤其是前一年十月二十五日，中華民國剛退出聯合國，幾乎要成爲「世界的孤兒」。在此種情況之下，經國先生於一九七二年二月九日，在成功嶺，對集訓大專青年，以「挑起重擔，步步向前」爲題目演講，鼓勵他們要爲國家前途奮鬥。（註一九）。

但一國的宰相，想過平平凡凡的日子，實在很不容易。人有感情，因此有其煩惱，對人際關係一定有許多不愉快的事。他會碰到没意料到的困難問題。負有國家重責大任的人，恐怕只有過著波浪萬丈，毀譽褒貶，華麗壯大的生活。所以想過得「平凡、平淡、平實」，必須有很特別的作風。換句話説，他的性格和生活態度之毫無「驕縱的氣節」，使這三句話没有變成單純的口號，並且使每一個國民覺得他經常在他們的身邊。（註二〇）。「孝經」上所說：「在上不驕，高而不危」，乃是經國先生的基本生活態度。

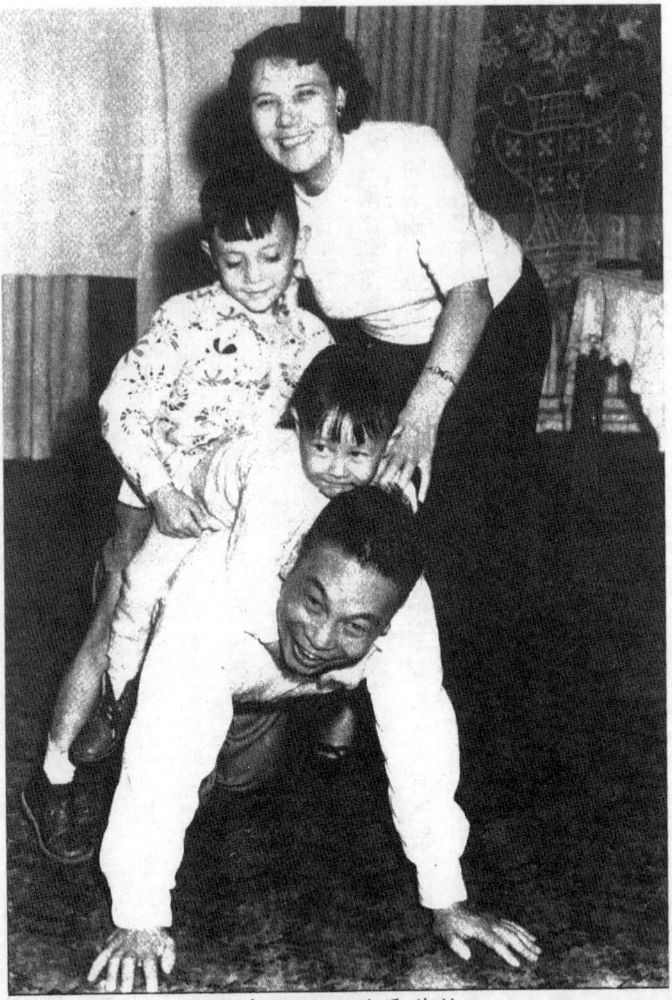

·經國先生一家歡樂融融玩騎馬遊戲。

的工夫，就不會成爲打賭。因爲這樣做將會養成平常心。平常心，平凡的人是不容易獲得的，唯有非凡的人始能擁有它。因爲非凡但又要活得平凡才有特別的意義。是即如果這樣忍耐，必有所期待的成果。「六韜」之說「大謀不謀」，理由在此。對於大謀不用策略，而這與本章所用標題「大巧」的概念結合在一起。老子說：「大巧如拙」，根據日本大漢學家諸橋轍次先生的解釋：「巧妙的極致恰似最拙劣。書法的字，如果看來很漂亮，表示它還不到家。古拙，看起來好像很差，其實有古雅的味道才是極美。人也是一樣。」（註二六）

具體來說，經國先生所推展的「大陸探親」政策，我認爲是經過兩個月的充分準備，並計算好其結果的，漂亮的攻勢政策。即以現任總統的李登輝先生爲特別委員會委員長，加上當時的俞國華行政院長、倪文亞立法院長、吳伯雄內政部長，和何宜武國民大會秘書長等人，以四個方案爲其主要內容之一九八七年九月二十八日的報告書，自該年十一月二日起，在一定的原則之下，准許回大陸探親。所謂一定原則之中，規定與中共政權之關係的「不接觸、不談判、不妥協」的「三不政策」仍然不變，而「大陸探親」政策實具有不犧牲「反共的基本國策，收復大陸的目標，確保國家的安全」，並能把「台灣經驗」在大陸直接推廣的功效。而且從費用和效果方面來說，都對中華民國非常有利。要回去看父母兄弟和親戚，得帶很多禮品，需要花費不少錢，這些都是個人的負擔。但因爲回去探親，他們彼此之間將具體地知道台灣與大陸在經濟和自由有很大的差距。亦即以此爲轉機，台灣和大陸的中國同胞互相得知自由社會與共產社會的孰優孰劣，對於光復大陸當然有很大幫助。這等於說，大陸探親對於不得不住在大陸的中國人證明大陸共產社會之沒有前途。把柏林圍牆毀掉之後，德國人才真正知道東西德國社會的差距，而自一九八七年十一月，在亞洲已經很清楚地知道這個事實，是即，並沒有破壞中華民國的安全與基本國策，台灣海峽這個圍牆，且被突破了。

我認爲，去年六月四日的天安門事件，對於東歐的民主化有鼓勵作用，而大陸學生的熱烈歡迎，使戈巴契夫身心感覺到不得不棲身大陸的中國人比從前更不滿中共政權，而成爲蘇聯走上民主化道路的興奮劑。但我認爲天安門事件是打破多年來共黨獨裁所造成閉鎖社會的斧子和鐵鍪，而天安門事件，直接間接實由「大陸探親」政策所促成。在這種意義上，「大陸探親」政策實有作更進一步研究的價值。「大陸探親」政策，看來好像由於有各種條件和限制，也許有人會覺得不很高明，但我却認爲這正是「大巧如拙」的典型。正因爲有這些條件和限制，因此中華民國才比對方有利。「菜根譚」說：「大巧無巧術，用術者乃所以爲拙也」。它的意思是說，真正清廉者，不會有清廉的名聲。有清廉之名聲者，實以它爲手段之貪而無厭的人。又，真正懂得巧妙之術者，我們看不出所謂巧妙之術。用巧妙之術者，實在是還不到家之最拙劣的人。（註二七）

其次，映在我心目中的經國先生，與「大節」具有很大的關係。這裡所謂的「大節」，曾子曰：「……臨大節不可奪」。其意思是說：「即使面臨生命危險的重大關鍵（大節），其志毅然不可奪。這種人才是君子」。（註二八）尤其是經國先生，有往大節邁進的氣魄。作爲一個國家之最高領袖的長子的他，如果不欲面對這種大節，應該作得到。而其所以全力以赴大節，是其父親要他這樣做，也是他自己喜歡這樣做，彼此有共識是主要的原因。

就蔣中正先生與經國先生來說，因有許多特殊及緊急情況，使蔣中正先生不得不令經國先生去赴「大節」，但事並非完全是如此，所以我覺得還是引用「孟子」的話，或許更能夠加深我們的瞭解。

「天將降大任於是人也，必先苦其心志，勞其筋骨，餓其體膚，空乏其身，行拂亂其所爲」。（天要授予一個人大任的時候，必先苦其身心，置其於窮困之境，使其事事不如意，予以考驗。即所謂「艱難將使你成玉」。）（告子下）

由於經國先生自知他不得不成「玉」，因而便自動邁向艱難。這是「史記」裡頭的故事，秦武王學具有大力的孟說，想抬起重鼎，由於不自量力，他不但折斷膝骨，而且送了一條命，所以經國先生一再地鍛鍊他的筋骨，俾能經得起一切考驗。

而且邁向艱難不僅能夠鍛鍊自己，並且將造成領導者與擁護者的關係。自己不必要求，這種關係自然會形成。但即使再有才能和豪邁之氣質，如果沒有用武之地（空間），擁護者

·平易近人的經國先生，常常與青年學生相聚歡談。

是不會增加的。自大陸到台灣，亦即從最壞的條件起步的他與擁護者的關係，隨台灣周圍條件的改變，他們的關係日趨加強和擴大。

在這過程中，經國先生將其平民性（蔣中正先生的平民性，因爲其超人性格，而似乎沒有發揮的機會）發揮得淋漓盡致。從這裡我們可以很清楚地看這兩位父子領導者的差異。經國先生平易近人的事，多得不可勝數。茲舉幾個例子。馬紀壯前亞東關係協會駐日代表說：

「自從在總統身邊工作以來，我所最佩服的是總統『親民、愛民、爲民』的精神，而這是來自總統的口號『平凡、平淡、平實』。總統說『我並不是什麼特別的人，完全與民衆一樣。民衆痛苦我也痛苦，民衆快樂我也快樂』，因有此種至誠的心情，才能與民衆成爲一體。總統走遍台灣，民衆吃的他都吃。去年，我奉陪總統巡視台東，在『同心居』用中飯時，總統特別多點兩道菜，並要一瓶酒。這是以前沒有過的事，我覺得很奇怪，結果一問，那一天是我的生日，總統記得。總統對部下的體貼，使我感激不盡。這一天眞是我『難忘的一天』，也是『最快樂的一天』。（註三〇）

慶祝馬紀壯代表之生日的「同心居」位於台東市中山路三百二十八號，嚴格來說是座「違章建築」，馬口鐵屋頂平房，是一家小小的餃子店。（註三一）它靠近中山市場，所以來客很多。早晨賣燒餅油條，是家簡單的飯舖。只要到台東，經國先生一定到這裡。因此在經國先生六年的行政院長任內，每年去「同心居」吃飯一次。「同心居」老板李忠祥說：「經國先生最喜歡凍牛肉和醬牛肉，這裡是台灣最好的」。來客都會問：「經國先生是不是坐這個椅子？」「經國先生在這裡吃了些什麼東西？」「同心居」之所以如此出名，是因為經國先生每年要去一次。而經國先生之所以關心這家店，乃是因為它是三位山東出身的榮民所共同經營。

經國先生有十一位這種朋友，聯合報系的記者曾經採訪過這些人，並出版了一本專書。其中兩家店，我也去過。經國先生「難忘的一年」日記中所提到南投縣「聽水樓」是家大衆化餐廳，老板張讚盛是台灣出身，有十六個兒女。其中十一個大專畢業，次子是美國的博士。「聽水樓」的老板張先生為人客氣，經國先生去過他的店十次，但他從不宣傳，我被請到客廳，因我的請求，他才把與經國先生一起拍的照片拿給我看。由他的談吐，我看得出來他如何尊敬經國先生。（註三二）

這十一個人，並非地方名士或者富裕階層，而是勞動者，惟因他們與經國先生交往多年，並由報館記者採訪出書，故在地方變成名人。但這些人自不必說，凡是稍稍知道經國先生的人都說經國先生是跟他們沒有什麼兩樣的普通人。跟一般老百姓吃一樣的東西，穿夾克，不結領帶，平易近人的微笑，對於他確立作為領導者的地位很有幫助。這個風采，與他首次赴任贛南，完全沒有改變。

蔣中正先生是世界級領導者羣的政治家之一，日本人幾乎沒人不知道他的大名。但經國先生沒有碰上這種政治環境。加以他在偉大的父親影子下，鞠躬盡瘁的時間長，又因爲平易近人，不是超人型的領導者，所以他的知名度沒有其父親那麼高。但政治家的本領如果在於以國民之痛苦爲痛苦，以國民之喜悅爲喜悅，實行一切與國民生活打成一片之政治的話，經國先生的確是超羣的政治家。對於一個人之偉大的評估，可以有各種各樣的標準，因此在這裡，我不想說他這個地方偉大，那個地方偉大。我只指出他是大孝的人，是忠孝兩全的人就夠了。領導者應該如是。

註釋

（註一）前述，「蔣總統經國先生言論著述彙編」，第九集，「守　父靈一月記」，六一九—六四九頁，及「難忘的一年」（七十歲生日有感），六五一—七二三頁。「蔣總統經國先生哀思錄」第三編，收錄「難忘的一年」和「守　父靈一月記」的一部分，作爲「遺墨」。

（註二）前述，「蔣總統經國先生言論著述彙編」，第九集，「難忘的一年」，六七一頁。

（註三）秦孝儀院長與經國先生因爲有這種關係，所以經國先生逝世一個月左右以後，對其身邊人說，經國先生的去世對他衝擊太大，「大痛無文」，而「不能撰寫追悼文字」。又，「大痛無文」刊於「蔣總統經國先生哀思錄」第一編，四四四頁。

（註四）前述，「蔣總統經國先生哀思錄」，第三編，八二七頁。

（註五）前述，「蔣總統經國先生言論著述彙編」，第十集，「領袖、慈父、嚴師」，五七一—六〇九頁。

（註六）前述，「蔣總統經國先生哀思錄」，第三編，「難忘的一年」，六三七頁。

（註七）同右，六五五頁。

（註八）同右，六四一頁。

（註九）同右，六四二頁。

（註一〇）同右，六四三頁。

（註一一）溫晉城選注「孟子會箋」，正中書局，民國五十年四月，一七六頁。

（註一二）前述，「蔣總統經國先生言論著述彙編」，第十五集，三八三頁。一九八七年十一月二十五日，經國先生在中常會說：「中國國民黨　總裁，離開我們已經十二年了，這期間，大家始終遵奉　總裁的遺囑和精神，繼續奮鬥，……」。經國先生在中常會講話，此後只有一次。行政院新聞局輯印，「蔣故總統經國先生七十六年及七十七年言論集」，七五—七七頁。

（註一三）「聯合報」，一九九〇年一月二日。

（註一四）同右，章孝嚴口述，陳秋美整理：「章孝嚴首次親述童年成長抱負」，「遠見」雜誌，一九八八年三月號。他在菲律賓進修外國語文時結婚，當然大使不知道他是經國先生的兒子，依規定進修人員不准攜眷，故大使沒有出席他的結婚披露宴。章孝嚴在大學三年級暑假，到政工幹校受訓時，蔣孝武也在同一房間，他知道蔣孝武是誰，但蔣孝武不知道他是誰。祇有這一次，經國先生沒有去講話。

（註一五）「聯合報」，一月三日。

（註一六）同右。

（註一七）同右，一月六日。

（註一八）前述，「平凡、平淡、平實的蔣經國先生」，三〇〇頁。

（註一九）前述，「蔣總統經國先生言論著述彙編」，第八集，五—一二頁。

（註二〇）唐盼盼作，家禹譯「蔣經國生於憂患」，「綜合月刊」，八十一期，民國六十四年八月，一四—二五頁。

（註二一）前述，「中國古典名言事典」，五六八頁。

（註二二）小谷豪冶郎著，陳鵬仁譯「中華民國的遠景」，中央日報社，民國七十七年十二月，一五八頁。

（註二三）「新新聞」周刊，一九八九年一月二—八日，一六頁，「他當會感到傷心與難過」—訪國民黨中央黨部副秘書長宋楚瑜。

（註二四）前述，「中華民國的遠景」，一七九—一八〇頁。一九八七年一月二十八日，農曆除夕他透過電視和電台，對全國國民致春節祝詞說：「經國一向是個樂觀的人，不過，我的樂觀並非寄託在『命運』之上，而是建築在經常『有備』的基礎之上。……但我們堅毅沈著，充滿信心」。

（註二五）張寶樹「永恆的追思．無限的畏癘」，「蔣總統經國先生哀思錄」第一編，三八四—三八六頁。關於經國先生的「平凡」，根據亞東關係協會張寶樹理事長的省察，就是「不凡」，最主要有以下六點：①「他始終堅守著爲國家盡大忠，爲民族盡大孝的精誠，充分做到了無條件的信仰主義，服從領袖，無保留的犧牲自己奉獻國家。②他的內心充滿著民胞物與，愛民親民的大仁和大愛。③他充分體現了對民主憲政的執著和對國家建設的毅力。④他有主見有定見，卻能守經而達變。⑤他嚴以律己，寬以待人，和藹可親，平易近人。⑥經國先生在領導國家的那段時日裏，已經確實達到無私無我，將個人與工作、責任融成了一片。

（註二六）前述，「中國古典名言事典」，三二九頁。
（註二七）今井宇三郎譯注「菜根譚」，岩波文庫，一九七五年一月十六日，八四頁。
（註二八）前述，「中國古典名言事典」，四六頁。
（註二九）同右，一三一頁。
（註三〇）前述，「中華週報」，一九八八年一月三十日，第一三五九頁，七章，「蔣經國総統の『平凡、平淡、平實』」。
（註三一）易理「同心・同心──訪李忠祥」，「總統的老朋友」，聯合報系記者專訪實錄，一九八二年四月，台北，三一四頁。
（註三二）同右，翁台生，「一切爲了下一代──訪張讚盛」，一九一三八頁。

後記

對於筆者撰寫本書，中華民國總統府資政、亞東關係協會理事長張寶樹先生，總統府資政、亞東關係協會前駐日代表馬紀壯將軍，國立故宮博物院院長兼中國國民黨黨史委員會主任委員秦孝儀先生，曾經賜予無法形容的指教和支援，筆者要由衷謹致謝意。

而在撰寫和出版此書的過程中，曾經承蒙許多人士賜予協助，其中筆者特別要對亞東關係協會駐日副代表鍾振宏先生、行政院新聞局副局長黃老生先生，亞東關係協會東京辦事處新聞組組長廖祥雄先生，以及在百忙中把它譯成中文的中國國民黨黨史委員會副主任委員陳鵬仁先生，表示感謝。

對於從計畫到完成本書，多年來的朋友，並常常幫助筆者的考試院副院長林金生先生、司法院長林洋港先生、立法院長梁肅戎先生，以及雖臥病在床，但非常關照筆者夫婦的朱文炳先生，筆者也要表示謝意。

與此同時，對於在授課之餘，讓筆者自由寫作，且接受筆者不情之請，同意筆者離職的京都外國語大學理事長兼校長森田嘉一先生，以及爲中日關係盡力的日華文化協會理事長秦三郎博士的盛情隆意，筆者也要表示由衷的謝意。

又對於在短短時間內，爲筆者出版本書的總統社專書編輯部主任多田敏雄氏，筆者也要謝謝他。

小谷豪冶郎

一九九〇年三月春分之日

於京都桂河畔

譯者的話

前日本京都外國語大學教授，現任日本姬路學院女子短期大學名譽校長小谷豪冶郎先生，最近完成「蔣經國先生傳」一書，於經國先生八十周歲時，中日文版同時問世，敝人擔任中文版翻譯，覺得非常榮幸。

翻譯時，凡是直接引用的部分，我都把它復原了，惟有一部分，作者引述日文「中華週報」，而「中華週報」又沒有註明譯自何時的那一報刊，像這一類的文字，我祇有照譯，這一點要請讀者諒解。

又，由於中日文版同時發行，而日文部分，由於編集上關係，在篇幅、文字上或有所删節，故中日文版的內容，可能不盡相同，這是要特別說明的第二點。

因爲譯者拿到最後文稿是在三月下旬，所以在翻譯文字方面，沒有太多時間去推敲，疏忽之處，在所難免，敬請各位先進多多指正。
最後，我要由衷感謝中央日報社幫忙如期出版這本書。

陳鵬仁

七九、三、廿三

蔣經國先生年表

一九一〇年（清宣統二年），出生於浙江省奉化縣溪口鎮。父親爲蔣中正（字介石，以下簡稱蔣公），母親爲毛福梅，爲四明蔣氏第二十九世孫。幼名建豐。

一九一一年（清宣統三年）爲參加武昌起義，蔣公由日本回國。

一九一二年（民國元年）中華民國政府成立於南京，國父當選臨時大總統。

一九一三年（民國二年）蔣公攻擊江南製造局，不克，暫赴日本。

一九一四年（民國三年）蔣公奉國父命，返滬主持滬、寧討袁軍事，事洩，再赴日。中華革命黨降生於東京。

一九一五年（民國四年）蔣公返滬，與陳英士等策動肇和兵艦討袁。

一九一六年（民國五年）七歲。三月，入武嶺學校，受教於周東（星垣）先生。陳英士在上海被刺殺。蔣公出任中華革命軍東北軍參謀長。弟緯國降世。

一九一七年（民國六年）受到周星垣先生，特別是顧清廉先生之教導。

一九一九年（民國八年）北京發起學生愛國運動。中華革命黨改組爲中國國民黨。

一九二〇年（民國九年）蔣公自訂課程，請王歐聲先生指導經學。

一九二一年（民國十年）十二歲。轉學奉化龍津學校。開始學「說文解字」、「爾雅」。
祖母王太夫人病逝。享年五十八。國父在廣州就任非常大總統。

一九二二年（民國十一年）轉學上海萬竹小學四年級。與王歐聲先生學國文；同時學英文及「孟子」、「論語」二書。六月，陳炯明叛變，蔣公隨侍國父避難於永豐艦達四十二天。

一九二三年（民國十二年）蔣公出任大本營參謀長。蔣公經常以書信指導經國先生。

一九二四年（民國十三年）畢業於萬竹小學高級部。參觀黃埔軍校。

一九二五年（民國十四年）十六歲。進上海浦東中學。六月，轉到北京海外補習學校，受吳稚暉先生（敬恆）先生教導。決心留學俄國，經吳稚暉先生同意，徵得蔣公許可。八月，往訪父親於黃埔。十月，參加中國國民黨。十月十九日上海出發，經由海參崴，十一月底到達莫斯科。

一九二六年（民國十五年）十七歲。以俄文學西方革命史，政治學和經濟學。醉心於布哈林和托洛茨基。從事反史大林祕密工作。

一九二七年（民國十六年）畢業孫逸仙大學，向第三國際申請回國。未獲准，入伍俄國軍隊。

一九二八年（民國十七年）十九歲。進列寧克勒中央軍事政治研究院。中共在莫斯科代表團誣告「江浙同鄉會」爲秘密反革命團體，要求俄國政府逮捕經國先生，但未得逞。蔣公就任國民政府主席並兼陸海軍總司令。

一九二九年（民國十八年）因爲非共黨黨員，不能出席各種會議，孤立，精神上很受壓迫。

一九三〇年（民國十九年）埋頭於軍事學和哲學的研究。畢業論文爲「游擊戰與戰術」，五月畢業。再度申請回國。

一九三一年（民國二十年）除在工廠作工外，上夜校，學習工業方面的知識和技術。被中共代表團趕出莫斯科，到農村。九月，日軍進攻瀋陽，佔領東三省。

一九三二年（民國二十一年）仍在農村過日子。因疲勞過度，病臥一個月。到西伯利亞。又病倒，繼續養病。

一九三三年（民國二十二年）以參加生產勞動名義於阿爾泰山金礦作苦工，在冰天雪地中過著饑寒交迫的生活。九月，雖出任重機械工廠工程師，但仍從事砍木工作。日後以副工程師也上夜校。

一九三四年（民國二十三年）在俄國內政部監視之下，工作於重工業機械工廠。被迫聲明「中國政府要求我回國，但我無意回國」。

一九三五年（民國二十四年）發生僞信事件。三月，與方良女士結婚。十二月，長子孝文出生。

一九三六年（民國二十五年）九月，被免職重工業日報總編輯。十二月，發生西安事變。

一九三七年（民國二十六年）寫信給史大林三度要求回國。俄國外交部請其到莫斯科，獲准回國。三月離開莫斯科，經由海參崴，重踏國土。四月，抵達杭州。回國後開始研究中國經籍。七月，日軍砲轟盧溝橋，揭開抗戰序幕。

一九三八年（民國二十七年）出任江西省保安處副處長兼新兵督練處長。長女孝章出生。蔣公在南昌指揮防務。在此地受父教。

一九三九年（民國二十八年）從贛南到重慶，在中央訓練團黨政訓練班第二期受訓。出任江西省第四區行政督察專員兼保安司令及贛縣縣長，專心於新贛南的建設。八月，成立江西省三民主義青年團江西支部，經國先生兼任支團幹事。十二月，日軍亂炸溪口鎮，母親毛福梅被炸斃。經國先生趕回溪口鎮。日後樹立「以血洗血」石牌。

一九四〇年（民國二十九年）在贛縣創立江西省「青幹班」，以訓練全省在校及社會青年代表。主持江西省第四行政區擴大行政會議。

一九四一年（民國三十年）主持江西省第四行政區幹部講習班。發表「新贛南三十年度行政工作總評」。

一九四二年（民國三十一年）一月，章亞若在桂林生產雙胞胎，命名孝嚴、孝慈。年底前往重慶。

一九四三年（民國三十二年）贛南受到日機轟炸，公署、贛州城等損害甚大。五月，創辦公僕學校並自兼校長。七月，建議創設青年幹部學校。三民主義青年團中央幹事會決定創辦中央幹部學校。

一九四四年（民國三十三年）出任三民主義青年團中央幹部學校教育長。經國先生與學生共起居。

一九四五年（民國三十四年）出任青年遠征軍編練總監部政治部主任。受基督教洗禮。四月，次子孝武降生。前往新疆省。行政院長兼外交部長宋子文訪問蘇聯。八月，日本投降。十月，以外交部東北特派員身分前往長春。十月，獲頒勝利勳章。以蔣公代理身分被派往莫斯科。

一九四六年（民國三十五年）獲頒忠勤勳章。報告與史大林的會談。九月，在三民主義青年團第二次全國代表大會被選爲中央幹事。隨蔣公視察贛州。

一九四七年（民國三十六年）被派到東北的經國先生，向蔣公報告六月四日四平街激戰的情形。向蔣公報告，隨美蘇對立的表面化，蘇聯引誘中國的情形。

一九四八年（民國三十七年）獲頒四等雲麾勳章。以國防部預備幹部訓練局長身分，出席陸軍訓練會議，輔助上海地區經濟管制督導員俞鴻鈞工作。動員勘建大隊，開始工作。檢舉貪官污吏和奸商，聽取市民訴苦，勤於探察民瘼。研究工業原料的需求與供給，以及增加生產物資，努力於與工商界和勞工代表溝通。向蔣公報告上海的治安和經濟管制情形。對上海市民發表「今後上海的經濟管制」。十月三日，三子孝勇問世。十二月，出任中國國民黨台灣省黨部主任委員。

一九四九年（民國三十八年）將保管於中央銀行的黃金運往廈門和台灣。蔣公宣布下野。隨侍父親行動。四月經國先生生日時，蔣公送他「寓理帥氣」匾額。經由上海飛往澎湖。經國先生再度飛往上海、福州，而至高雄。由台灣飛往重慶、昆明等地。參加金門古寧頭戰事，蔣公飛往重慶、成都等，然後飛返台灣。中共成立僞政權。

一九五〇年（民國三十九年）蔣公復職視事。經國先生出任國防部總政治部主任，及中國國民黨幹部訓練委員會主任。籌備成立政工幹部學校。六月，爆發韓戰。八月，中國國民黨中央改造委員會成立。

一九五一年（民國四〇年）聯合國通過中共爲侵略者。政工幹校開學。簽訂舊金山和約。中共進聯合國被否決。

一九五二年（民國四十一年）當選中央委員。中國青年反共救國團成立。成爲中央常務委員。簽訂中日和平條約。

一九五三年（民國四十二年）行政院發表四年經濟建設計畫。訪問美國。水葬吳敬恆先生遺骨於金門海底。

一九五四年（民國四十三年）一萬四千反共義士來台。獲頒二等雲麾勳章。出任國防會議副秘書長。十二月，簽訂中美共同防衛條約。

一九五五年（民國四十四年）一江山全體國軍將士陣亡。指揮大陳撤退。

一九五六年（民國四十五年）出任國軍退除役官兵輔導委員會副主任委員，並兼代主任委員。橫貫公路建設籌備會議決定建設工程。同時決定榮民總醫院建設工程。經國先生越過中央山脈。日本進聯合國。

一九五七年（民國四十六年）就任輔導會主任委員。在馬祖海面與中共艦艇發生砲戰。成立「中日合作策進委員會」於東京。岸信介日本首相訪華。在中國國民黨第八屆中央委員會全體委員會議被選爲中央常務委員。

一九五八年（民國四十七年）行政院改組，出任政務委員。在馬祖前線海面，南巡支隊及北巡支隊皆戰勝。國防部發表台灣海峽、金馬前線及台灣全省進入備戰狀態。國防會議蔣副秘書長飛往金門前線，予以重要指示。蔣公視察金門前線。金門受中共四萬五千發砲擊。金門國軍砲轟廈門中共陣地。擊落中共軍機五架，擊沉敵方魚雷艇三艘。三十天之內，金門前線受到三十二萬四千三十九發砲彈，但國軍擊落敵機十架，擊毀六架，金門防衛成功，是爲八二三砲戰。十月，在馬祖空戰，擊落敵機五架，擊毀二架。從金門砲擊廈門，摧毀敵砲大約二百一十三門。

一九五九年（民國四十八年）三月，榮民總醫院開始收容病人。獲頒三等寶鼎勳章。金門受到三萬餘發砲擊。三月，召開研討金門作戰之軍事會議。國防部發表一年之內金門受到六十四萬三千多發砲彈攻擊。十二月，日本前首相吉田茂訪華。

一九六〇年（民國四十九年）美國與日本修訂美日安全條約。向蔣公報告輔導會業務。在台中縣舉行東西橫貫公路通車典禮。長女孝章結婚。視察橫貫公路梨山一帶。

一九六一年（民國五十年）中共與蘇聯發生邊界爭執。召開橫貫公路資源開發長期及中期計畫研討會。再度獲選中央常務委員。

一九六二年（民國五十一年）輔導會成立大約七年，就業官兵十二萬九百七十二人，生產收益達五億九千二百萬元。視察東部土地開發情況。

一九六三年（民國五十二年）主持輔導會各訓練機構業務研討會。完成新竹海埔北區防潮堤。九月，訪問美國。在第九次全國代表大會當選中央委員，並獲選爲中央常務委員。美國總統甘迺迪被暗殺。

一九六四年（民國五十三年）出任政務委員兼國防部副部長。辭去輔導會主任委員。爲榮民弟兄撰「永生不滅之榮光」一文。

一九六五年（民國五十四年）出任國防部長。指示國防施政要點。約見中山科學研究院籌備處各組人員。訪美。與美國國防部長麥納瑪拉會談並發表聲明。獲頒一等雲麾勳章。

一九六六年（民國五十五年）參加第十二次軍事會議。連任中央常務委員。訪問大韓民國，晉見朴正熙總統，就亞洲問題交換意見。在監察院報告中共情勢與軍事問題。聽取行政改革方案報告。

一九六七年（民國五十六年）完成「風雨中的寧靜」。出任國家安全會議總動員委員會主任委員。巡視金馬前線。連任中央常務委員。以國防部長身分訪問日本。與佐藤榮作首相會談。晉見日皇。日皇表示將永遠銘記蔣公寬大德意。出席第十三次軍事會議。

一九六八年（民國五十七年）到金門過春節。三月，巡視馬祖。在立法院報告國防。

一九六九年（民國五十八年）訪韓與韓國總統、總理會談，並發表聲明。在漢城電視發表談話。以總統特使身分參加美國艾森豪前總統之葬禮。五月訪問泰國。向泰國國王呈國書。行政院局部改組，出任行政院副院長。成立「財政經濟金融會報」，由蔣副院長主持。出任行政院經濟合作發展委員會主任委員。出席第十四次軍事會議。

一九七〇年（民國五十九年）連任中央常務委員。訪美。與尼克森總統會談。在紐約受到台獨分子狙擊。訪問美國太平洋總司令部於舊金山。回國時非正式訪問日本，與佐藤首相會談。

一九七一年（民國六十年）發表詩作「在每一分鐘的時光中」。中華民國退出聯合國。

一九七二年（民國六十一年）連任中央常務委員。中央常會一致決議籲請總裁征召經國先生出任行政院長。在立法院，以歷居最高得票率獲得同意出任行政院長。六月上任，以平凡、平淡、平實六個字爲從政的基本態度。在立法院報告「莊敬自强」的對內施政方針，明確表示要强化復興基地，和打破中共的國際陰謀。對於日本的對中共政策，發表强硬意見。接見日本政府特使椎名悅三郎，强調尊重中日和約。

一九七三年（民國六十二年）提示行政工作的重點。力主將國家置於盤石之上。在馬祖前線慶祝春節。發表政治社會革新與安定物價措施。辭去救國團主任。發表將在五年內完成預定的重要建設。

一九七四年（民國六十三年）提醒公害問題。發表「安定目前之經濟方案」。在立法院施政報告明白表示將實行四大公開。舉行黃埔軍校創校五十周年紀念典禮，及國父建黨革命八十周年紀念大會。向國民大會報告：「新精神、新生命、新力量」。

一九七五年（民國六十四年）發表三民主義的經濟政策。蔣公逝世，葬於慈湖。召開中央委員會臨時全體委員會議。推舉經國先生爲中央委員會主席及中央常務委員會主席。嚴家淦升任總統。獲頒一等卿雲勳章。於金門發表「告大陸同胞書」。召開行政院十項建設工作研討會議。

一九七六年（民國六十五年）考察高雄大造船廠的世界第二船塢。視察石門第一核能發電廠。聲明「中華民國沒有製造核子武器之意圖」。視察桃園國際機場之建設工程。

一九七七年（民國六十六年）在馬祖慶祝春節。視察北迴鐵路南段崇德隧道工程工地。在行政院會議報告十大建設完成後十二項新建設計畫的初步構想。在國民大會預備會議發表外匯存底四十六億美元，國民所得一千美元，完成四十五萬公噸巨大油輪的建造。

一九七八年（民國六十七年）中國國民黨第十一屆二中全會第三次大會一致通過推舉經國先生爲中華民國第六任總統候選人。獲頒青天白日勳章。三月，當選總統。副總統爲謝東閔。巡視金門前線。五月，就任總統。台灣光復三十三週年。美國發表與中華民國斷絕外交關係。總統發布緊急處分事項：①軍事單位採取全面加強戒備之必要措施；②行政院經濟建設委員會會同財政部、經濟部、交通部，採取維持經濟穩定及持續發展之必要措施；③正在進行中之中央民意代表選舉，延期舉行，即日起停止競選活動。（十二月十六日）對美國突然斷交提出嚴重抗議。

一九七九年（民國六十八年）農曆除夕發表談話：願與大家「同甘共苦，繼續奮鬥，渡過難關，達到成功」。主持六十八年度大專學生集訓第三梯次結訓典禮強調「毋忘在莒」精神。訪問金馬前線。巡視岡山空軍官校。巡視鳳山中正國防幹部預備學校。端午節訪問金門。檢閱大規模實兵作戰演習「漢聲演習」。聽取李登輝市長報告。主持國家安全會議。在台灣全省及周圍海空域舉行國軍實兵作戰演習三天。中國國民黨建黨八十五周年。在中央委員會四中全會開會典禮宣告：「我基於三民主義的憲政體制，決不改變三民主義建設的規模，必再擴大；光復大陸的努力，決不稍懈。」

一九八〇年（民國六十九年）舉行中正紀念堂落成典禮。發表「難忘的一年」。主張貫徹民主憲政。召開國家安全會議特別會議。訪問金門。在中央常會決定今後的努力方向：政治民主、經濟繁榮、民生均富、國防鞏固和教育發達。

一九八一年（民國七十年）在國軍軍事會議的八項要點中，明白表示絕對不與中共談判，絕對不與蘇聯接觸。在中央常會對全黨同志提示，今後要有效發掘人材，積極獎掖人材，靈活運用人材，有計畫的儲備人材。訪問金門。由於當前的國際情勢複雜而變化多，因此在中常會說，要以「堅忍自强」的精神努力於勤儉建國，創造有利的形勢。

一九八二年（民國七十一年）在榮民總醫院動網膜手術。在中美關係，加强「合則兩利」的關係。在榮民總醫院實施身體檢查結果，認爲一切機能正常。在中國國民黨建黨八十八周年紀念大會，强調在精神上和行動上，要具有「臥薪嘗膽」的精神。

一九八三年（民國七十二年）前往桃園機場歡迎新加坡首相李光耀夫婦。接見日華關係議員懇談會灘尾弘吉會長。在榮民總醫院作健康檢查。聽取台灣省政府主席李登輝報告後指示：須以基層建設爲重，特別對於農、漁、勞工較低所得者的照顧，要能切實而普及。

一九八四年（民國七十三年）行政院經濟建設委員會審查並決定「台灣環島鐵路網計畫案」，總經費二百四十三億元。二中全會全體一致推舉蔣經國總統為第七任總統候選人，李登輝為副總統候選人。五月上任，表明「國家利益第一，民衆福利為先」的一貫方針。任命孔德成為考試院院長，林金生為副院長。行政院長在立法院作施政報告。六年內將推行十四項建設計畫，國民所得將增加到六千美元。台灣省政府發表：光復以後三十九年，國民所得增加五十五倍；農業生產總值比一九五二年增加百分之五十一．三；漁業產量增加六．七倍。

一九八五年（民國七十四年）訪問金門、馬祖。在行憲紀念大會開會典禮中宣示：中華民國總統的繼承，是經由憲法選舉而產生，總統家人中不能也不會參加競選，憲法絕不變更，更不會實施軍政府統治。

一九八六年（民國七十五年）主持國家安全會議，提示保持物價穩定，做到藏富於民，增進大衆福祉，照顧農民利益，並規定下年度總預算以十四項建設為執行重心。「天弓」全功能戰備彈試驗發射成功。因發現心律不整現象，在榮民總醫院裝置人工心律調整器，一切順利而出院。特任蔣緯國為國家安全會議秘書長，汪道淵為國防部長。在東京「蔣介石先生遺德顯彰會」，灘尾弘吉致詞，感懷蔣公恩德，對日本採取史無前例的寬大政策，奠定了日本復興的基礎。主持中央常會，通過「動員戡亂時期國家安全法」及「動員戡亂時期民間社團組織」兩項政治革新議題結論。

一九八七年（民國七十六年）特任林洋港、汪道淵爲司法院正副院長。總統府資政張羣百齡誕辰，特頒中正勳章，表彰其對國家卓越貢獻。公布「動員戡亂時期國家安全法」。解除台灣地區戒嚴令，同時實施國家安全法。在中常會指出，貫徹民主，厲行憲政，是打擊共產主義最佳的利器，而台灣地區宣布解嚴，已爲我們三民主義統一中國大業，更向前邁進了一大步。總統府戰略顧問一級上將何應欽將軍逝世。

一九八八年（民國七十七年）一月十三日，突然大量吐血，下午三時五十分逝世。根據中華民國憲法第四十九條之規定，由副總統李登輝繼任總統。一月三十日奉厝於桃園大溪陵寢之正廳。

（主要取材於「蔣總統經國先生哀思錄」第三編之年表）

紀念蔣經國先生逝世十周年口述歷史座談會紀實

序言

民國八十七年一月十三日為蔣故主席經國先生逝世十週年紀念，本會於一月九日（星期五）上午九時三十分起，假臺北市仁愛路三段一四五號空軍官兵活動中心二樓會議室，舉辦「紀念蔣經國先生逝世十週年口述歷史座談會」，邀請經國先生舊屬、親友口述其生平重要事蹟，以資紀念。

座談會分上、下午兩場，上午自九時三十分起至十二時，下午自二時三十分起至五時，由本會陳主任委員鵬仁先生主持，上午有俞國華、李煥、王昇、楚崧秋、秦孝儀、馬紀壯、馬樹禮、曹聖芬、夏功權、許歷農、徐耀庭、孫義宣、汪道淵、孔令晟、孔秋泉、郭紹儀、馬英九、章孝嚴、李雲漢、池蘭森、曾廣順、喬寶泰、樓文淵等二十三位應邀出席；下午續有魏鏞、孫運璿、秦孝儀、潘振球、郭紹儀、夏功權、錢復、周仲南、池蘭森、喬寶泰、樓文淵等十一位先生出席。發言熱烈，內容精采豐富。

座談會之發言，經高純淑、劉碧蓉整理作成記錄，並送請發言者修正後，因篇幅所限，分上下兩次刊登於《近代中國》雙月刊第一二三、一二四期，讀者反應熱烈。本（八十八）年適逢蔣故主席經國先生九秩誕辰，本會以此次座談會發言記錄，對於了解經國先生之思想志業有相當參考價值，乃結集出版《追思與懷念》一冊，以為紀念。

中國國民黨中央委員會黨史委員會謹識

紀念蔣經國先生逝世十週年口述歷史座談會

時間：民國八十七年一月九日

地點：空軍官兵活動中心（臺北市仁愛路三段一四五號）

主持人：陳鵬仁

出席者：章孝嚴　俞國華　馬英九　李　煥　馬紀壯
許歷農　馬樹禮　汪道淵　王　昇　孔秋泉
孔令晟　徐耀庭　魏　鏞　孫運璿　錢　復
秦孝儀　潘振球　周仲南　池蘭森　曹聖芬
楚崧秋　夏功權　李雲漢　孫義宣　曾廣順
郭紹儀　喬寶泰　樓文淵

記錄：高純淑　劉碧蓉

章孝嚴先生在座談會中發言。

俞國華先生在座談會中發言。

座談會會場。

蔣故主席經國先生墨寶

章孝嚴先生

為紀念蔣故主席經國先生逝世十週年，本黨中央計劃在各地先後舉行一系列紀念活動，來懷念蔣故主席，表示無限的追思與崇敬。黨史會繼昨天在政治大學公企中心邀集國內外史學家與史政單位，舉辦「紀念蔣經國先生逝世十週年學術研討會」後，今天再邀請當年與蔣故主席共事最久、接觸最多、體認最深的各位先進蒞臨參與口述歷史座談會，來彰顯、宣揚蔣故主席對民族、對國家、對社會、對民眾以及對本黨的貢獻，意義至為深遠。我們深切盼望全國同胞對蔣故主席一生為國犧牲奉獻的精神與平凡、平淡、平實的操持，有更多的啟迪與認識。孝嚴承黨史委員會的安排，於座談會之前首先致詞，深感萬分的榮幸與感謝。

時間過得真快，蔣故主席逝世忽已十週年，當時我們失去一位剛強堅毅的反共中堅與國家的領導人，大家的哀傷與痛悼是難以形容的，時間雖已飛逝，但蔣故主席的音容，似乎仍在我們的周遭，我們彷彿可以看到他親切的笑容，和堅毅而略帶沙啞的聲音，他的精神必將永垂不朽。由於世局的遽變，社會的快速轉變，更增加人們對蔣故主席的懷念與追思。

蔣故主席是一位平凡中蘊含著崇高、偉大的領袖，在座各位先進，都曾追隨蔣故主席有年，對他的思想、人格、言行、作風、工作精神與生活方式，相信較孝嚴有著更深切的瞭解與體認。蔣故主席一向以平凡、平淡與平實，作為他自我修養的準則，他強調處事求其平凡，生活求其平淡，辦事求其平實。但在篤行踐履這些修養工夫時，真正顯露了他的不平凡，依照孝嚴長時間的省察以及觀閱諸多有關文字的記載所顯示，蔣故主席的不凡之處，最主要的應有以下數項：

第一，蔣故主席始終堅持為國家盡大忠，為民族盡大孝的精誠，充分做到了無條件的信仰主義，服從領袖，無保留的犧牲自己，奉獻國家。他一生以革命者自任，而且認為「革命者的生命，早已屬於國家、屬於領袖、屬於主義」。他經常勉勵行政幹部要「時時心存國家」、「國家利益第一」；訓示黨務幹部「要以個人有限的生命，寄託在黨的無限生命之上」。這種只知有國家、不知有自我、終身奉行主義、服膺領袖、生死以之的精神，值得後人永遠的敬佩與效法，更是包括孝嚴在內的每一位黨務工作同志永遠追求的標桿。

第二，蔣故主席的內心充滿著民胞物與、愛民親民仁愛之情。他重視民間疾苦，樂於接近民眾，時體民隱，解決困難，興利除弊，確實做到了「苦民之苦，樂民之樂」。他曾一再要求行政人員建立「無官不是公僕」的觀念，凡事以民眾福祉為先，處處要以為民造福為念。同時更要求黨務工作人員，要深入基層，探尋民間疾苦，協助解決民眾困難、服務民眾，黨永遠要和民眾結合在一起。

第三，蔣故主席晚年充分體現了對民主憲政的執著和對國家建設的毅力，不因艱險橫逆而有所猶疑。他曾一再地宣示：「凡於復國建國大業所必要，於建設現代化國家所必行，於國民福祉所必需的，我們就必毅然戮力以赴，毫不遲疑。」蔣故主席著眼於國家民族長遠利益，而不計較個人一時的得失毀譽，這種對國家前途、民眾福祉的大信大義，早年可見於他的雄渾魄力，開創十大建設；後則在他極力推動政治改革、啟動兩岸交流等重大舉措中獲得印證。

第四，蔣故主席有主見有定見，卻能守經而達變。在他心目中在在可使人感受到的，有三項原則是絕對堅守不變的：一是憲法所制定的國體；二是反共復國的總目標；三是中華民國永遠站在民主陣營的一邊，為伸張正義公理，維護世界和平的職志；今天我們應篤履實踐、更加堅定，方能衝破橫逆，迎向光明。

第五，蔣故主席嚴以律己，寬以待人，和藹可親，平易近人，自奉儉樸，生活規律簡單。相信追隨過蔣故主席的各位，均有深切的體認。在世風日趨奢華的今天，是否人人都應自省，讓我們以身作則，率先反省自勵，來作改善社會風氣的先驅。

蔣故主席平凡中顯現的偉大，無法於短暫的時間中來一一報告，謹先就個人所感悟的提出幾點向各位請教。請各位先進多多指教。最後謹代表本黨，對各位先進，在蔣故主席生前，盡忠慎謀、分勞分憂的奉獻，表示無限崇高的敬意。更謝謝不辭辛勞，撥冗出席這項深具意義的座談會。農曆新年將屆，順此機會提前向各位先進拜早年，敬祝新年萬事如意、闔府安康。謝謝大家。

陳鵬仁先生

各位先進、各位媒體的朋友：黨史委員會為了紀念蔣故主席經國先生逝世十週年，特別舉辦口述歷史座談會，承蒙本黨的各位先進、各位前輩在百忙之中，撥冗參加座談，覺得非常的感謝。正如章秘書長剛才所說，經國先生一生功在國家，諸位前輩都是追隨經國先生多年，來為我們的國家、為我們的社會、為我們的國民服務的前輩，所以主辦單位特別邀請諸位前輩，來敘述當年追隨經國先生工作的情形、經驗、體認，一方面來緬懷經國先生；一方面記錄下來，讓後來的人做為借鏡，做為學習的榜樣。各位今天能夠蒞臨參加座談，我們主辦單位非常的感謝，並且覺得非常的光榮。因為時間的關係，我們現在就開始舉行座談，主辦單位並沒有安排發言的先後次序，我想先請俞副主席做個開場白。

俞國華先生

今天本黨黨史委員會為紀念蔣故總統經國先生逝世十週年，舉辦口述歷史座談會來紀念他，國華奉邀參加，備感榮幸。

蔣故總統對國家的貢獻甚多，今天因時間關係，無法在極短時間內，詳細報告。茲就經濟建設和解除戒嚴、開放黨禁、允許至大陸探親二件事，其關係國家根本大計，分別予以說明：

一、經國先生在行政院長任內，對國家最大貢獻之一，厥為經濟建設。經國先生接任行政院長後，於次年（即民國六十二年）十一月提出十項重要建設，包括公共建設之中山高速公路、中正國際機場及臺中港等，和工業建設之大鋼廠、核能電廠及發展石化工業等，以奠定我國工業化的基礎，使我國能成為一個新興工業國。

到民國六十六年，十項重要建設即將次第完成，經國先生為繼續推動國家建設計畫，乃於六十六年十月間，又提出十二項重要建設計劃，關於公共建設方面，則有環島鐵路、東西橫貫公路、臺中港二三期工程，和核能發電二三兩廠等，民生建設則有建立每縣文化中心和開發新市鎮和廣建國宅等。在第一次十項建設計畫中，則是以基本建設與重要工業為主，在第二次十二項建設計畫中，除繼續推廣基本建設及重要工業外，已逐漸擴展到文化事業和修築國宅的民生建設。

在他擔任總統期間，又由行政院提出十四項重要建設計畫，在公共工程方面，包括南迴鐵路、第二高速公路、建設臺北捷運系統，以及開發鯉魚潭水庫、後崛水庫計劃等；工業建設則有中鋼第三階段擴建計劃、明潭抽蓄電計劃、輕油裂解更新計劃，和液化天然氣專用港計劃等；與提高生活品質有關的，則有都市垃圾處理計劃，包括榮民總醫院、臺大醫院改建計劃，新建成功大學醫院，以及百個群體醫療中心。以及建立玉山、太魯閣、墾丁、陽明山四個國家公園。所以十四項建設計畫其範圍已擴及到改善國民生活品質方面。以上各項建設計畫，除捷運系統和整頓垃圾計畫，必須繼續推進外，其他計畫均已次第完成。

我國對外貿易，已因國家工業化後隨而大量擴展，由民國六十年對外出口為二十一億三千五百萬美元，至民國七十七年已增至六百十八億零四百餘萬美元，約增加了三十倍。平均每人所得，由民國六十年之四百一十美元，至民國七十七年已增至五千八百二十九美元，約增加十四倍以上，可見國家工業化後，平均國民所得與對外貿易均有快速的增加，這一期間經濟的發展被國際間譽為經濟奇蹟。由於國內財金基礎鞏固，經濟制度健全，去年東南亞各國及韓國發生金融大風暴，而我國仍能夠屹立不搖，因之懷念經國先生早年建國的辛勞，方有今日安定進步的局面。中研院近史所前所長陳三井表示經國先生是，臺灣經濟奇蹟真正的締造者和偉大的推手。經國先生當時還有句名言，他說：今日不做，明日就會後悔，希望國人常能記住這句名言，積極來做經濟建設的工作。

經國先生第二件大事，就是積極推動民主憲政的實施。經國先生於民國七十六年七月十五日正式宣布解嚴，我國自民國三十八年中共佔據大陸後，中央政府播遷來臺，臺澎金馬處於接戰地區，為防中共進犯，政府乃依戒嚴法的規定，於三十八年十一月二日宣布全國實施戒嚴，但祇採取了戒嚴法中，為防止敵人進行滲透、分化、顛覆、破壞活動所必要的部分，使政府施政與議會政治的運作，以及各級民意代表的選舉，仍能依民主憲政常軌進行；使國家與憲政發展，得以兼籌並顧。政府為了加速民主政治的步伐，提升對人民基本自由權利的保障，並使社會獲得更為開放的發展，宣布解嚴，開啟了我民主憲政大業歷史的新頁。

政府宣布解嚴以後，繼續採取開放政策，於七十七年一月開放報禁、開放報紙登記及報紙出版張數的限制，促進報業的發展，適應社會對資訊的需求，政府於七十八年一月二十日完成動員戡亂時期人民團體法立法、開放人民自由組黨及賦予政黨法律地位，開創我國政黨政治的新紀元。

解除戒嚴後，政府亦即全面開放外匯管制，由過去集中管理，改變到允許民間分散持有及自由運用，人民亦可向各銀行結購外匯，使金融自由化更向前邁進一大步。

解嚴以後，使我整個社會起了很大的變動，黨禁的開放、報禁的取消和外匯的開放，使整個社會進入一個新階段。經國先生這一作為是創時代的創舉，也開啟了一個新時代的來臨。陳三井先生亦指出，絕不能忘記經國先生解除戒嚴、開放黨禁報禁和開放大陸探親等重大決策，因為這真正關係著臺灣的未來和兩岸的和平，也才能為經國先生進行歷史的評價。

民國七十六年十月中，政府基於人道倫理的立場，宣布國人赴大陸探親的辦法，使對大陸政策邁出積極的一步，開始突破海峽民間三十餘年的長期隔絕，同時亦為大陸同胞打開了一扇窗戶，讓他們了解民主均富的理想，及民主制度之可貴，興起對臺灣經濟的嚮往。

其後探親範圍繼續擴大，為加強兩岸的交往，逐漸注重文化的交流和經貿的往來。

經國先生為推動經濟建設所倡導的十項、十二項以及十四項的重要建設，已將我國從一完全農業社會進入到一個新興工業國；民國七十六年七月經國先生宣布解嚴，繼之開放黨禁、解除報禁、開放外匯管制，以及允許國人赴大陸探親，帶領我國進入一個自由開放民主的境界。

經國先生逝世已經整整十年，緬懷其一生為國奮鬥，堅苦卓絕，尤其晚年，雖在病中，但仍為國事勤勞，策劃未來，未因病中苦痛而稍中輟，而其所有作為，無一不為國家奠立萬世不拔之大業。今天在其逝世十週年座談會上，追述其對國家之獻替，聊表景仰之忱而已。

陳鵬仁先生

謝謝俞副主席，因為馬英九先生另有要務，十時三十分以前必須離開，是否請其先

發言？還是請李錫公（李煥先生）先發言後，再請馬英九先生發言？（在李煥先生和馬英九先生一番謙讓後，請馬英九先生先發言）

馬英九先生

主席、各位黨內長輩、各位黨內先進、各位女士先生：大家早安。很抱歉在幾位長輩之前發言。我想剛才俞資政已經報告過很多經國先生生前事蹟，尤其是解除戒嚴、開放探親，雖然我參與其中一部分工作，但是我不想再重複報告。我想利用時間說明經國先生在推動民主改革，尤其是臺灣地區國會改革方面所花費的心力。我為什麼要講這一點呢？因為在過去我們發現有若干人士甚至在報紙上大登廣告，說經國先生生前不敢碰國會改革的問題，我覺得這是對歷史一個很大的誤解。實際上剛好李錫公在座，國會改革的問題，經國先生一直是念茲在茲。我記得在七十五年，也就是一九八六年的三月，國民黨舉行十二屆三中全會，提出各項「沒有改造之名，卻有改造之實」的議題。不久，在四月九日召開中常會之後，黨內成立一個改革小組，擬定六大議題，包括了解除戒嚴、開放組黨這些議題在內，那時候用語非常的含蓄，譬如像解除戒嚴，叫做「國家安全法律之研究」；譬如說地方自治開放省市長民選，叫做「地方自治的法制化」；而國會改革叫做「中央民意代表的新陳代謝」，諸如此類。當年的十月七日，經國先生在總統府接見美國華盛頓郵報發行人葛蘭姆夫人的時候，就正式宣布要解除戒嚴和開放組黨；在十月十五日，也就是八天之後的中常會，就通過解除戒嚴的決定，解除戒嚴也就在第二年，即民國七十六年（一九八七）七月十五日經立法院通過後，由總統明令公布。

關於國會改革，坦白的說，確實有一些阻力，不可諱言的，當時的國會，包括立法院、國民大會以及監察院都有很多的人對於國會改革抱著比較保留的態度。我記得在七十六年（一九八七）的七月一日，李錫公來中央黨部擔任秘書長，就在七月初，他找當時的宋副秘書長、高副秘書長和我（我那時候也擔任副秘書長），在三軍軍官俱樂部共進午餐，李錫公就指示有三件工作要麻煩你們去推動：關於開放探親的問題，他指示宋副秘書長去做；關於地方自治法制化的問題，他指示高副秘書長去做；他要我去做的就是關於國會改革的問題。當時我聽到這個指示之後，馬上就請示秘書長，我說：「秘書長，這個案子已經有人在做，你要我來做，豈不是和現在做的重複嗎？」（我現在可以講）李錫公就說：「英九，他們是做不出來的，你來做。」我當時覺得很惶恐，因為在這之前，我參與了解除戒嚴的工作，參與了開放探親的工作，但是國會改革，倒是第一次接觸。不過之後我就開始規劃這兩個工作，當時規劃的方向分兩個階段：第一個階段先推動資深中央民意代表退職，第二個階段再推動改選。在推動資深中央民意代表退職的方面，我們所擬的方案是如何使資深中央民意代表在有尊嚴、承認他的貢獻，而且生活有保障的情況下退職。在研究的過程中，有一個重要而關鍵的問題就是要不要設所謂的大陸代表，將來如果改選國會的話，要不要分出一些名額來成立大陸代表，這逐漸成為熱烈討論的問題，很多資深代表認為要展現國會代表全中國，必須要有所謂的大陸代表。在民國七十六年的下半年，我有兩次機會被經國先生召見，到他的寓所去。我向各位報告，我做了經國先生六年的英文翻譯，很少很少去他的官邸去。（他不准我們用「官邸」這兩個字，叫做「大直寓所」）去了那裡，非常意外的，他要我直接到他的臥房去，這是我第一次進他的臥房。他躺在床上，我發現他精神還不錯，不過感覺有一點疲倦：我發現他肚子鼜大的。他就問我進度怎麼樣？我向他報告大致上還符合進度，正在草擬辦法。我也提到有一些資深代表提出來要設大陸代表，以便能夠代表全中國。經國先生就笑著說：「這個好像沒什麼必要吧！」接著又說：「英九你去查查看政府在播遷到臺灣的時候，有沒有宣布過我們還是代表全中國的政府。」我當時說：「如果我沒有記錯的話，我們是在三十八年十二月七日從成都遷到臺北，當時沒有發表任何聲明，政府就遷到臺北。不過我可以回去查查相關文獻。」我回到辦公室，查遍相關資料，都沒有找到政府對這一點（代表全中國）的聲明。我當時也向經國先生報告，為什麼要這個聲明呢？我覺得一個國家就算國土減少，並不影響他做為一個政府的地位，就像英國，美國獨立之後英國也沒有因此而改變她做為一個政府的地位；同樣地，西班牙失去了拉丁美洲之後，也沒有這樣。所以我覺得即使沒有這個聲明，也沒有什麼關係。

第二次我又到經國先生的臥房去，也是同樣的，搬個小板凳坐到他旁邊，又談到大陸代表的問題。我就說明目前規劃的是沒有設大陸代表，他就講沒有必要呀，只要按照中華民國憲法選出來的國會，就是代表全中國，不需要另外再設大陸代表。我向各位長輩報告，我聽了這句話以後，心中落下一塊石頭，因為我的規劃中根本沒有要設大陸代表。另外很重要的，從這句話可以看得出來經國先生非常有民主的素養。假如說我們在那個時候還要把大陸代表規劃進去的話，就沒有辦法解釋為什麼要在四十年前停止選舉，這個時候可以設大陸代表的話，那民國四十三年大法官就不必做釋字第三十一號解釋停止選舉。基本上，這是法理上很大的矛盾，那個時候不能辦選舉，現在可以用大陸代表的身分，辦大陸地區的選舉（雖然這是在法理上行不通），真的要辦的話，為什麼以前不辦，現在才要辦，這是沒有辦法向外界解釋，法理上、政治上都解釋不通的。我覺得經國先生當時做了很睿智的決定。我心裡面就在想，講老實話，我們做部屬的也在看我們的長官有沒有這樣的智慧，有沒有這樣的胸襟。從某個角度來看，經國先生在這一方面得了滿分，贏得了部屬的尊敬。因為我想如果他要設大陸代表的話，我不知道要如何繼續規劃，只好放棄這個工作。在那個時候的確有很大的壓力，很多資深代表都如此主張，他們認為法統是要靠憲法維繫，但是同時也要靠人來傳承，沒有這批人就沒有辦法傳承。可是我在想大陸代表怎麼選呢？誰能代表江蘇？我是湖南人，我能代表湖南來參選嗎？這完全說不通的，可是卻有很多人有這樣的主張，在如此氣氛底下，確實有蠻大的壓力。不過經國先生做這個決定之後，我回來也向李秘書長報告。等到這個案子在七十七年（一九八八）的一月十二日（也就是經國先生逝世前一天）提報下午在臺北賓館的專案小組會議（由當時的李副總統登輝先生主持），第二天下午一時，經國先生就過世了，所以來不及提第二天的中常會。我記得在第二天的中常會之前，經國先生還問李秘書長說，國會改革的案子有沒有提出來？他自己反而不知道我們做好了這個案子。不過他過世之後，在元月二十七日的中常會上通過了。我還在文工會配合當時的內政部長吳伯雄作個說明，第一階段推動資深中央民意代表退職，第二階段再考慮改選事宜。往後從二月份之後的幾個月，李秘書長安排和立法院、國民大會溝通說明這個方案。憑良心講，有些溝通會上是蠻火爆的，尤其是李秘書長遭到很大的壓力，覺得我們這樣做的話，簡直是把根都要挖掉了。但是我們從事後來看的話，經國先生這個決定是非常睿智的。換句話說，我們設全國不分區的代表，中間有華僑，有各界精英，實際上只要中華民國憲法存在一天，這樣的一個國會就是代表中華民國憲法所代表的領域，這是非常清楚，不需要用人來承續法統，因為人是會死亡的，而國家的法統應該是永久的。我覺得看起來是很簡單的道理，看起來是很多人都瞭解的道理，但是有時候一個在高位的人卻看不清楚，因為他有時候聽不到真話，有時候看不到真相。我覺得那個時代，經國先生病得那麼重，眼看著身體就不行了，還能夠做這樣睿智的決定，講老實話，我們做部屬的真的非常的感佩。這個決定使國會改革的步伐不但很順暢，而且很正確。

記得在經國先生公祭儀式之後，我剛好必須到美國參加白宮早餐會，等到回國後才再去頭寮祭拜，想到國會改革案，雖然通過了，但他老人家沒有機會看到，心裡很難過。我記得那天我在頭寮實在很感嘆，這個案子為什麼拖這麼久，在他過世前沒有辦法提出來。我記得在一月十二日提報專案小組，由李副總統主持，會前我還特別去請示李副總統，向他做個簡報。李副總統也說這個案子怎麼拖這麼久，上次開會是二月，一年都沒有開會。所以可以想像這個案子在黨內是有些阻力的；很可惜就是因為這些阻力使得經國先生在生前沒有機會看到這個案子完成。但是我覺得他在生前能夠做出決定：不設大陸代表，先推動中央民意代表退職，進一步再推動國會的改革，我覺得這個決定對往後臺灣的民主化，尤其是國會的民主化，奠定非常清楚、明確，而且非常正確的方向。

今天我出席座談會，一方面是把這段故事說出來，二方面也要澄清以前有人說經國先生不敢碰國會改革問題，這不是事實，他不但敢碰，而且敢於說不要設大陸代表，只是我們當時並沒有把經國先生這個指示，拿出來當做一個令箭，到處宣揚經國先生是這樣主張的。我覺得這個事情從法理上就很清楚，不一定要某一個人指示，才有道理。基本上、法理上是行不通的事情，我們就不應該這樣做。這是我今天到這裡來報告的一個非常主要的理由，並且希望各位長輩、先進指教，謝謝各位。

陳鵬仁先生

謝謝馬英九先生對推動國會改革的真相，做了詳細、外界所不知道的報告。現在請李資政錫俊先生講話。

李煥先生

主席、各位先進、秘書長：今天黨中央舉行這個座談會，我覺得意義非常的重大。我本人從民國三十三年考進中央幹部學校研究部，就追隨經國先生，一直到民國七十七年經國先生逝世，整整四十四年。在四十四年中間，我每一個工作，都是經國先生安排的，所以和經國先生見面的機會非常的多。第一個階段，經國先生要我從事的主要是青年工作，先是參加青年軍，以後參加三民主義青年團，到臺灣來主持中國青年反共救國團，以及行政院青年輔導委員會，以後就擔任中山大學校長、教育部長，這都是屬於青年工作。後來我參加黨務工作，也是在經國先生領導之下。關於經國先生對國家的、對黨的領導，他的豐功偉績，我想大家都知道的很多；我覺得今天我們紀念經國先生，除了他在黨政的事功以外，有很多他的人格的表現，在日常言行中間所流露出來的，更值得我們重視，對於社會有很重要的教育作用。

舉個例子來講，我在救國團工作的時候，救國團經費非常困難，有人建議救國團可否向工商界募捐。當時救國團的經費是由經國先生以他總政治部主任的特支費，每個月撥一萬元給救國團做工作費，所以有人建議可否向社會募捐。我將此意見向經國先生報告，經國先生非常嚴肅的告訴我，救國團絕對不可以募款，他說你知道我們募捐十萬元，我們要背負一百萬、一千萬的政治債，我們一生都還不清楚。所以救國團從來不對外募款。

我再舉一個例子，我們救國團辦的一個刊物，叫《幼獅月刊》，出刊以後，封面是主任經國先生講話的照片，內文並登載講話的內容。經國先生看到以後，要我到他辦公室，非常嚴厲的責備我，他說：「我們救國團辦這個刊物，是為誰辦的？是不是為宣傳我來辦？你們不登載青年有關的問題，把我的照片、把我的話登在裡面，為我來宣傳。這個刊物的意義在那裡？」我對他這個指示感觸很深，得到啟示也很多。

我也記得救國團曾經辦理軍訓，當時軍訓組的負責人曾經提出，為了提高軍訓的精神，規定每個學生下學期要做一雙皮鞋，當時是民國五十年。我和軍訓組長商量，找一個很便宜的廠商來承包，每一雙鞋只要八塊錢。經國先生問：學校的校長贊成嗎？軍訓組長回答：都贊成。家長呢？家長有百分之七十二贊成，百分之二十八有意見。經國先生做結論，他說你主張做皮鞋，要每個學生繳八塊錢，校長都贊成是因為是救國團提出來的，我是救國團的主任，所以他們都贊成。百分之七十二的家長贊成，他們是覺得八塊錢的負擔對於他們沒有太大的困難，但是百分之二十八的家長反對，就是表示說他們的經濟很困難，八塊錢的負擔對於他們來說非常的沉重。所以經國先生說：「我贊成百分之二十八家長的意見，不要做皮鞋。軍訓的精神在於我們的訓練，在於我們的領導，不在乎他的皮鞋。」他這種體恤家長，考慮窮苦家庭的處境，使我們得到很大的啟示，使我們人生得到很大的教訓。

有一次救國團建造一個游泳池，就是「再春游泳池」，紀念李再春捨己救人。再春游泳池成立的時候，經國先生參加茶會，問我：再春游泳池收費不收費？我說收費，大人三塊錢，學生兩塊錢，團體票一塊錢。他說可不可以不收費，我說不收費可能管理上有困難，當時生活環境與現在不同，很多人跑去游泳池洗澡，管理很困難。他說那減半好了，後來再春游泳池的票價就減半。他臨走的時候告訴我：「我知道救國團的經費很困難，但是你要知道，千萬不可以在青年的身上打賺錢的主意，你要賺青年的錢，會把國家賠下去。」這句話到現在還像觸電般在我心中激盪。

民國五十二年七月十五日，經國先生寫了一封長信給我，信中有兩句話：「什麼叫做勝了世界？有了信心就是勝了世界；什麼叫做神仙？沒有了私慾就是神仙。」我們受經國先生的教誨實在很多，像這種例子很值得我們在社會上流傳，對社會發生一點教育作用。

經國先生在每年春節的時候，一定要去拜訪很多學人，例如沈剛伯先生、劉季洪先生、方東美先生，他都親自到諸位先生府上拜年。有一次他帶我去拜年以後，在車上告訴我，這許多飽學之士，教書非常清苦，而他們誨人不倦，這種的人才是我們國家真正最大的財富。他對學人非常的尊敬。他的許多言行，都值得我們學習，而且讓他的精神對社會發揮作用。

後一階段是我主持黨務工作，也是經國先生安排的。民國七十六年七月一日，我接替馬樹禮先生擔任中央黨部的秘書長，接事以後，七月四日去晉見經國先生，報告已經接任秘書長的職務，請示經國先生對工作上有何指示。經國先生說：「我心裡所考慮的三件事情，希望你研究協助辦理。第一件事情就是黨的改革，我們國民黨現在已經慢慢的與群眾、與黨員脫節，我們怎樣加強黨，使黨員的向心加強。第二，國家一定要民主化，自從戒嚴以來，已經四十多年，時間相當的長，當時戒嚴是因為中共揚言『血洗臺灣』，所以政府宣布戒嚴令，結合政府與民間的力量，抵抗中共的侵犯。但是戒嚴四十年，一般民眾忍耐已經到相當的程度，現在我們經濟繁榮、社會安定、軍事壯大，已經不怕中共的進犯，所以如何恢復政治的民主化，如何恢復政治常態，這個問題是要考慮。第三，是如何使國家統一，兩岸隔絕已經四十幾年，要如何達到國家的統一，是我們最重要的任務。我們要用政治的力量及軍事的力量，來達到國家統一的目標。」這是我擔任秘書長以後，經國先生給我的工作指示。所以在當年的七月十五日就解除戒嚴；十一月二日就開放臺灣同胞到大陸探親；到了七十七年的元月一日，開放組黨和辦報。很不幸經國先生在元月十三日就逝世了，否則我相信他還會有一連串針對上述三項目標的相關措施，還會繼續來推動。

經國先生在一月十三日去世，前一天，一月十二日中午十二時四十分，他叫參謀打電話給我，要我到他住的地方去，所以我就到他住的地方，和剛才馬（英九）先生講的一樣，他睡在病床上，我坐在床的旁邊，和他談話。經國先生問起：明天是星期三，要開常會，有什麼重要的提案。因為當時經國先生身體不是很好，我向他報告並沒有太重要的提案，你身體不好，可以由常委來主持常會。他說今天（十二日）上午我到總統府辦公、會客，覺得很愉快，所以明天我要參加常會，我要聽聽各位常務委員的意見。經國先生既然這樣決定，我就回去安排。最後經國先生說：「現在我們黨、我們政府目前遭遇到很多困難，但是只要我們團結，所有的困難一定可以克服。」這句話就成為經國先生最後給我的啟示。到了十三日下午二時許，我才接到電話說經國先生病危，很不幸經國先生就去世了。

所以我從事青年工作、黨務工作，追隨經國先生多年，他的很多言論、行為，使我得到很大的教訓和啟示，這許多對社會都是很有價值，很有教育意義的。今天我們來紀念經國先生，我個人寫了一本《十年追思》，把我紀念經國先生的文字歸納起來，除了經國先生平時教導我們的言行以外，還有一篇記述經國先生致力民主而奮鬥的事實。很多人認為經國先生是威權統治，是白色恐怖，我認為完全不是事實。經國先生的做人、觀念、思想、行為、領導，都是很嚴謹的，對國家追求民主政治，他也很勇敢的提出很多意見。很多人對於憲法有很多不同的意見，經國先生對於有關國家憲政問題有很多指示，我也把重要的指示歸納成為一篇文章。

今年是經國先生逝世十週年，我也寫了一篇『一生愛護青年的蔣經國先生—紀念蔣經國先生逝世十週年』，將於十三日在報刊發表。最後我寫了幾句話，做為今天發言的結束。「經國先生，他的愛國志節和尊親孝行，為青年朋友們所崇敬；他冒險犯難和嫉惡如仇的勇氣，為青年朋友們所景仰；他真誠坦蕩和生活儉樸的風範，為青年朋友們所取法；他和藹可親和接近群眾的作風，為青年朋友們所樂從。」經國先生能夠得到青年朋友們的愛戴，就是由於他一生表現的言行所影響，所以我把他作為結論。對不起，耽誤各位的時間，謝謝各位。

陳鵬仁先生

謝謝李錫公很詳細的報告，現在請馬紀壯先生發言。

馬紀壯先生

各位前輩、各位老朋友：今天我們紀念經國先生逝世十週年舉辦口述歷史座談會，心中十分感慨。昨天我翻到一篇文章『追思與懷念』，是經國先生逝世一週年，我在日本寫的，但是資料都是國內的。我看了幾遍，覺得還有報告的價值，我今天做個簡單的說明，請各位參考。我追隨經國四十年，十幾年在國外或其他的單位，其餘二十幾年都在經國先生的身邊，所以就我的記憶有關的事情提出來，其他的事情，各位知道的很多，我就不再重覆。

第一件事情，我感覺經國先生最大的精神是「那裡危險到那裡去」，最顯著的是民國四十七年八月，就是「八二三」金門砲戰之際，中共在一日間以數百萬發的砲彈，瘋狂的轟擊金門，激烈空前，全島震憾。當時經國先生乘小艦，冒彈雨進入金門，可說是奇險無比。他以這種冒險的毅力，與守軍官兵共患難，激勵袍澤弟兄，於是我軍士氣大振，終使中共官兵敗退，我軍獲得空前的勝利，達到了挫敵前方、捍衛寶島的任務，這是他發揮奮勇衛國大無畏精神的最好實證。

第二件事情是「三軍脫胎換骨軍隊現代化」：政府遷臺之初，物力維艱，經國先生為積極的充實軍力，發起克難運動，割稻草、蓋營房，一切自己來做，於是形成克難風氣，使許多原非金錢不能辦到的問題，都迎刃而解。經國先生並負起整建政工制度的任務，使軍隊能夠純潔而堅強，發揮政工制度的顯著效果。經國先生任國防部長時，我有幸擔任他的輔佐。他指示國防工作最重要的是要建軍備戰，當時三軍裝備武器多賴美援，為求自力更生，他下令增建兵工廠，建立中山科學研究院及航空發展中心，期使三軍裝備自給自足；並研究發展尖端科技，改革裝備，使三軍脫胎換骨，成為現代化的、真正的國家軍隊。

第三件事情是「走遍全島處處為老百姓著想」：經國先生走遍臺灣全島三百二十多個鄉鎮，我曾陪侍多次，看他所到之處，總和老百姓打成一片，或閒話家常，或一起進食，藉以深一層瞭解民眾的生活和需要，作為施政的參考。

第四件事情是「創造經濟奇蹟」：十大建設中，我參與了中國鋼鐵公司的建廠工作。經國先生要我到中鋼任第一任董事長，我當時自認對煉鋼一竅不通而推辭，經國先生說：「你是海軍出身，船艦都是鋼鐵打造的，到煉鋼廠去沒什麼不對，你去好了。」

我向經國先生報告，建煉鋼廠要花很多錢，經國先生要我找（中央銀行總裁）俞國華先生研究。我拿到二三十億的經費，就開始籌備，一切依法行事，在非常辛苦的情形下，完成了大煉鋼廠。三年之後，第一批鋼鐵賣到美國，全部被接受，所以現在中鋼在外國的行情一樣看好。

第五件事情是「沉著應變」：當年國家處境困難，民國六十七年十二月，美國決定與中共建交，十五日深夜，美國駐華大使安克志到七海寓所晉見蔣經國總統，報告此一決定。經國先生聞訊後，已知此乃大勢所趨，終難避免，於是沉著應變，立即決定應行步驟，決定繼續維持中美實質關係，其後美國國會通過「臺灣關係法」，商定雙方互設代表機構，中美關係於焉穩定。

最後，就是在內政方面進行遠見、包容、果斷的「民主改革」，這一部分剛才許多先生都報告了很多，我不再佔用太多時間。

總之，經國先生一生憂國愛民，為國家、為人民做了許許多多偉大的貢獻，即使在他疾病危篤時，仍然是為了「國計民生」，而勞瘁不息，耗盡了他最後一滴心血。現在他棄我們而去，很快的已屆十週年了，但他的精神將永遠活在我們海內外同胞的心裡，我們要化「哀思」為力量，繼承遺志，遵奉遺囑：「堅守反共復國決策，積極推行民主憲政，團結一致，奮鬥到底，完成以三民主義統一中國之大業」，來紀念這一代的偉人。

今天簡短的幾句話報告給各位，請大家共同奮鬥，謝謝各位。

陳鵬仁先生

很感謝馬資政紀壯先生的報告，因為許歷農先生要提前離開，我們先請他報告。

許歷農先生

主席、各位黨國先進：今天中國國民黨黨史會舉辦紀念經國先生逝世十週年的座談會，能夠邀請我來參加，（雖然我已經不是中國國民黨黨員，但是我心裡還是中國國民黨黨員）顯示中國國民黨的胸襟，我個人也特別感到榮幸。和各位黨國大老、各位先進不一樣，我不曾追隨在經國先生身邊，只是經國先生屬下的一位軍官、一位普通公務員而已，我相信我個人的感受能代表一般公務員和絕大多數的社會大眾。不過經國先生特別的地方很多，我在這裡只提出以下三點：

第一，我覺得經國先生無所不在，特別是你在痛苦、艱難、危險的時候。我是職業軍人，我願意舉兩件軍隊裡面的情形。一個是登步島戰役，登步島是舟山群島的一個離島，它面積可能和小金門差不多，或許還小一點。民國三十八年底，政府和國軍都已經撤離大陸，轉進到臺灣，登步島只有一個師（還缺一個團）駐守。三十八年十一月三日，中共從對面的桃花島向登步島大舉進攻，激戰兩晝夜，形成膠著、拉鋸的狀態，國軍士氣都非常低落。就在這個關鍵的時刻，經國先生去了，國軍士氣大振，一舉擊退了中共的軍隊，締造了舉世聞名的所謂「登步大捷」。第二個大家剛剛已經提到了，就是金門「八二三砲戰」，當時我個人也在金門，戍守在東海岸。大家都知道那時候金門所有的港口、灘頭、機場都被中共的砲火滴水不漏的封鎖了，可是經國先生照樣無事的到達金門，而且穿梭於各陣地之間。當時我們都在納悶，那時候軍隊補給都是要用空投，我們不知道經國先生究竟是怎麼來的。我想化行先生在此地，他會知道的，我到現在仍然覺得這是一個「疑問」。民國六十四年，我當政戰學校校長，經國先生經常告訴政戰學校的學生，「要吃人家所不能吃的苦，要負人家所不敢負的責，要忍人家所不能忍的氣，要冒人家所不敢冒的險」，經國先生他自己就先做到了。

第二，經國先生是真正勤政愛民，節儉樸實，剛剛幾位先生已經談到了。每年六月十六日是黃埔校慶，也就是陸軍軍官學校的校慶，以前政府對這個日子非常的重視，每年都由總統親自南下去主持慶典。民國六十七年，我個人擔任陸軍軍官學校的校長，經國先生為主持這個慶典，十五日就到了高雄。我知道他晚上要住到學校來，很早就在等待他，等到晚上七、八點鐘才到。他一到春暉堂（春暉堂是官校為總統準備住宿的地方，我想很多長官都到過那個地方）就說，我今天到屏東，多跑了兩個鄉鎮，把時間耽擱了，所以到得很晚，幫我準備一份蛋炒飯，一碗紫菜蛋花湯。各位先進，當年我們總統的晚餐就是一份蛋炒飯，一碗紫菜蛋花湯。晚飯以後，他或許因為跑得很累，很早就睡了。春暉堂是一個很老舊的建築，以前先總統蔣公也經常住在那裡，裡面一切設施都保持原狀，沒有變動，經國先生也許觸景生情，遲遲不能入睡。到了晚上十一點多了，他要當時的武官王家驊先生（後來當到總統府的機要室主任）來找我，總統要一張行軍床，我問三更半夜要行軍床做什麼？他說總統在房子裡睡不著，要搬一張行軍床到客廳來睡。行軍床是當年軍隊的野戰裝備，如果各位到我家做客，我要以行軍床接待你過夜，你恐怕會覺得非常的委屈。第二天一早，他說昨天晚上沒睡好，我說行軍床不好睡，他說不是，是因為客廳有蚊子。時間過得很快，這種往事轉眼已化成煙，撫今追昔，總覺得感慨萬千。

第三，經國先生是「鞠躬盡瘁，死而後已」。民國七十六年年底，經國先生過世前一個多月，我從總政治作戰部主任調任行政院國軍退除役官兵就業輔導委員會主任委員。有一天晚上，差不多九點通知我，到七海大直寓所去晉見。我到達之後，武官帶我到經國先生的臥室，那是一個非常簡陋的房間，在我的印象中，除了床鋪後面和進門左邊有一排櫥櫃以外，好像沒有其他的設施。他睡在床上，我坐在他床鋪的邊上，燈光灰暗，我覺得有幾分親切，也有更多的悲涼。他以沙啞的聲音對我說話，中間一度停了很久，我想他也許覺得很累。我坐在邊上，不曉得他是已經睡著了，還是在休息，也不敢喊，也不敢走，一時不知所措。就這樣他才告訴我輔導會成立的原由，他在輔導會的經驗；他強調國軍退除役官兵（榮民）一生為國家犧牲奉獻，到老一身孤苦伶仃，再三的說要好好的照顧榮民，要特別的照顧。我走出房間以後，就有一個感想，我覺得我真的感受到什麼叫「鞠躬盡瘁，死而後已」。

今天有很多長輩、先進在此地，我不願意耽擱太多的時間，最後我用一兩句話作為今天報告的結論：「願經國先生的精神永遠與我們同在，我們永遠懷念經國先生。」謝謝。

陳鵬仁先生

謝謝許歷農先生的報告，現在請馬樹禮先生發言。

馬樹禮先生

經國先生對臺灣早期的社會安定，後期的經濟繁榮，和今日的政治民主，都有極大的貢獻。今天在臺灣的二千一百萬人能有如此自由富裕的生活，與經國先生的這些貢獻有密不可分的關係，所以今天我們來紀念他逝世十週年，其意義特別重大。

先談早期臺灣的安定：經國先生於政府遷臺後輔佐先總統蔣公，先任國防部總政治作戰部主任，穩定了軍心；繼任行政院退除役官兵輔導委員會主任委員，安置了榮民；後任國防部長，推行國防現代化，鞏固了復興基地。臺灣如果沒有早期二十年的安定，就不可能有今日的經濟繁榮和政治民主。

再談臺灣的經濟繁榮：經國先生於民國六十一年六月一日出任行政院長，次年即提出十大建設，很快的使我國步入開發國家之林。

在民國六十年以前，臺灣的經濟落後，國家的財政困難，國人的生活之苦，公務員待遇之低，現在凡是五十歲以上的人，應該都曾體驗過。經國先生在行政院長任內完成的十大建設，包括南北高速公路、中正國際機場、鐵路電氣化、北迴鐵路、臺中港、蘇澳港、大鋼廠、高雄造船廠、石油化學工程和核能發電工程。這樣多的浩大工程，竟能在短期間一一圓滿完成。單拿南北高速公路來說，從基隆到高雄，從動工到通車，只有五年時間，和今天的北二高和臺北捷運相比，簡直不可想像，其成本和品質更不必說。

以上十大建設項目中，有七項係屬交通與能源的開發，經國先生洞察交通與能源是臺灣經濟發展的瓶頸，在國家財政那樣困難之情況下，不惜投下鉅資來推行這些計畫。試想如果沒有高速公路與桃園中正機場的興建和多種港口設施擴建，以及電力的大規模擴充，怎能會有臺灣後來經濟的大幅成長而成為亞洲四小龍之首？大鋼廠等的興建，也很快使我國步入重工業和技術密集工業時期，在今日的亞洲金融風暴中，連日本都不免波及，只有臺灣安穩如常，不能說與經國先生所奠定的基礎無關。

在十大建設開始的六十一年，我國每人每年國民生產毛額只有新臺幣二六、五〇六元，國民所得只有二四、五六四元。對外貿易順差為六・九一億美元，央行外匯存底為一〇・二六億美元。但到了民國八十五年，國民生產毛額達新臺幣三六三、四四三元，增加一三・七一倍；國民所得達新臺幣三三一、一七四元，增加一三・〇七倍；對外貿易順差為一三五・七一億美元，增加八五・八一倍。在民國六十一年以前，雖然我國經濟已經開始成長，但真正的經濟起飛，則在六十一年經國先生出任行政院長之後，今日在臺灣的人怎能不懷念他。

談到政治民主，也是由經國先生奠定了堅實的基礎。政府在遷臺之初，為著防制中共的滲透，避免重蹈在大陸上各省市多是不戰而陷的教訓，不得不依憲法上的臨時條款採取若干非常措施，以確保臺灣的安定。經國先生於民國七十三年第二次就任總統，鑒於此時國家安全、社會安定及經濟繁榮已經獲得相當穩定的保證，而且民智日高，民主憲政的環境也已見成熟，即積極推動民主憲政的落實。七十五年三月二十九日國民黨召開十二屆三中全會，經國先生在開幕典禮中，以「承先啟後，開拓國家光明前途」為題，發表一篇劃時代的講詞，明確的指出：「時代在變，環境在變，潮流也在變，因應這些變遷，執政黨必須以新的觀念、新的做法，在民主憲政體制的基礎上，推動革新措施，唯有如此，才能與時代潮流相結合，才能與民眾永遠在一起。」這篇講詞是我以秘書長的身分代他宣讀的。三中全會之後，立即由中常會推請嚴常務委員家淦先生等十二位常委成立研究小組，對貫徹民主憲政進行規劃，分工策行；同時並延聘國內專家學者，出國考察，會同主管官員一再集會研商，集思廣異，終於在次年宣布解除戒嚴令，開放黨禁報禁和大陸探親，奠定今日民主憲政的基礎，也和緩了海峽兩岸間緊張關係。

在此還有一點我要特別提出的，有人說經國先生的領導是威權統治，其實經國先生的作風是很民主的，因此他的部下才能充分發揮其才能。如果他的幹部都是只知聽命，只會揣摩他的心理逢迎他的心意的人，怎能在建設和改革上獲致那麼多的成就。我在這裡且舉兩個例子，以證明他的民主作風。

我在擔任秘書長任內辦過兩項重要的選舉，那就是七十四年的縣市長選舉和七十五年的立法委員選舉。經國先生對於候選人的提名，完全授權給黨內的提名小組。而在提名過程中，對小組決定的名單，在我記憶中，他從未在事前指示或事後更改。他提出不同意見的只有一件，那就是在縣市長選舉提名中，當我把名單呈給他時，他對彰化縣長和嘉義市長的人選，不贊成由國民黨提名，而主張仍讓黨外人士現任的黃石城縣長和張博雅市長繼續做下去；但省黨部主委關中同志舉出好多理由，認為黨的提名人選在學能和操守方面，都是上上之才，堅持必須提名。當我轉報經國先生時，他想了很久，仍然認為以不提名為宜，並向我說了很多不提名的理由，但關中同志還是認為自己的看法是對的，力主所提的兩人不要更動。結果是採取折衷辦法，即嘉義市長照提，彰化縣長提名撤回，由此可見經國先生在工作上如何尊重部屬的意見和不堅持自己的主張。選舉結果，國民黨提名的嘉義市長落選了，黃石城縣長和張博雅市長都當選連任，但經國先生對提名的得失從未再提一句話。

另一件是開放大陸探親的事，這是他主動提出的。他認為確有早日實施的必要，在七十六年初，要我召集有關單位研究。第一次開會，有的人非常支持，其中以大陸工作會主任蕭昌樂同志為主，但有的人則力主慎重，以國家安全局局長宋心濂同志為主；當我把各人的意見向他報告時，他說此事不宜拖延，要我過一段時間再開一次會議研究。第二次會議仍是有人認為有安全顧慮，不宜開放，當我報告他時，他只說一聲「再研究吧」！我是在七十六年七月一日離職，開放探親是在當年十月十一日宣布，其中的經過我不知道，但是如果經國先生的部屬不堅守自己的崗位而一味逢迎，又如果經國先生沒有重視部屬意見的胸襟，可能在七十六年的上半年即已開放大陸探親了。

其他如解除戒嚴，開放黨禁、報禁，都是由經國先生提出，請嚴前總統家淦先生以首席中常委的身分，邀請黨內大老和相關主管一再研商。在我把大家達成共識的情形報告他後，才通過正式程序作最後的決定。這是一方面表現他的思想進步，總是走在一般黨員的前面；另一方面更表現他的民主作風和尊重他人意見。所以我認為有人稱他的領導為威權統治，是很不公平的。

陳鵬仁先生

謝謝馬先生很寶貴的報告，現在請汪道淵先生發言。

汪道淵先生

主席、各位先生：剛才發言的先進，對經國先生的生平軼事和非凡造詣，講得很多。我藉這個機會只講一件事，就是經國先生的克己工夫。

經國先生收藏有一塊石頭，大約有普通書本那麼大，放在介壽館辦公室的案頭，想必大家都見過或在照片上看見。石頭是青灰色的底，上面有白色天然的線條，大書一個「忍」字，非常醒目。放在案頭，可見經國先生經常拿來以此自勉自勵。

記得有一天，道淵侍坐閒談，經國先生忽然問起，你看我近來有什麼進步？我答道總統太客氣，真正是「不恥下問」，就我所見或所聞，總統近年來都沒有發過脾氣，可見很做了一番「忍」字的功夫。他微微一笑說，在行政院六年裡，祇發生一件事使我很生氣。（大概是向國外採購民生物資遲延的問題）經國先生居於領導的地位，他是如何地克己而愛人，這就是孔子所講的「仁」的本質。從這一個故事，可見經國先生是如何自我的修養。

陳鵬仁先生

謝謝汪先生的報告，現在請王化行先生發言。

王　昇先生

主席、各位先生：我是民國二十七年認識蔣經國先生，當時我在一個地方團隊服務，是一個中尉，他在江西新兵督練處當處長，駐在贛州。然後我就考軍校，向他辭職，他也不知道我是誰。但是軍校畢業以後，正好三民主義青年團江西分團成立，在贛州赤珠嶺辦理青年團幹部訓練，軍校挑選了七十二個人到江西參加受訓，江西當地招收七十二個大專學生，畢業以後就派到各縣辦理青年團。我因為受訓成績第一名，他把我調到專員公署學習關於行政方面的事情，當時是民國二十八年。

他任行政專員以後，工作的困難程度可以說是一言難盡，當時地方上是一個三不管地帶，充滿了煙、賭、匪、娼、貪（官）污（吏）、土（豪）劣（紳）。第一年他實行「掃蕩年」，我就奉派到交通比較不方便，土匪最多，土豪劣紳也最多的地方，就是新豐、尋鄔、安遠三縣。當時我雖然是軍校畢業，但是我對重機槍很有興趣，所以每個地區都叫我兼打擊指導員，以武力消滅土匪。我就把四個中隊移駐到三個縣的匪窩去，每個中隊做一個基地，建築好碉堡，準備好糧彈，另外在四個中隊抽出一百個人打游擊，穿便服，帶駁殼槍。他剛剛從猶山下來，猶山那天晚上是非常的危險，他的隨從人員偷偷調派一個保安隊在山下暗中保護，他不知道。天沒有亮就被土匪包圍了，他下山以後發現一個保安隊員被打斷腿，好幾個土匪被打死了。我那時候有個機會去見他，報告勦匪的作戰方法，但是缺乏三十支駁殼槍，當時德國製造的駁殼槍很重要、很有效。我把報告拿給他，他隨手擱在一邊，我覺得現在勦匪這麼重要，為什麼一點都不幫忙呢？過幾天他召開會議，他講了一句話，他說：「我們安定贛南，建設贛南，不要靠槍砲、子彈，我們要弄好文化和經濟。」這句話使我恍然大悟，要靠槍砲、子彈安定地方是很困難的。

「掃蕩年」完了以後，我們回到贛州，他自己兼贛縣的縣長，還想兼一個鄉長，有了鄉長、縣長的經驗，才好做好專員的工作，才好督導贛南所有的縣。他把我找去，他說：「我實在沒有工夫兼任鄉長，我撥給你七個鄉鎮，你成立一個青年指導區，推動三年計畫的建設。」我每天跑一個鄉鎮，一個星期七天，剛好全天候，沒有一天空間，到七個鄉鎮去，把幾股的積匪都消滅掉，慢慢地幫助地方建設。還沒有完成理想，縣政府接到軍管區來的一件公事，責令贛縣縣長蔣經國，征員三千，如果限期內不繳清的話，撤職查辦。這個問題很嚴重，他把我調任軍事科長，如何征調三千壯丁？當時大家都努力於「人人有飯吃，人人有工做」，臨時要征調壯丁，實屬意外。我想老百姓為什麼不當兵，可能有錢有勢的不願意當兵。我查出贛縣有五家人家有錢有勢不當兵，就把這五家人家子弟先送去當兵；其中有一戶是贛州孤兒院副院長陸采蓮家，孤兒院院長是師母蔣方良夫人。陸采蓮常常出入官邸。經國先生在縣長官邸打電話問我：「王科長，你是不是把一個姓陸的人徵調去當兵？」我說：「是的。」「你好放不好放？」我說：「報告縣長，如果要放這個人，請你親自寫收條。」「不，我沒有意見。」他電話就放下了。因為這樣，五家有錢有勢都征調，所有鄉下的人都自動的當兵，就把徵兵的問題解決了。

贛南是如此的亂，他的前任專員劉己達，到南康視察時，被老百姓綁起來打，熊式輝先生沒有辦法了，才派經國先生接任專員。經國先生不願意接受省政府的補助，也不願意接受中央的補助，困難非常之多，但是他說兩句話，我們都很感動，他說：「天下沒有走不通的道路，也沒有克不服的困難，也沒有打不倒的敵人。」「在革命家的眼光裡，山窮水盡的現象，是永遠不會有的。」這兩句話深印在我心裡，現在我已經八十三歲了，還沒有忘記他當時講的這兩句話。

現在我還要報告在上海「打老虎」的經管工作。他到了上海就舉行一個記者招待會，介紹戡建大隊到了上海，在記者面前，他說：「我們寧願一家哭，而不願意一路哭。」也就是說他要查辦少數違法的人。以後有許多的流傳，說是因為揚子公司孔令侃囤積一批糖，為什麼不辦孔令侃？是因為蔣經國怕蔣夫人會為難他，所以蔣夫人到了上海，老先生（蔣中正先生）也到了上海。其實這完全是個誤會，老先生到上海，是因為到東北視察以後到上海的，那麼老先生到了上海，當然蔣夫人也到了上海。至於揚子公司有沒有一批糖呢？恐怕沒有人真正經歷過這些事情。我向各位報告，我們戡建隊會同警察、督導專員，以及其他的司法人員，一道去查的。會查的結果，揚子公司是有一批糖，但是我們化驗的結果，那批糖是製藥用的糖，而不是食用的糖，因為當時糧食、鹽、油、糖這幾樣東西，是受管制的。那麼有很多揣測都是不確實的。如果那批糖真的是食用的糖，孔令侃也會被關進牢裡。

還有兩句話是老先生對他講的，很有意義。李宗仁和談失敗以後，沒有辦法了，到了廣州，很多政要請老先生由臺灣到廣州來；老先生住在黃埔軍校，黃埔軍校已成廢墟，只有海軍巡防處尚存，老先生就住在那裡。那天晚上是月明之夜，老先生坐在陽台上，經國先生當時非常擔心老先生會不會自殺，在這種情況回到黃埔，看到這樣的情形，於是他靜悄悄的站在老先生的身後。老先生也不知道經國先生站在他身後，一個人在沉思，以後回頭一看，才發現經國先生站在他後面，就叫經國先生坐下，講了一句話：「沒有什麼，凡事照道理去做就可以了。」我覺得這句話也可以做為我們大家的參考，碰到危險、困難的時候，我們只要凡事照道理去做就可以了。

另外一件事情就是三十八年老先生派他冒險搭飛機到西昌去，告訴在西昌的將領如何處置；他已經坐在飛機上，老先生又打電話把他召回官邸去。經國先生問老先生還有什麼交代，他說：「你去告訴西昌的將領，一個人最難找到的就是他死的時間和死的空間，一個人總是要死的，如何死得有價值，那就是要找到死的時間和死的空間。」經國先生問清老先生沒有其他吩咐後，再上飛機。就是那次，中共的高射砲好幾次幾乎把他的飛機打下來。

在上海危急的時候，老先生本來的意思是要湯恩伯將軍與上海共存亡的，但是他也曉得湯恩伯將軍並不打這個算盤，想撤退。於是老先生問經國先生可不可以到上海一趟，經國先生回答：「父親叫我去，我當然要去。」於是老先生親筆寫了一封信，告訴湯恩伯：「如果你要撤退的話，上海所有的重武器完全要銷毀，不能留一樣東西給中共。」經國先生拿著這封信，飛機在龍華機場剛剛要降落的時候，中共的軍隊已經進佔龍華機場，用步槍射擊飛機。飛行員一看機場已被佔領，只得加速飛返澎湖。經國先生差一點不被打死，也會被俘。湯恩伯先生過世以後，老先生在陽明山講話提到：「湯恩伯一生為國為黨，百戰不怠，但是我們很可惜他為什麼不死在上海？為什麼要死在日本的病床上？」這句話證明老先生當年的意思是希望成全湯恩伯，事後他覺得很惋惜。

民國六十一年，老先生告訴經國先生：「現在國家很困難，我決定要你擔任行政院長。」經國先生堅決反對，這是外界恐怕也不知道的。有一次，談完公事以後，聊天談到這一點，他說：「老先生最近要我做行政院長，我堅決反對。」我說：「為什麼呢？」他說：「老先生一生的光輝，不能因為要我去做行政院長，去執行政權，而受到傷害；不能因為我，使得老先生的大公無私的精神受到傷害。所以我堅決不去。」所以有很多的人寫信給老先生，尤其是國大代表聯名上書老先生；最後老先生把這些聯名信交給經國先生看，他沒有辦法才做行政院長。也可以說，他做了行政院長以後，再就任總統，才有臺灣今天經濟的繁榮，以及各方面的建設。

剛才也有人提到，什麼地方最危險，他就到什麼地方去。金門「八二三砲戰」時，我有幸追隨他到前線去，那真的是一下飛機，一大群的砲彈從四面八方而來，他就在砲彈群裡面，向前邁進，毫無顧忌。可以說臺灣能夠如此安定，他那一次去金門，影響前線士氣很大，也影響國際上對金、馬協防的看法。尤其英國最反對協防金馬，美國也主張不要協防金馬，以後美國第七艦隊聽說蔣經國先生都到前線去了，覺得金門前線還可以守得住，所以第七艦隊才在臺灣海峽巡防，完全受經國先生的影響很大。

還有一次我在重慶受訓，他就約好：「禮拜天幾點鐘，你在兩路口什麼地方等我。」到了時候，他就開輛吉普車來找我，也不說到那裡去，開到一家瓷器店門口停車，進到店內，推開一小門，裡面就是吳稚暉先生住的地方。吳稚暉先生除了滿架子都是書以外，就是一張加拿大的木床，床頭上、床邊都是書。經國先生不發一言，把吳稚暉先生的米缸蓋揭開，要我去看，我一看大概只有剩下不到兩升的米。他沒有講任何話，這是他教育學生、教育幹部的最好方法，他意思就是告訴我，一個人像吳稚暉這麼窮、這麼苦，有他的人格存在，錢有什麼用？他說我在烏拉爾山挖金礦，睡在金子堆上而沒有麵包吃。所以到現在，蔣師母方良夫人上無片瓦，下無寸土。他這種廉潔、絲毫不苟的精神，值得敬佩。

還有一件事情，我現在要趁這個機會做個說明。孝嚴先生現在已經離開會場，若是他在場也可以證明這件事情。最近還有人隨便寫文章，說孝嚴的母親是被謀殺的，說是黃中美或是王制剛去謀殺的，黃中美是經國先生留俄同學，王制剛是專員公署職員。這件事情當然很難使人瞭解。到臺灣來以後，有一位醫生，現在還在基隆做醫生，他來看我，他說：「王先生，章亞若女士之所以過世，就是缺少一種藥品—盤尼西林。她害的是急性腸胃炎，我就是醫她的醫生。主治醫師是丁農先生，我們兩個人都可以證明。」我說你能不能用筆把經過寫出來，他就寫出來。後來我把它送給孝嚴、孝慈先生去看，他也去和孝嚴先生談過話。我問過孝嚴先生，他那張親筆寫的經過還在不在？他說已經丟掉了。他們兄弟心裡非常清楚。這件事情外界有很多的誤解，我利用這個機會稍作澄清。

我追隨經國先生將近六十年，受教的機會很多，今天只能把幾句很重要的話報告出來，供大家作參考；以前的誤會也趁機做個說明。我佔用太多時間了，很對不起大家，謝謝各位。

陳鵬仁先生

謝謝王化行先生。（曾廣順先生謙辭發言，先行離開；曹聖芬、楚崧秋兩位先生表示願意讓出時間，改提書面報告）現在先請孔秋泉先生發言。

孔秋泉先生

一九四〇年春，三民主義青年團江西支團部成立青年幹部訓練班，我因胡師步日之推薦，到贛州擔任該班指導員，班主任是經國先生，因此機緣認識了當時被稱為「蔣青天」、「中國新希望」的青年領袖；之後，我又繼任為《青年報》的總編輯，這是江西青年團所主辦，但為全國性的第一份命名為「青年」的日報。經國先生對於新聞事業是非常重視的，因為他自己在留俄時代，曾經擔任過《重工業技術報》主筆，也可以說是新聞界的內行人。我在接事之初，他指示我說，《青年報》是全國第一家屬於青年自己的報紙，對青年、對社會都有重大責任，應多發掘人才，培養人才，多讓讀者大眾發表文章，提供意見，樹立新的風格，來帶動現代國家建設的新風氣。具體的作法，他建議開闢讀者專欄，專登讀者大眾的來信和文章。他又指示多談青年問題，培養青年作家，多發表他們的文章。遵照他的指示，我們就開闢了讀者專欄，另外又發行了《青年時代》月刊。

讀者專欄很快得到回響，有位教會關係的讀者曾向本報投書檢舉裕民銀行分行囤積糧食的黑幕。戰時糧食是受管制的，囤積居奇，謀不法利益，當然是違反政府法令，我們因此把它刊登出來，而且寫了社論加以批評。當然事先我們曾經訪問過投書的人和有關團體的負責人，確知這份投書所揭發的黑幕，不是空穴來風。二、三天後，《東南報》和第三戰區的其他報章，紛紛轉載我們的評論和報導，引起了各方的注意。裕民銀行是江西省的省營銀行，負責人財大氣粗，曾試圖通過省府向蔣專員施壓。經國先生是省主席熊式輝的部屬，當然也重視這件案子，他叫我去問。我就帶了一些文件向他作了簡要的報告，他問：「這些都是事實嗎？」我答說：「根據我們訪問各關係人的結果，我們相信他們的舉發都是事實。」經國先生沒有說什麼。接著，他指著我們社論中引用的一句成語——「斧鉞湯鑊」說：「這是什麼意思？這不是古代的一種酷刑嗎？你們既然為擁護政府，舉發不法，為何怕斧鉞湯鑊加身？這不諷刺政府開倒車嗎？」聽他一說，我真是感覺得像是開了竅似的，恍然大悟，又驚喜，又慚愧，讓我體認到經國先生的見解和學養，真正是高不可測。

從三十歲出任江西省第四區行政督察專員兼贛縣縣長開始，經國先生所發表的演說、論文、計畫、散文，無一不閃耀著一種成熟的智慧，一個遠大的理想，猶如潮湧的熱情，熾烈似鋼鐵的意志。聽其言，讀其文，令人魂魄為之躍然而起。這種靈動的力量，如像春風一般地吹拂著全國青年的心靈。

經國先生從早年開始，就非常重視溝通的功能。他在留俄時就以雄辯家見稱，在江西的一段時間，更是雄辯滔滔，有幽默感、人情味、委婉、週到，舉例近而所指遠大。那時他事實上已成為全國青年的自然領袖了。「十萬青年十萬軍」的號召一出，青年軍立即成軍，這與經國先生的靈動力量的影響，是有重要關連的。而這種靈動力的傳播得力於他自己特有的溝通功夫。

經國先生的溝通功夫，據我的體察，大致可以分為兩種，一是行為主義的，即以他自己實踐信念的親身經驗傳達給他人。讀他的〈訓練日記〉就可瞭然於心。二是啟發教育似的，通過親切誠懇的對話，了解對方的心意，然後循循善誘地讓對方處於一種自由自在的心理狀態下，用理智來選擇他自己的思考方向。由於經國先生的理念先已經過他自己的實踐，所以他的語言與別人不同；往往讓人在不知不覺中接納了他的意見。一九五八年五月六日他寫〈投宿在一個沒有地名的地方〉，寫他與一批囚犯在嗣後命名為「日新崗」的山坡上共臥於草棚中親切對話的情景。這篇文章就是經國先生啟發教育的實證，也是他的啟發教育的一個寫照。

由江西而重慶、而東北、而上海、而臺灣，經國先生的政治理念是始終一貫的。他對於國家現代化的高遠理念，落實於各個人心靈覺醒的文化教育理念，以及由下而上的社會改革運動的理念，在時空上雖有差異，但他的思路一以貫之，始終堅信人類的良知是永恆不滅的；因此，他毅然決然的從英雄性格中解脫自己，放下身段，來到平凡人的隊伍中，帶領人民，同時也互相認同，來走向民主、自由、均富的國家建設。他的英雄氣質而認同平凡的人，乃是要與凡人共同提昇氣質，以達到共同的英雄事業之完遂。至於他如何能做到這樣偉大的工程，正是我們今後要努力研究、學習、實踐的課目。經國先生是我們大家的導師。

陳鵬仁先生

謝謝各位貴賓踴躍的發言，上午的座談會延後十五分鐘結束，現在請孔令晟先生發言。

孔令晟先生

各位前輩：我希望用另外一個角度，把經國先生和我說的幾句話，特別提出來向各位報告。曾經有一段時間，我和他密切的接觸，都是兩個人談話，也許各位聽過，也許各位沒有聽過，我自己不知道；但是我對於他跟我講的兩段話，始終印象深刻，我願意在這裡提出來，向各位報告。

第一，他曾經跟我說：「權力這個東西很微妙，很引人，也非常可怕。你一不小心，你會把自己迷失了；你再不小心，你會把自己變瘋狂了。」對我個人來講，這真是名言，很值得今天負責任的人提高警覺。

第二，他講的是內心話，他說：「現實政治是非常冷酷、無情，講不好聽的話，是非常骯髒啊！就我個人的個性來講，我非常不喜歡它，但是國家、黨、先生（指先總統蔣公）交付我的責任，我必須盡心盡力去做。」

我報告這兩點，也許值得大家參考。

陳鵬仁先生

謝謝孔先生，現在請徐耀庭先生發言。

涂耀庭先生

諸位先進：（還有幾位是我的長官）今天我非常感到榮幸，得以被邀請來參加座談會，我想很簡單的把個人追隨蔣總統經國先生親身的體驗，做個報告。

在座的孔（令晟）先生是過去我的老長官，承他的愛護，讓我到七海負責蔣副院長經國先生的安全工作，一呆就差不多十來年的時間。剛才有很多先進都提到，經國先生確實是那裡危險，就走到那裡，有很多的事蹟。我個人經驗的是民國三十八年四月二十五日，先總統蔣公離開奉化溪口，坐太康兵艦到上海督戰。當時我帶了兩個區隊，差不多七十二個衛士，是武裝部隊，也跟著先總統蔣公搭乘太康兵艦到上海，負責先總統蔣公的安全。當時的安全工作由俞先生負責，經國先生不過問我們的事情，但是我們在上海，先總統蔣公到什麼地方，經國先生在前一天或者幾個小時以前，都要先去看過。有一次先總統蔣公要到定海的「大象地」島，和普陀山那個島去，我負責安全工作，我就先下兵艦去看一下，碰到了經國先生。後來我才曉得他是比我還早，先去看先總統蔣公要去的地方，瞭解有關安全的事情。所以我們體會經國先生確確實實是那裡危險，就到那裡去。

第二，某一些人說到經國先生的「威權」，根據我的體會，經國先生是最民主不過的，他到那裡，就和老百姓、士兵們接近。他到部隊和士兵會餐，從來沒有讓我去通知那個單位，快吃飯的時候，或是中餐，或是晚餐的時間，我們就到，士兵們坐好了，我們就坐那裡吃飯，經國先生用一般士兵吃的飯碗，一個人要吃兩碗飯，比我還吃得多。經國先生是最喜歡接近基層民眾，每個禮拜的禮拜六、禮拜天，幾乎都是到鄉間去看，在市場、在田間，和民眾談談農業方面的問題。在經國先生的整個腦子裡，都想著國家的發展，人民的福祉，基層老百姓的生活和艱苦。我記得有一次，事先沒有通知，到一個單位，我們剛到，電梯門一開，在旁邊等候的老百姓都沒有上電梯。經國先生認為是因為我們的工作人員，或那個單位的工作人員，不准老百姓搭電梯。經國先生看到這個情形，就指示讓那些老百姓搭電梯上來。正在這個時候，那個單位的主管就來了，向經國先生行個禮，經國先生很嚴厲的指責他：「我要當軍閥，還需要你幫忙嗎？」這件事讓我們體會到，他的的確確不會因為自己，而使老百姓有絲毫的不方便。

我記得民國六十八年我離開侍衛室，他召見我，問了很多問題，也問到侍衛官的培育，以及將來的生活和工作，非常關心，我也向他做了詳細的報告。後來談到警衛部隊伙食的問題，他問的很詳細，每個月的伙食費有多少？我沒有辦法答覆他詳細的數字。又問一般憲兵部隊和野戰部隊，伙食又怎麼樣？我就我瞭解的答覆，總統府有津貼警衛部隊的伙食，比一般憲兵部隊稍微好一點，我就據實向總統報告。他聽了以後，覺得不大妥當，就交代我：「你要注意，部隊的伙食和其他事務，一定要公平。」意思就是我們整個部隊不能有差別待遇。經國先生對基層的瞭解非常的深入，我有時候提不出來詳細的數字，他可能很清楚，對部隊裡面許多情形，也要求非常嚴格，而且交代一定要公平，不能厚此薄彼。後來我們也體會經國先生對待從人員、警衛部隊非常的關心和愛護。

追隨經國先生十多年，到七十五年奉命退休，我感覺他確確實實為我們老百姓付出了所有，甚至於把他身體的健康都奉獻給國家、給老百姓。我報告到此，謝謝各位。

陳鵬仁先生

謝謝徐耀庭先生很寶貴的報告。我利用一兩分鐘講一件事情。經國先生有一次也是在不告知的情形下，到一個救國團舉辦活動的場所，那些參加活動的同學都在吃西瓜，值星官就喊「立正」，經國先生說：「你們不要立正，照樣吃西瓜。」後來同學要求和主任照張相，經國先生很高興的答應了。經國先生照完相就離開，後來有一位同學去追經國先生的車子，經國先生看到了，告訴司機馬上停車，問那位學生有什麼事？學生說：「主任和我們照相，可不可以送我們每人一張？」經國先生說：「沒有問題，沒有問題，一定送同學每一個人一張。」由此可見經國先生的親民風範。

這一場座談會就暫時告一段落，還有好幾位前輩因為下午繼續參加座談，因此還沒有請他們發言，下午再請踴躍發言。

陳鵬仁先生

早上來的人很多，出席的有俞國華先生、李煥先生、王昇先生、馬紀壯先生、馬樹禮先生、曹聖芬先生、章孝嚴先生、馬英九先生、許歷農先生、汪道淵先生、曾廣順先生、楚崧秋先生、徐耀庭先生、秦孝儀先生、李雲漢先生，以及魏鏞先生等。下午預定出席的還有孫運璿先生、錢復先生、蔣孝文先生的夫人、邱創煥先生、夏功權先生。因為時間關係，現在馬上開始，魏鏞先生因為還另有重要的行程，請他先發言。他是留美學人當中，經國先生最早請他回國服務的一位，很多事情如國家建設、我國民主化的推動包括國家安全法、人民團體法等，都是經國先生要他參與規畫推動的，現在請他來給我們指教。

魏鏞先生

陳主任委員、各位前輩、各位媒體朋友：很抱歉在各位前輩面前先發言，不好意思。首先我要肯定黨史會舉辦這場口述歷史的價值與貢獻，我們都知道凡是有歷史感的人，尤其是我們中國人，都認為忠實的記錄歷史是一件很重要的事。因為歷史是事物、人物、空間所留下來的軌跡，是延續的、不是割裂的，雖然斷代史以時間分先後，但那只是為研究方便所採的權宜方法。我認為經國先生在全中國及臺灣發展過程中，他的歷史地位是鞏固的，所作所為是經得起歷史考驗的。我個人有機會追隨經國先生，下面是根據我的體驗來敘述，裡面可能會牽涉一些我與他的互動經過，這不在表彰自己，而只是從實際的體會來瞭解、來介紹經國先生。

民國五十八年到五十九年，我在政治大學當客座教授時，有一次經國先生注意到我在五十九年十月所發表的一篇有關「人才引用與政治發展」的文章。當時他是行政院副院長，對於這個問題非常有興趣，經李煥先生的安排，我與他見了幾次面，談了很多人才引用的問題。我還記得一年中約有三次至四次的會面，最後一次是在客座教授結束要回美國之際。我覺得禮貌上應該向他道別，並轉達我以一個年輕學者，能跟負有國家重責大任的領導階層見面的謝意。沒想到臨上飛機前，又蒙他召見，並詢問將來是否有回國服務的意願，當時是民國六十年（一九七一）七月。六十三年（一九七四）我得到美國史丹福大學胡佛研究所（Hoover Institute）國家研究員（National Fellow）獎到胡佛作研究，我從任教的田納西州曼菲斯州立大學赴胡佛就任之前，經國先生就請李煥先生跟我連絡，抵史丹福大學後，又請當時的新聞局長錢復先生跟我聯絡，徵詢我是否願意回國服務。六十四年（一九七五）二月間，我決定在美國教學生涯告一段落後回國。不久四月五日蔣公去世，五月越南淪陷，那時美國學者對我說，魏博士你應該留在美國，將來胡佛榮譽研究員雷根州長極可能當選美國總統，作為胡佛的國家研究員，你應該到華盛頓D.C.，怎麼回臺灣呢？當時全美國只有十位被胡佛選上做國家研究員，我是唯一非美籍的亞洲學者。但我覺得國家需要我們，我應該回臺灣，為國服務，所以我就決定回國。

我講這段的經過，主要的是想表達，我跟經國先生沒有任何淵源，只是與他談了幾次話，他就那麼肯定一位年輕人，他有如此胸襟讓年輕人回國服務，這是很難得的事。

回國以後，經國先生本來要我立即參與政府工作，但我謙辭了。我說我想先做學問，因此就安排我在政大國關中心當副主任。在這一年裡，我們常有機會見面，討論的多半是國際性問題。後來我在陽明山受訓，在民國六十五年九月的一次召見中，經國先生告訴我行政院有一個研考會的工作，要我負責。當時我並不知道研考會的層次，只覺得國關中心這個職位很好，就問他是否能在研考會兼任一下就好。他笑了，他說研考會的職位比國關中心還要高、還要重要，不能用兼職的。所以我就過來行政院研考會。在這個過程中，我感覺經國先生很敢用人，經他考核可用的，就積極的採用，後來我瞭解不止我如此，他用了很多年輕人，不少與他沒有任何淵源，沒有任何背景，可用即用。下面談一談在行政院研考會十二年中，我所體會經國先生的種種。

首先正如前面幾位先進所言，民國六十四年正好碰上十大建設的高潮，行政院研考會的職責之一是列管重要的十大建設，這些建設每個月要有進度，同時也要向蔣院長提出報告。那時我記得很清楚，北迴鐵路出了很多問題，像隧道、路線、安全等問題都是經國先生所關心的。當時如果不是蔣院長的遠見，及堅定不移的推動，我想臺灣經濟方面的基礎建設，不可能有這麼好的發展。

另外，經國先生有個想法，他要現代學術與行政革新結合在一起，其中以行政革新是其推動重點之一。我參加這個工作後，先擬定研究發展綱領，由蔣院長核定後，按部就班的加以推動。在這過程中，我覺得經國先生是一位很能吸收新思想的人。他有一個別人所沒有的特質，就是他可以聽你講，自己不多說，也不輕易作評論，這一方面給年輕的學者覺得自己受到尊重；另一方面也避免輕易下判斷及承諾。

其次，再提一下他當行政院長時，有時會在下午五點左右找我談談；研考會本身的事情談的不多，談的比較多的是美國對華政策及與美國學術界聯絡的事，其次是國際關係及兩岸關係等問題。我覺得蔣院長很注意學術界，尤其是美國學者的反應，他也很重視各種學術界的意見，希望透過跟美國學術界及年輕華裔學者的連繫，使他們能瞭解我們的處境，使我們中華民國的立場能為他們所接受及了解。

再談談經國先生推動的「為民服務」工作，其本來的名稱是「便民政策」。經國先生認為這個名稱有點封建，好像是政府給民眾方便，這是不對的，所以改成「為民服務」。他認為政府應該為老百姓做事，為老百姓著想，儘量簡化繁瑣的行政程序，對民眾的態度要好，不可官僚，要替民眾著想，這些都是經國先生所關心的；此舉讓我體會到經國先生對基層民眾的反應是非常敏感的。有一次經國先生跟我談到失去大陸的原因，他告訴我：「政府統一全國後，在大陸確實做了不少的事情及建設，也在八年抗戰中打敗了日本帝國主義。但是我們沒有做些事讓最基層的民眾瞭解，使他們感受到我們政府、我們國民黨真正是為他們在做事。我們做的事，他們沒有深切感覺，我們較重大的建設成果，也沒好好宣傳，因此大陸就給共產黨拿去了。今後我們所作所為要跟民眾有關係，要使民眾得到好處的，同時也要讓基層民眾瞭解，這是非常重要的。」經國先生這番談話，當時我都把它記了下來，我認為他這種感受對後來推動基層建設很有關係，同時與後來經國先生照顧農民、照顧勞工，非常有關連。經國先生就是覺得我們過去的失敗是因為沒有真正照顧到基層的民眾，或讓民眾不瞭解政府的所作所為。

另外一點談到政治革新，民國七十五年三月國民黨在十二屆三中全會之後，成立十二人小組來推動六大革新議題，其內容分別為：一、國家安全體制的建立：解除戒嚴；訂定國家安全法；二、修訂動員戡亂時期人民團體組織法，其目的在開放組黨，開放政治團體；三、修訂動員戡亂時期公職人員選舉罷免法，擴大國會選舉；四、地方自治法制化；五、社會風氣改善；六、現階段黨的中心任務等議題。這六大革新是政府遷臺後最大的政治改革，其中牽涉到開放黨禁、報禁，讓人民有集會結社的權利及中央級民意代表的改選等。

我參加的是政黨政治開放的規劃，在座的馬秘書長、秦孝公、潘先生當時都是指導我們的。我體會到這是一件重大工作。由於我是中央委員兼行政院研考會的從政同志，所以奉命參加馬秘書長樹禮先生統籌規劃的政府及黨的政治開放改革工作，討論內容包括有關新的政黨政治之發展，當時副秘書長郭哲先生是我們的分組召集人。這裡我印象特別深的是當時國民黨內部的規劃，原來並沒有那麼快讓政黨開放，而是採逐步開放政策的，後來很快宣布解嚴並讓新的政黨成立，據我當時所瞭解完全是經國先生的決策。記得有一天，我在郭哲先生主持的小組中，本來還要把各種有關政黨開放的方案拿出來討論，郭哲先生說蔣主席已經決定儘快要政黨開放，因此，我們就按照蔣主席當時的決策，再重新調整規劃。

這裡有一點我要特別澄清的是：民進黨口口聲聲說政黨的開放是逼出來的，國民黨完全是被動的，這絕對不是事實。當時我們已規劃好，準備寫一段文字，交由中國國民黨在立法院的同志，由他們提出質詢，再由俞國華院長答覆質詢時，正式宣布政府願意開放組織新黨；後來大概此訊息可能讓黨外人士知道了，搶先一步在圓山飯店宣布成立民進黨。有關政治開放，另外值得一提的是國民黨為推動政治開放，還派中央委員及從政同志，到英、美、德、日等國考察。本人奉派到英國，考察英國政黨與議會政治，還向中央推薦邀請胡志強博士一同到英國考察，回來寫了觀感及分析，再向黨提出報告。

在行政院方面，配合政治開放，對於人民團體組織法、集會遊行法、國家安全法等一系列法令均予以修訂或訂定，這方面本人也幾乎全程參加了。行政院研考會同仁也參與了研討工作。我們在這些作業過程中，都深深感到經國先生改革的意圖是非常明顯的，甚至是急切的，我們的規劃常常趕不上經國先生。

另外再談一下中美關係、國際關係，及臺海兩岸關係問題。這方面的處理，根據我的體會，經國先生有他一定的想法，對如何突破國際關係，經國先生也希望有所作為，但他的基本立場非常堅定，就是國際關係雖然要打開，但絕對不能違反一個中國立場，任何意見不能違反國家民族利益與國家統一原則。民國六十九年十月，我奉行政院孫院長核定，赴韓國在國家統一院主辦的一項會議中，提出一篇「多體系國家」的論文。當時行政院孫院長有意思從學術理論的突破，推展外交關係；並指示外交部會同研考會、新聞局一齊研究，以我這個理論做參考，就是以國家統一為前提，容許在「一個中國」底下，有二個並存的政治體系，並取得國際法上一定程度的承認與地位。後來這個構想由於一位老立委不明就理的強烈質詢，在立法院引起相當大的風波。不久內閣改組，俞國華先生接替孫運璿為行政院長。有一天俞院長叫我到他辦公室，表示要我繼續留在行政院做事，我報告他說，我提出的「多體系國家」，不久前在立法院引起批評，是否適合繼續留在行政院，會不會導致內閣與立法院間爭議的話題。俞院長告訴我說：「這是經國先生的意思，他要我繼續留你下來為行政院做事。」從這一點讓我感覺到經國先生很注意考察年輕首長，是否真正對國家忠心，他做的事是否合乎國家的利益，經國先生對從政的年輕人之深入考察與愛護支持，使我十分感念。

最後我想歸納經國先生的幾項特點作為我今天談話的結束。一、經國先生對於新的思想、新的觀念是很容易接納的，但對於國家的基本立場是非常堅定的。二、經國先生對學者很尊重，他很願意聽聽國內外學者尤其是年輕學者的意見；但如果提出來的意見他認為與國家利益有所違背時，就會明確告知，這個意見是不行的。他不會隨便敷衍。三、經國先生真正關懷基層民眾，是一位對民生疾苦非常關心的人。我印象很深的是他對農會改造、肥料換穀及為民服務等基本問題知道的很清楚，常會詢問我們的意見，而他對基層民眾關切及與一般民眾接觸是自然的，不是作秀的。四、經國先生很敢用人，能用即刻引用。民國六十五年革命實踐研究院舉辦了三期的國建班，這裡有很多人是蒙經國先生提拔，進入政府及執政黨工作，他培養出不少人才，許多到現在還是國家及黨的重要官員及幹部。

我很幸運，也很欣慰有機會與經國先生接觸，體會到這位偉大領袖的風範，我覺得這是我人生中一段很寶貴的經驗。我希望我們的歷史家，以及還知道經國先生事蹟的人，能將這些事實講出來，使我們現在的年輕人、我們的後代得到勉勵，讓我們知道什麼是大是大非？什麼是為國家做事的態度？如何提拔和培養人才？怎麼樣才是處理國家基本政策的態度？什麼才是從內心發出自然的態度、真正的愛民？以上提出我個人的淺見，請各位多多指教，謝謝。

陳鵬仁先生

謝謝魏教授的發言。剛才魏教授提到經國先生用人原則，我也有同感。舉個例子，他在當行政院長時，有一回他找屏東縣長張豐緒來談談，並告訴他不要回去，不久就發表張豐緒當臺北市市長。當時有人覺得很奇怪，經國先生為何請他來當臺北市長。經國先生回答說：張豐緒做事很實在。有一次我到屏東視察，他並沒有為我而留下，還是照他既定的行程做；他是一位不會拍馬屁，可用之才。現在孫院長已經來了，是不是請院長來跟我們指教。

孫運璿先生

主席、各位先生、各位老朋友：我來晚了，抱歉。我看大家談了很多蔣先生的事情，我沒什麼補充。蔣先生是一位堅定、正直的偉大領袖，對部下要求很嚴格。他剛毅的性格及嚴肅的面貌，常帶給大家畏懼與害怕。但我跟隨他許多年，瞭解他對部屬是寬厚的、關懷的。我個人的經驗，我在擔任經濟部長時，有一回到中南美訪問，回來時在紐約患了心臟病。我內人不放心也趕到紐約。當時我沒帶多少錢，不敢住旅館，我們住進外面一家汽車旅館。外國朋友來看我，說你做過部長，怎麼住進汽車旅館呢？太不像樣了。這話傳到經國先生的耳朵裡，不久我接到俞總裁撥來五千元美金給我，當時我一個錢也沒有，真是雪中送炭。蔣先生還要我到美國北部找余南庚先生來看我的心臟病，看完後才允許我回去。回來以後，我把剩餘的美金還給蔣先生。他說你是清官，你沒有臺幣也沒有美金，這些錢就留下，你身體不好，就買點好吃的東西補一補吧！從那次以後，我出國訪問，蔣先生總是叫榮總副院長姜必寧先生跟我一起去，要他看著我的心臟病，注意我的身體，所以我對蔣先生非常感激。對不起我太激動了，所以講不出話來。

剛才魏教授提到蔣先生親民、務實，我也有同感。我跟他一起下鄉，穿著西裝隨總統出去。他跟我說：孫院長要親民的話，不能穿筆挺的西裝，穿西裝太官化，跟我一起出去，我穿夾克，你穿西裝，兩人有點不太協調。我聽了這席話，趕緊找一件舊夾克穿上，跟他一起到花蓮港，到了花蓮港他要請我吃飯，他吃餃子，我跟著吃。他知道我到花蓮喜歡吃餃子，他說餃子沒多少錢，不要搶著付錢。那時我B型肝炎很嚴重，我叫侍衛帶一雙乾淨的筷子，到了水餃館，我趕緊將乾淨的筷子給蔣先生換上。蔣先生不同意，他說我們吃水餃不就是這樣吃嗎？老板很感動，要跟總統合照，這張照片就掛在店裡。從這裡可看出蔣總統對老百姓非常關懷，非常愛護。到鄉下去他抱起鄉下的小孩，小孩哭，他哄小孩，那樣子看起來不是敷衍，不是做給別人看的，完全出自內心喜歡小孩。我當行政院長時，蔣先生勸我說，孫院長有空時不要一直在臺北，不要和有錢人或大官交際，要下鄉去看看老百姓，放下身段和老百姓一樣才能交朋友。魏教授剛才也講到蔣先生很親民不是作樣子，他內心喜歡老百姓，這點連我都做不到。蔣先生是一位非常簡樸的人。我做院長的頭一年，過陰曆年外面都在做尾牙，我跟總統說，我們行政院各部會首長都很辛苦，年終時，是否可以請各位吃頓飯，慰勞慰勞，鼓勵鼓勵他們。總統說好，告訴大家初一在前面的「小欣欣」吃燒餅油條，結果在大年初一大家吃總統的尾牙飯是燒餅油條。我對總統說，大年初一大家辛辛苦苦爬上小欣欣樓上吃一頓燒餅油條，很不好意思。總統說：我的意思不是這頓飯，我要大家不要跑來跑去的拜年，大家來吃這頓飯，就可一起拜年。從這裡看出蔣先生是一位非常簡樸的人，看看現在大家大吃大喝，我們都覺得很慚愧。

蔣先生很清廉。他的特質，也可說是他成功的因素是「愛才親民」，他非常愛才。我那時開國建會，介紹許多國外的專家與他見面，跟他們談，聽他們的意見，後來蔣先生決定開放報禁，停止戒嚴，都是受到這些專家的意見影響。

蔣先生的性格非常堅定，什麼事講了要做一定會做，絕不受別人的影響。十大建設時很多機械方面的專家，建議他不要做，但他認為這件事今天不做，以後就來不及了，還是做了。蔣先生雖堅定剛毅，但很聽專家的話，一次、二次甚至多次他都沒有不耐煩的意思。為了經濟建設，我向蔣先生建議，我們工業要走上機械化，他同意了。但談到要引進積體電路IC需花八百萬美金，他跟我說這是開玩笑嗎？隨隨便便到那裡去拿這麼多錢。我就告訴他說：總統啊！我們要發展電子工業，非從IC做起不可。我一再的跟他溝通，一次又一次，最後他接受了。後來我們要興建新竹科學園區，當時國防部反對，因為有飛機場在那裡，不能搬走。我一再的跟總統溝通，要工業就要機械化，要機械化，科學園區非做不可。由於蔣先生不同意，我幾次不耐煩的建言，最後終於為他所接受，同意讓國防部搬走，讓清華大學、交通大學及工研院到新竹，成立新竹科學園區。

儘管蔣先生的堅定，但我不在乎，甚至以國家不走上工業化，我經濟部長的頭銜也不要，總統不讓我做，我這個官也做不下去為詞，最後蔣先生同意了。工研院改組，並拿出八百萬美金來做IC，把新竹科學園區建立起來。我到現在還感念蔣先生的大德大量，所以現在新竹科學園區的成功，全在當年蔣先生屢次接受我的意見。我講這些話的目的，是因蔣先生很能接受國外學人的意見，他偉大及成功的地方，也在於愛才及肯接受不同的意見。

現在許多學者專家回到臺北跟我說，現在的情形和當年已有所不同，現在有話沒地方講，那時候回來有什麼就講什麼。我非常想念蔣先生，他的偉大實在講不完，不周到的地方，請大家原諒，謝謝各位。

陳鵬仁先生

剛才孫資政跟我們講了新竹科學園區這一段歷史，我覺得非常重要，因為新竹科學園區與現在整個國家的經濟發展有密切關係。但是很少人知道總統當時接受孫資政的建議，克服許多困難才有現在的經濟繁榮。非常感謝孫資政，現在請錢議長發言。

錢　復先生

主席、孫資政、馬資政，各位前輩，各位好朋友：今天我們以無比虔敬的心來這裡，參加黨史會主辦紀念經國先生逝世十週年口述歷史座談會。在座的每一位都曾經追隨經國先生，我很幸運，當我還是小孩子的時候，經國先生就對我很照顧、很愛護。所以後來求學、服務公職，一路都有機會追隨經國先生。在這過程中，我也曾經做過一些經國先生叫我做的事，也曾遵照他的指示說過一些不是很妥當的話。基於我個人對於經國先生的體認，願意將剛才所說的這二句並不是很妥當的話，老老實實的說出來。因為經國先生對於先總統蔣公就是如此，我個人在追隨經國先生一段時間後，也有機會追隨先總統蔣公，我看到經國先生對於蔣公就是如此，蔣公要經國先生做任何一件事，經國先生都是照辦，一點也沒有打折扣。因此，在經國先生最後三十年中間，我始終能蒙他垂愛，真正把我當做自己家裡的子弟。大概在民國六十二年，有一次經國先生把我叫到他的辦公室去，並對我說：君復，孝武、孝勇對你很好，你幫幫我管管他們。我說：院長，我沒有辦法，因為我只不過比他們大不了幾歲。經國先生要我不要怕，因為有些話然到現在我還不知道陳將軍是紀念何許人物，但是我瞭解到經國先生認為這麼多人在那裡，說不定有什麼事情或冤情希望他來解決的。

經國先生對於國家是絕對的，他沒有自己，我認為這是政治人物至高無上的操守、抱負與志業。自從他擔任行政院長以後，健康情況就不理想，我們做晚輩的不一定知道這些，我是少數幾個知道者，他在院長任期常為很多事情焦急。剛才孫資政也談到經國先生當了院長沒多久，就遇到石油危機，全球經濟不景氣，為此他常通宵不能眠。第二天早上，我看出他沒睡好，他以為我是向侍衛官打聽來的，我告訴他：「我是您的部下，不能不關心您的健康，您晚上沒睡好，第二天早上，一個眼睛看起來是直的，另外一個眼睛則是歪的。」在他當院長的六年期間，這種日子愈來愈多，到民國六十七年擔任總統以後，就更加嚴重了。

談到這裡，很不好意思說，好像是我在炫耀自己，但我還是要說出來。經國先生好幾次因與美國的關係睡不好覺，其中以民國六十七年的中美斷交及七十年的八一七公報，這二件事持續一段很長的時間他都睡不好覺。「八一七公報」時，經國先生要我到美國擔任代表，並詢問過我父親的意見後（因當時父親身體不好與我同住），不久我就然到現在我還不知道陳將軍是紀念何許人物，但是我瞭解到經國先生認為這麼多人在那裡，說不定有什麼事情或冤情希望他來解決的。

經國先生對於國家是絕對的，他沒有自己，我認為這是政治人物至高無上的操守、抱負與志業。自從他擔任行政院長以後，健康情況就不理想，我們做晚輩的不一定知道這些，我是少數幾個知道者，他在院長任期常為很多事情焦急。剛才孫資政也談到經國先生當了院長沒多久，就遇到石油危機，全球經濟不景氣，為此他常通宵不能眠。第二天早上，我看出他沒睡好，他以為我是向侍衛官打聽來的，我告訴他：「我是您的部下，不能不關心您的健康，您晚上沒睡好，第二天早上，一個眼睛看起來是直的，另外一個眼睛則是歪的。」在他當院長的六年期間，這種日子愈來愈多，到民國六十七年擔任總統以後，就更加嚴重了。

談到這裡，很不好意思說，好像是我在炫耀自己，但我還是要說出來。經國先生好幾次因與美國的關係睡不好覺，其中以民國六十七年的中美斷交及七十年的八一七公報，這二件事持續一段很長的時間他都睡不好覺。「八一七公報」時，經國先生要我到美國擔任代表，並詢問過我父親的意見後（因當時父親身體不好與我同住），不久我就走馬上任。在美國五年八個月的時間，這中間我回來四、五次，每次他一定召見我，要我到他家的臥室裡；我坐在床邊的小椅子上，跟他談上二、三個鐘頭，最後一次是民國七十六年十二月五日下午。他是十一月底發電報要我立即回來，我十二月一日動身，二日晚上抵達臺灣，三日與五日蒙經國先生二次的召見，六日我就回美國。第一次在總統府，他告訴我說他一身都是病痛。經國先生是個英雄、強人，從來沒有做過這樣的表達，那一次在總統府的辦公室裡，他非常明確的表示自己那裡不舒服，且長達一個半鐘頭。我聽了心裡非常難過，我告訴他是否嘗試使用中藥來治療，我幫他找來孫資政的那位張大夫，他說好，他要試一試。當時我很天真，認為他肯試一定會好，沒想到那時他已病入膏肓。五日那次，他一再的說：「你到美國以後，我沒有再為美國的事情睡不著覺了，只是太委屈你了。」我告訴他：「我是一位從事外交的，能在美國當代表，是我的榮幸，沒有比這個更高的榮譽。」他還說因為我的因素，才使他沒有為美國之事而失眠。我說有你今天的話，那我就很安心，至少在美工作對得起總統。我講這些話的真正目的，是要告訴各位，他是一個為了國家，把自己的生命、健康及痛苦都擺在一旁，一心一意為著國家的人。雖然他痛的不得了，但是他的思緒還是敏銳的，當時他根本看不到東西，都是盧守忠與王家驊唸公事給他聽。唸一遍他就記下來，他可以重覆你剛才所唸的那一句話，並告訴你要如何的修改。他真是了不起，這也許是他老人家因身上的病痛，使得他的記憶、思想比常人好。我想我們用這種方法自己試試看，能否做得到呢？但經國先生他都能做到，我也試過多少次，每次他都是這樣。我的解釋是他把自己的健康、生命貢獻給國家，為了國家他必須要訓練自己思想敏銳、記憶靈敏、反應快速。我還記得在民國七十五年、七十六年那段時間，很多謠傳總統健康是否適合擔任這份工作。我覺得為他自己的話，他早就可以不做了，但是為國家，他還是硬撐下去，也可以說是他把生命奉獻給國家，奉獻給我們的民族。剛才孫資政特別談到他跟經國先生間有很多業務上的建言，剛開始經國先生不一定會接受，後來都接受了，這都顯示只要有理由，他都可以接受的。

在這裡我講一則較輕鬆之事。經國先生第一次組閣，在民國六十一年六月一日(星期四)舉行第一次院會，他講了巴西足球員比利等團隊精神的故事。六月八日第二次院會，他說他要做比較嚴肅的嘗試，就是對於公務人員加了很多限制的「十誡」，這個「十誡」人事行政局擬好後，經國先生問問我的意見。我看了覺得很好，不過有一件就是公務人員不許上歌廳之事，好像不太妥當。起初經國先生有點不高興，我就告訴他這是老一輩的消遣地方，我知道像錢昌祚、李幹等前輩偶而也會去。不久，經國先生接受我的意見後修改了，就成為後來民國六十一年六月八日公布的「十大革新」。

經國先生要求同仁做的事情，自己一定先做到，這點給我受惠最大也最深，因為自己做不到的，一定不要求同仁做，這是做領導人物非常重要的一點。經國先生生活非常簡樸。今天我們的社會經濟發達，人民生活水準提高，而且現在的消費觀則是消費與生產同樣重要，因此不可能回復到從前那樣簡樸。我個人認為生活要與時代並進，生活要消費，但不可以鋪張浪費，因為由儉入奢易，由奢入儉難，可不太容易。今天我們紀念經國先生，我覺得我們不需要做一些不可能做到的事情，但要做一些合理可自我約束的事情。

現在再談一談經國先生在外交方面的表現，他對外交事務是非常熟悉的。很多人都忘記經國先生在抗戰勝利後，有段時間做過外交部東北特派員，他有直接交涉談判的經驗，談判的對手正是史達林先生。因為很多外交官做了一輩子，不一定有談判交涉的寶貴經驗，所以他對外交事務的熟悉度是很少有人能比的。記得有一次為了「八一七公報」

及買高性能戰機問題，經國先生在總統府舉行一次中常會，時間是民國七十年七月底、八月初，當時參加的同志非常少，只有二十一位常委出席。我當時是外交部次長，是唯一不以常務委員的身分參加。經國先生在那次會議上講得很清楚，高性能戰機及「八一七公報」這二件事情有密切關係。因為媒體對於高性能戰機炒作的過火，所以才會導致中共對美方施加壓力，最後美國被迫簽署「八一七公報」。雖然美方在「八一七公報」中有若干對我臺灣的保證，但是經國先生認為已經傷害國家利益。在那次中常會時對媒體同志講了很多很重的話。今天我們的媒體也有同樣的問題，有些事情過分的炒作，最後反而讓我們自己也受到傷害。

我耽誤大家太多時間，如果麥克風一直在我的手上，我看我講到今天晚上也說不完，是不是允許我將麥克風交還給主席，有不對的地方還請各位指正指教，謝謝。

陳鵬仁先生

感謝錢議長告訴我們那麼多經國先生的故事，現在請孝公來談一談。

秦孝儀先生

經國先生逝世迄今已經十年了，在這十年之中，世事變化，尤以經國先生三位公子孝文、孝武、孝勇相繼過世，令人不勝欷歔。去年九月，緯國先生亦因病逝世，緯國先生逝世後，有人談到一些與經國先生有關的事，引起一連串無謂的問題。我想藉著今天這個機會，說說我個人的想法與看法。

去年十月，《商業週刊》刊出他人轉述，說緯國先生生前透露「經國先生不是蔣公的兒子」的專題報導。這個報導再經過報紙及電視的披露，引起軒然大波。消息見報的第二天，剛好立法院院會，我要去備詢，一進入議場就被大批媒體記者圍住，問我對這件事的意見。原本我沒有身份來討論這個問題，但是以一個歷史工作者，一個曾經在先總統蔣公身邊二十五年之久的人而言，又不能不說幾句話。我對記者們表示：蔣公與經國先生的父子關係「無庸置疑」。事實上，大家在媒體上所看到的都是第二手、第三手的資料，所謂緯國先生留下的錄音帶，根本不是緯國先生錄的，而是他人的敘述，這樣的資料，雜誌社竟然拿來當作獨家新聞處理，實在令人感歎。歷史的論斷，必須多方面採證，而不應該偏向某一方面的「一面之詞」，亦不應該截取片斷內容的「斷章取義」。

報導中說懷疑經國先生不是蔣公的兒子的理由，是蔣公小時候生殖器曾遭「夾爐」燙傷及野狗咬傷。姑且不論是否真有此事，僅就醫學上來講，專科醫生明確指出生殖器不論燙傷或遭咬傷，都不會影響一個人的生育能力。此外亦有熱心人士寫信給我，表示「夾爐」就是銅爐，是民間在冬天用來暖手暖腳用的，十分普遍，怎麼可能會燙傷？更何況報導中說蔣公是穿開襠褲遭到燙傷的，試問小孩子在冬天怎麼會穿開襠褲，難到不怕著涼生病？當然也有人懷疑，為什麼除了毛夫人外，其餘姚冶誠、陳潔如及現在美國的蔣夫人，都沒有與蔣公生下一兒半女？是不是蔣公的生育能力真有問題？在這裡，我們看到蔣夫人的外甥女孔令儀女士接受記者訪問，表示蔣夫人曾經在抗戰初期懷孕過，但是有一次乘車赴前方勞軍，遇到日本飛機轟炸，司機緊急躲避，慌亂中竟然翻車，蔣夫人受傷不輕，同時也因此而流產，後來也沒有再懷孕過。她說：「蔣夫人所懷的是蔣公的孩子，蔣經國也的確是蔣公親生，臺灣關於蔣公生育能力的說法，實在是太侮辱人了。」孔大小姐早年在南京讀書時，就與蔣夫人住在一起，現在蔣夫人在美國的生活，仍然是她在照顧，她能站出來說話，澄清一些不實的謠言，自然是不會錯的。

至於有些人說根據我主編的《總統蔣公大事長編初稿》，蔣公赴日本留學至經國先生出生的這段期間，有長達二十個月在日本，沒有返鄉的記載，進而懷疑經國先生的身世。實際上，《總統蔣公大事長編初稿》所寫的是大事紀，不是每件事都要記載，期間蔣公在中日間的來回，書上並沒有特別記錄，不代表蔣公連續二十個月都在日本，大家只要看看毛思誠編的《民國十五年以前之蔣介石先生》，上面寫的很清楚，蔣公留日期間，「每遇暑假，必告歸省親」。另外，根據丁中江先生的說法，他早在民國八十年就曾經受緯國先生請託，走訪奉化溪口，就若干傳聞向地方父老查證其正確性，其中也包括經國先生的身世。經鄉人告知，蔣公雖然與毛夫人感情不睦，但王太夫人對毛夫人卻十分疼惜，王太夫人抱孫心切，查知蔣公自日本返抵上海，便強押毛夫人至上海，硬逼兩人圓房，於是毛氏受孕，生下了經國先生。參照大陸方面出版的相關資料，兩者的說法基本上是一致的。

在此我也要說一段關於經國先生的故事。這是七十二年八月，聽王新衡先生說的。王新衡與經國先生是留俄時期的同學，兩人一向友好，自然有所依據。他說當經國先生赴俄留學時，毛夫人思子心切，有一天就拿了經國先生的八字給一位瞎眼的算命先生，算命先生聽了之後，很生氣的責怪毛夫人，怎麼拿個死人的八字給他？毛夫人說：「這是我兒子的八字，他活的好好的，怎麼會是死人呢？」算命先生說：「不對呀，這個人遇金、木、水、火皆不得生」，於是就要毛夫人將經國先生出生的情形說一下。毛夫人說生的那天，她還在田裡作事，忽然一陣腹痛，還來不及返家，經國先生就生下來了；算命先生聽了之後，立刻向毛夫人恭喜，說：「這個小孩生在田裡，得土運，貴不可言。」不過他也向毛夫人表示：「這個小孩生下來之後，你們夫婦的緣份也就盡了。」按照後來的發展看起來，這位算命先生的話確實相當準確。

在一個民主社會中，要論定的是一個人對國家社會的貢獻，而不是要退回到專制時代一樣，論定一個人的血統。更不應該在一種恩怨的基礎上，來引導大家走向歷史的歧途。例如緯國先生逝世之前，有一位資深記者出了一本回憶錄，其中有一段談到緯國先生原配石靜宜女士之死，他根據一位所謂「目擊證人」的陳述，表示曾經目擊四個彪形大漢架著石靜宜，正在強迫她吃一包藥。她表現出掙扎，但無可奈何，沒有多久，就聽到石靜宜病逝的消息。所以他認為石靜宜是被害死的，是誰害的，則直指經國先生。這位資深記者的回憶，經過報紙披露，加上他去榮總悼祭緯國先生時，再度對採訪記者提起此事，質疑石靜宜的死因不單純，與經國先生有關。其實關於石靜宜女士的死因，外界早有傳聞，在所謂緯國先生回憶錄的《千山獨行》一書中，亦略有著墨，加上這位先生的說法，一時間似乎事情真就如他所說的那樣，只是畢竟人間還有公道在。石靜宜的弟弟石爾璽先生在向緯國先生致祭，接受記者訪問時，對於外界渲染的作法十分不以為然。他指出石靜宜曾經多次流產，心情不能平靜，有服食安眠藥的習慣，長期使用安眠藥使得心臟功能受損，所以最後死於心臟病，沒有什麼疑問。石爾璽先生並且表示，當石靜宜病逝的時候，他就在病床旁邊，還拉著姐姐的手，當時緯國先生的養母姚太夫人也在場。對於石爾璽先生的說法，我認為是可信的，因為今天不同於往昔，今天蔣家已經逐漸沒落了，在政治上已經失勢了，如果石靜宜真的被害死，石爾璽先生大可以明白的說出來，要求還他們家一個公道等等，沒有必要否認，或者為蔣家掩飾。今天既然站出來說是死於心臟病，就應該是死於心臟病，沒有什麼好懷疑的。

緯國先生過世後，有許多人，包括大眾傳播媒體，大多把問題的焦點放在經國先生與緯國先生的感情是否和睦上。我個人受知於經國先生是從四十多年前隨侍蔣公左右開始的，認識緯國先生也差不多是在這個時候。經國先生與緯國先生個性不同，生長的環境不同，受的教育也不一樣，因此彼此想法也時有出入，但若因此而論定兄弟兩人感情不睦，倒也未必盡然。至少就我與經國先生、緯國先生兩位交往的情形來看，我從來沒有聽過經國先生對緯國先生有任何批評的話，相反的他還相當照顧緯國先生。緯國先生升陸軍二級上將，出長三軍大學，調任聯勤總司令，上將屆齡退役後，轉任國家安全會議秘書長，不都是經國先生擔任總統時核定的嗎？外界實在不必在這種事上做文章。

去年十月號的《傳記文學》針對《商業週刊》對蔣公與經國先生父子關係的報導，刊出一篇〈歷史的公道與厚道—有感於兩代蔣總統先人受辱的幾句話〉的評論，指出「治史讀史要秉持公道，這是天經地義的事情」，而「厚道絕不是鄉愿，而是在沒有充分證據以前不能以不實的文字傷害或醜化歷史當事人。這是中國人做人的美德，更是修史者的美德。」今天紀念經國先生逝世十週年，我想要呼籲大眾，對待蔣公及經國先生在中國歷史上的得失毀譽，應該秉持著公道、厚道，給予公平合理的對待，尊重歷史的事實，讓史料說話，而不是恣意批評、無的放矢，更不是不經過仔細查證，僅憑著幾卷錄音帶，就弄出一個「獨家報導」，侮辱兩位過世的國家元首。事實上，不僅治史、讀史要公道、厚道，一般人做人處事亦應該如此。今天臺灣社會所欠缺的不就是「公道」與

「厚道」，如果這個社會多一點公道，社會中的每一個人多一點厚道，自然不會有那麼多無謂的紛爭，社會自然和樂。

陳鵬仁先生

謝謝孝公，現在請潘館長發言。

潘振球先生

今天早上聽了好多位先生講述經國先生的生平，本人也有機會從民國三十三年起一直受經國先生的教導而與他保持連繫，在聯繫同學、服務老師、教育青年及黨務工作方面與他均有接觸。剛才各位都對他有所追思，我也一直在想，他的為人給我留下了非常深刻印象。他是位不輕易向人家說「沒有這回事」的人，依其個性，倘有冤屈，亦都任其自然，不刻意辯白。剛才幾位也提到他被人誹謗之事，我現在再提「五二四事件」，這件事有人說是他發動的，由成功中學校長帶學生到美國大使館去鬧事的。

民國四十六年五月二十四日那天上午，經國先生曾來到位於臺北市大直臺灣省訓團，向中國青年反共救國團幹部研討會人員講話，那時我是該團的教育長。上午約十一點左右，他來到我辦公室坐下，有人來報告說，臺北市民因美軍法庭對其士兵雷諾槍殺我平民劉自然判決無罪，劉自然夫人就帶了小孩，到西門町美國大使館抗議，引起很多人同情，人愈聚愈多。過了三十分鐘，胡軌副主任及當時團的主任秘書李煥兄先後來報告說那裡已聚集了三、四百人。在這過程中，我說要對此事應嚴加注意不要演變成像以前北平發生的「沈崇案」。當時經國先生反應說：「何止沈崇案？要比沈崇案還要嚴重。」當時我就打電話問薛光祖校長，他告訴我說，有一個班級學生一個個溜出去，有這麼一回事，因為他們的導師路逾（即詩人紀弦），他是一位愛國熱情奔放的詩人，絕不是學校發動學生去那裡鬧事。這件事鬧大了，中午聚餐時，他沒吃一碗飯，匆匆由李煥主秘陪同他回救國團總團部。聽說那個晚上，經國先生一直在那裡接聽電話，李主任秘書到半夜都未離開。有人還把這件事說是經國先生在救國團，指使成功中學的學生去鬧事的。這是絕大的冤枉，但他為了顧全大局，都忍下而不多辯白，一直悶在心裡好多年。我想這是一件很痛苦的事。

經國先生是一位理智與情感兼具的人物。他在處理問題的時候，祇問是非，不講人情，對於幹部的要求更是十分嚴格；但其內心世界卻充滿了情感，關心愛護無微不至。記得民國四十二年恢復學校軍訓，經國先生對於教官的遴選十分重視，所以選最優秀的軍官來擔任。他曾選一位學養豐富兼具戰鬥經驗、並正在前線打游擊的徐煦衡同志，調到臺灣師範學院當軍訓總教官。徐是我同學，做事認真負責，竟至積勞成疾，因沒成家，乃在我成功中學校長宿舍暫住養病，後來聽我勸告到臺大醫院檢查，才得知已患肝病，並引發膽毒症，且滲入腦部，痊癒機會極微。我將此事報告經國先生，他指示邀請名醫會診，用最好的特效藥。經國先生曾多次前往探視，最後一次是在民國四十四年六月九日下午，我陪經國先生到臺大醫院徐總教官病床前，當時病房已亮起紅燈。徐總教官看他來了，淚水盈眶，激動的表示，他已無法再追隨經國先生參加革命。經國先生離去後不久，煦衡兄就去世了！經國先生當即指示，要將他的靈骨和《鼎食之家》的作者劉垠的靈骨，合葬於北投復興崗政工幹校校園鴛鴦湖畔，一文一武，讓青年們去追思，做榜樣。民國四十五年六月九日煦衡兄逝世周年，經國先生曾親臨主持安葬典禮，並致詞追悼，感嘆這兩位同志生病時，未能盡到醫療上的最大幫助，此事使他終身不能忘懷。徐、劉兩位都是在清貧困苦中努力奮鬥的忠貞之士，他們因工作辛勞而染不治之症，在經國先生心裡，他們人雖已離人世，但這種精神都永遠不會死。他這種對同志的情誼，是多麼的純真，多麼的令人感動！

再談一談經國先生對於長者的態度。張一清先生是一位忠黨愛國、清操自礪之士，曾任中央幹部學校教授、訓導長，經國先生對他非常敬佩。民國四十七年六月逝世後，經國先生寫了一封信給我，目前存於國史館裡，要我多關照他家人。張一清先生清廉一生，過世後骨灰暫厝指南宮，經國先生為表示對長者敬悼之忱，有一天在主持省訓團救國團幹部集訓的升旗典禮後，要我陪他上指南宮，並親自向一清先生骨灰拈香祝禱，默念良久，情殊感人，沒想到此一強人會對一個並無顯赫勢位的普通長者，如此溫馨熱情。

最後綜合我對他的印象是他愛護青年出自真誠；他受怨受謗，從不為自己辯護，而一心為國；他有烈士的性格，志士的行徑，聖賢的氣概，褓姆的心腸；他真是一位親切、自然、實在的領袖。我報告到此，謝謝各位。

陳鵬仁先生

謝謝潘館長，現在請周仲南先生談一談。

周仲南先生

主席、振公、孝公、錢議長及各位前輩：今天的主題是「口述歷史」，最近很多新聞有口述歷史的報導。我個人的看法，口述歷史應該是身歷其境、參與其事。剛才聽到各位前輩的報告，令個人非常感動與敬佩。個人於民國六十八年在金門擔任師長時，很榮幸被經國先生遴選為侍衛長，從民國六十八年八月至七十四年五月長達六年間，追隨在經國先生的身邊，我也看到經國先生由身體健康，漸漸因糖尿病影響，很多地方可說是心有餘而力不足。他有很多地方想去、想瞭解，後來都不能如願，追隨在身邊的人看了都非常感動。經國先生真是無我無私，為國為民的好領導。今天上午也出席了很多當年是經國先生的隨從，談到經國先生生活起居的點點滴滴，大家可能都已耳熟能詳。在此我舉出不太為人知道的二件事情來說一說。

自從我擔任侍衛長後，感覺很奇怪的是在政府機構每天都有升降旗，但是在經國先生寓所的旗桿，每天也可以看到國旗升起降落，到現在經國先生不在了，還遵照他當年一樣，每天都要升降國旗。我不知道現在很多政府的首長，有幾位是如此做的。這件事是不太為外人所知，在場的新聞記者朋友，不妨到大直去看看，在其院子的旗桿上，每天都可看到青天白日滿地紅的中華民國國旗升起降下，而且每天早上六點十分一定準時升旗，很少有人會這樣做的，我報告這點的意思，是要讓各位瞭解經國先生的愛國情操。

第二點想報告的是，經國先生的家裡不用日本貨，這很少為外人所知。大家都知道，經國先生的母親毛太夫人，在民國二十八年為日軍所炸死，在其老家溪口的院子裡，有塊石碑寫著「血債血還」，這是經國先生個人的親仇家恨。他當行政院長或總統時，從來沒有公開要求國家、政府或社會要抵制日本貨，這是什麼道理呢！他公私分得很清楚，個人與日本雖有仇恨，但身為國家元首，為了國家的利益，他從來沒有宣示不要用日本貨。

剛才說口述歷史應該是身歷其境、參與其事，我當了六年的侍衛長，是經國先生身邊的隨員，在他身邊服務，照顧他，幫他處理身邊瑣碎之事，為他分憂解勞，很多不便公開來說。最近不斷有關經國先生的報導，據我查證的結果，都與事實差距很遠。今天我聽到各位先進、前輩的報告，非常感動，因為這些都是我六年間所親眼看到、聽到、參與其事的。

個人身歷其境的有一件事，在此提出報告。民國七十四年五月一日，我奉經國先生指示擔任憲兵司令，那時國家內部並非很安定。民國六十八年底，高雄發生「美麗島事件」，當時民進黨雖未成立，但民意已十分高漲。本人到憲兵司令部後，經國先生指示把憲兵做了相當程度的擴編，很多人懷疑這是國民黨為了保衛政權，甚至有人說是經國先生為了自身的安全，才如此做。其實這並非事實。經國先生當年的想法，是因國家需要安定，有安定才能生存發展。當年在戒嚴體制下，常有集會、遊行，但這都是違法的行為，它會造成社會動盪不安。那時的警察如果說他們沒有能力，不負責任，是不公平的。當時警察力量確實很有限，各警察局、分局、派出所，人員很少，甚至很多派出所只有一位警員，碰到辦案時，不得已叫太太來分駐所或派出所聽電話。高雄事件發生時，最後為何動用憲兵，因為警察力量不足，臨時發生這種群眾事件，只好到附近各警局、派出所調集各種警力。我擔任憲兵司令時，曾問過警政處長，也問過臺北市警察局長，說你們有警力三千人、五千人，試問裡面是如何編組的？你們的負責人是誰？他們都不知道。我可以講一句很難聽的話，警察雖然有那麼多人數，但都是較無組織、無指揮系統，所以高雄事件一發生，警察處理不了，最後才動用憲兵隊。

很多人說為何要這麼多憲兵呢？又說這是軍人干政。今天我報告這些的意思是，要讓各位瞭解經國先生很遵守憲法。根據中華民國三種法律「刑事訴訟法」、「調度警察司法條例」、「軍事審判法」規定，憲兵是兼司法警察。當年在這種情況下，擴編憲兵，憲兵一個班裡有三至四位士官。很多人都說，過去沒有這樣的編制。根據刑事訴訟法，憲兵的士官才是司法警察官，要維護社會治安，一定要有檢察官或司法警察官，在其指揮下，才能處理這些案件，這是法的問題。假如純粹是憲兵，他不是士官，按照規定就沒有調度權，去調查影響治安的案件，這是法的問題。我擔任六年侍衛長，差不多二、三個禮拜就要到經國先生的寓所或總統府去探望他，關心他的身體。經國先生一再告誡我，雖然依法憲兵是司法警察，但我們處理很多事情時，必須把握兩個基本原則：第一，任何社會大眾治安的維護工作，一定要有檢察官在現場，由檢察官來指揮，不是由憲兵直接介入的；第二，一定要有警察提出要求，請求憲兵支援才行。在這兩大原則下，過去有一段時間，各位新聞界的朋友經常報導：警察在第一線，憲兵在第二線，其基本原則即在於此。因當時社會大眾並不知曉憲兵是司法警察的身分，都認為憲兵是軍人，軍人出來就是軍人干政，其實在那種辦法下，憲兵是不會亂來的，當時都是警察在第一線，憲兵在第二線。

講到這裡，我願意報告最受經國先生欣賞的兩位地方行政首長，一位是當年任臺北縣長的邵恩新先生；一位是當年任臺南市長的蘇南成先生。那時選舉暴亂的事件非常多，正如剛才我所提，在戒嚴時期並沒有集會遊行法，也沒有人民團體組織法，按照規定是不能集會遊行的，但是這兩位地方首長能挺身而出。根據刑事訴訟法，地方行政首長（縣市長）是兼司法警察官，有權指揮司法警察來處理這類事情。但是臺灣有二十多個縣市，卻很少有縣市長懂得這些法律，並能依法執行，只有邵縣長和蘇市長這兩位能做得到，他們傑出的作法，深得經國先生的欣賞。

今天我特別藉這個機會，跟各位報告，經國先生完全是為了民眾，因為社會安定，人民才能活動，老百姓才能安居樂業，經濟才能發展，國家才能強盛。剛才錢議長也提到經國先生很多作風及看法，他完全是站在民眾的觀點著想。如果要說出來，三天三夜也談不完。當年我們做侍衛工作的不像現在這樣，假如經國先生出外看到前面有警車開道，會很不高興。各位回憶一下，當年經國先生到各地巡視，看到前面有警車開道嗎？

如果有警車開道的話，我這個侍衛長不會幹六年，我想不用六天就得走路。經國先生有時看到警察管制交通、管制紅綠燈，他是會過問的。記得有一回，約下午四點到五點鐘左右，我們從士林官邸出來，由福林路轉中山北路經大直橋，回到寓所。由福林路一直開，經圓山賓館，由北向南沿線都沒有車輛，回到寓所經國先生馬上找我，他說馬路是大家走的，為何回來時一路都沒有車輛，但由南向北的車輛卻那麼多、那麼壅塞呢？我覺得經國先生真是處處便民，為民著想。當時我們不能有警察、憲兵開道，對我們管制非常嚴格。回想起來，現在的侍衛比起當年容易做得多了，當時我們做的非常困難，要做到安全但又不能影響社會大眾。

各種點點滴滴可以講的事情很多，但只想表達的是經國先生真是一位無私無我、為國為民的好領導。我不想耽誤大家太多時間，簡單報告到此結束，謝謝各位。

池蘭森先生

各位先生，各位長官，因時間不多，將我寫的〈記述經國先生〉讀一遍，供各位參考。

一、兼領情治

因經國先生做過情報負責人，我將這段敘述一下：民國三十九年我中央政府在大陸潰敗後來臺，因應情勢需要，在中央黨部下成立「政治行動革命委員會」，以此統合國家情治力量，官方通稱為「總統府資料組」。由經國先生兼領，設立於新北投八勝園山麓，門前僅掛個小木牌，名為「秀廬」，並完成整合情治、嚴肅紀律、摘奸發伏及保障人權四大任務。九月十八日經國先生主持大陸敵後情報班，也就是情治界習稱的「石牌訓練班」，他在開訓時曾講過發人深省的幾句話「世界問題在遠東，遠東問題在中國，中國問題在大陸」。五十年來世界局勢發展果不出其所料，世界問題的重心確實仍在中國大陸。

二、從事外交

經國先生手著《痛定思痛》一書寫過：抗戰勝利後，為著外蒙獨立問題，他去蘇俄會晤史達林，史親口告訴他說，「外蒙古我一定要他獨立，因為我怕你們中國，你們中國據有強國的條件，但缺少的是政治的統一。」可見世界上沒有任何國家願意看到一個富強統一的中華民國。

三、冒險患難

四十一年三月經國先生偕同蔣方良女士，帶著前線勞軍團到浙江大陳島游擊區勞軍，這是臺灣第一個敢到前方去的勞軍團。當時乘船到前方既辛苦又危險，三年內他去大陳島二十多次，直到大陳軍民撤守，他曾為游擊隊親題「盡忠報國」四字以惕勉，此字現已刻在國父紀念館的碑林中。

四、首次訪美

四十二年十二月底，任總政治部主任的經國先生，剛從美國訪問歸來。這是他第一次到美國，那時很少人到過國外，因此在主持政工會議時，大家提議請他報告訪美觀感，於是利用晚餐後的休息時間，報告了他的見聞：

（一）美國政府以禮賓車接待他，由警車前導。當他座車飛馳華盛頓大街時，遇到一輛迎新娘的禮車在前行駛，看到國賓車，新娘車很快停靠路邊，打開車窗，新娘伸出手來向他打招呼，充滿友善和溫馨的叫聲「哈囉」。他說要是我們寧波新娘子，說不定還會大罵一句：你要我新娘子喜事讓你路，你趕什麼，趕去死啊！他用寧波音講了這句話，會場裡的人都笑了。

（二）美國人請他搭火車觀光，火車上設備真好，用手一按紐，有個小水槽出來；另按一個，小床出來了。當年大家都很土，聽得出神。那個年代臺灣照像館洗照片，通常都要好幾天，他說：在遊樂場中照張相片，幾分鐘就可拿到了真快。

這些都是經國先生親口講出來的，連他自己都感到新鮮之事。

五、大陳撤守

四十四年三月大陳島撤守，他在日記中寫著：二月一日，我在共軍飛機轟炸下，乘水陸兩用機飛抵大陳；四日，共軍轟炸後天空和海上又歸於沉寂，有張照片照著我坐在漁師廟前岩石上，照片背面題有「海山月下登高崗，憂國事，誰堪當」，想起二十三年前之往事，感慨殊多。

《大陳島》一書，寫出了經國先生在大陳出生入死的悲憤情景。他以傳教士般的仁慈，用愛心、信心及愛國的情操，穿梭在大陳島游擊基地。大陳列島被中共海空軍包圍，危在旦夕，他在大陳坐鎮，使一萬七千零三十二人平安撤退來臺，這些都是在他偉大而平易近人、平凡隨和、平淡樸實的感召下完成的。近四十年來，國家什麼地方發生危急，經國先生就到什麼地方去。民國四十四年元月三十日上午起，共軍飛機輪番轟炸，毀民房五十家，死民眾三十五人、重傷五十多人；下午二時許轟炸聲中，大陳港口上空出現一架水上飛機(復興航空公司陳文寬駕駛之藍天鵝號，數年後該飛機在馬祖海面失蹤)。當時爆炸聲不斷，濃煙籠罩上空，能見度低，飛機不敢下降，幾經盤旋終於迫降港口海面；機門打開後，出現一位頭戴深色毛絨帽，身穿褪色軍用夾克的人，迅速登上游擊隊凱旋號快速艇，向大陸沿海飛快駛去。它飛繞過大陳海面及觀測了幾天前才失守的一江山島，到下午五時方返航大陳，這勇敢的不速之客就是蔣經國先生。據知，陪同此行的尚有國防部保密局長毛人鳳；本來還有一位中央大員同行，此人抵達松山機場起飛前，接其家人緊急電話，因為此行太險，堅持不許此人去大陳。經國先生知道後，神色自若的勸告此大員，聽從其夫人的要求驅車回家。二月二日，經國先生到上大陳甲午岩陣地，看到兩位臺籍士兵。他問過了姓名和家中情形，即告訴兩兵快寫家信，要為他們親自帶到臺灣，派人送去其家中；又叮嚀守軍彭團長說，他們的家人會掛心，要好好照顧他們兩人。

六、為國儲才

經國先生任國防會議副秘書長時，特在國家安全局設「政策研究室」，以我前駐蘇俄外交官、蘇俄問題專家卜道明為主任，延攬人才、資助留學，備為國用。此室選在圓山中山兒童樂園山頂，茂林修竹隱密處，外掛木牌上寫「遠廬」，現在黨政要員中，很多人是出自該研究室的研究委員，或助理研究員的，這研究室就是現在政治大學東亞研究所的前身。

七、母子情深

經國先生與蔣夫人宋美齡女士，母子親情是深源於他自蘇俄返國後，其稟呈給蔣夫人的四封家書中，可以顯露出其孺慕孝順之心，信是發自不同地點及不同工作環境中。

（一）江西省府

今後益當敬遵訓示，加緊工作，決以大人之意志為意志，以大人之行動為行動。兒奉熊主任諭，往贛縣編訓保安團，將來練兵範圍或將擴大。十一月一日。

（二）九江花園

此次在牯嶺得與大人同敘一堂，快樂異常，兒以忠實之心接受大人一切訓示，兒為父母大人政治主張之實現，今後將更加努力，請大人放心。飯店中無筆墨，故以鋼筆書之，請大人原諒。兒經國、芳娘。五月二十八日。

（三）中央幹部

昨晚拜別大人返校之後，對於所示各點曾詳加考慮，且一夜未能安睡，深知大人愛兒深切，不知應如何努力爭氣，方得報大人之恩德。至於兒個人之願望，則在用自己之心血，為父母大人之事業而爭氣，同時自知年輕學淺，絕不敢擔當大事，無論何事，凡兒之能力所及者，一定努力去做，究在何種部門工作為宜，過去、現在與將來，皆請大人決定，絕無任何意見。國難雖日益重，但勝利之日亦必在不遠。四月十六日。

（四）英文書信

（譯文）非常高興收到您的來信，尤其是出自您親筆書寫，更讓我無限的感動，感謝您的母愛及對我們的慈祥，獻上無限敬意。您所給我的指示，對我的思考有很大的影響，我將會深記在心中。一九三八、五、十三。

八、憂國憂民

經國先生憂國憂民，在其六十八年十月十六日筆記中，記載有：「颱風甫過，秋夜深思。計自從政以來，已有四十年，從任縣長以至總統，從未計及個人名位利害之私，但內心實無時不以國難民苦為憂，亦無時不以未能為國為民盡心而慮，不論世變如何，報國赤忱，此心耿耿永不稍渝。經國，中華民國六十八年十六日，深夜於臺北。」

九、經國大學

現在臺灣各界為發揚經國先生精神，培養國家中堅人才，正發起創辦私立經國大學，緣起文有：經國先生以堅忍不拔之意志，抱民胞物與之襟懷，置個人生死榮辱於度外，謀國家民族之福祉。其逝世將屆十週年，辭世之初，部份國人雖偶有情緒詆毀，惟經過十年歲月的沉澱省思，國人對其感念已日漸濃郁，因之我們覺得應盡一份心力，延續經國先生的理念與抱負，來紀念經國先生對國家偉大之貢獻。

最後我將「盡忠報國」四字的來源說明一下。民國四十一年經國先生到大陳島視察，當年我被派到游擊隊辦東海簡報。經國先生看到報告很滿意，在報紙上寫了「盡忠報國」四個字，交給我。這字寫的不大，只有二寸見方，我保存了久年，五十六年我奉派到總統官邸，有很多侍衛官退休，我想將這幅字印出來，並送給退休人員當紀念。透過孝勇呈送經國先生看，核定後，請故宮博物院的專家設計放大，字上沒有印章，就將經國先生送給故宮博物院蔣復璁先生的一幅照片上的圖章，拓印過來。補上印章，這就是我們現在所看到「盡忠報國」的這幅字，是在大陳游擊隊時經國先生親筆所寫的。

陳鵬仁先生

謝謝各位，在上、下午各一場中，各位先進一再以事實說明經國先生如何對於青年人、榮民、農民的照顧，我也順便提一下，個人對經國先生的看法。

我與經國先生首次交談，是在一九六五年秋天，我準備由東京轉往紐約繼續讀書而回國省親的時候。那時救國團主任秘書姚舜先生要我與經國先生見面。我說沒有什麼事，不需要見面吧。他說你去美國不知何時才能回來，還是見見面比較好。於是由原振文兄陪見。

經國先生在辦公廳門口接我，並問我家蓋好了沒有？這是因為前一年嘉南地區地震，我老家半倒，經國先生曾派海外組劉家治副組長和兩位留學生（吳老擇、陳顯智兄）去看過家母，所以才問起這件事。

甫坐下來，經國先生便問我對他有什麼意見。那時經國先生只擔任救國團主任，沒有其他公職。我對他說，國民黨有如一條船，老百姓是水，沒有水（老百姓的擁護），船是無法行駛的，因而建議臺灣省政府主席應該由臺灣人來擔任，並增加臺灣省籍的部長名額。後來這些建議都一一實現了。

一九七〇年四月二十四日中午，經國先生應邀在紐約廣場大飯店向一個團體發表演說，進場瞬間，在飯店門口突然發生臺獨分子黃文雄持槍意圖暗殺經國先生的事件，鄭自才掩護黃的行刺。當時我是紐約臺灣同鄉福利會會長；一聽到槍聲，我便跑上去。這時經國先生已進去飯店，黃文雄已被帶走。鄭自才被警察扭住，頭部被碰在地上，我聽到鄭自才用英語喊叫「我要看醫生！」跟著我後面跑上去的還有兩個人，一位是曾任中國國民黨南區知識青年黨部書記長的步天鵬兄，這時我才認識他；另外一位是誰，我已記不得了。那幾天，紐約的臺獨分子，幾乎每天二十四小時打電話恐嚇我。

一九七二年三月，我應邀特地由紐約回國列席第十屆三中全會，會後承蒙經國先生召見。當時經國先生曾經對我說：「過幾天邱永漢就要回來了，你回美國以後，可以告訴他們，只要他們在國內不活動，我可以同意他們回來看看。看了以後，覺得滿意，就放棄臺獨；覺得不滿意，繼續他們的活動，沒關係。」經國先生就是這樣開明的人。

這時，趙聚鈺先生要我回紐約之後寫一篇建議經國先生出任行政院長的文章，於是在紐約臺灣同鄉福利會理事會通過建議經國先生出任行政院長的提案後，我寫了這篇文章，並分別寄給《中央日報》、《中華日報》、《臺灣新生報》、《中國時報》、《聯合報》和香港的《新聞天地》。臺灣五家報紙全部沒有刊登，《新聞天地》在五月二十七日刊出；我並將其轉載於由我擔任發行人的紐約《中華青年》。不久之後，經國先生出任行政院長。這是我唯一一次受人之託寫的文章。

同年四月底，我回紐約沒有幾天，留學生黨部負責人何維行先生來電話說，要我於八月間回國開會。我因剛從國內回來，故希望他找別人回國。但他說我和全美反共愛國聯盟主席劉志同是國內指名的人選，所以我答應了。這是第一屆海外學人國家建設會議，簡稱國建會。開會期間，經國先生曾召見過我。

一九八六年一月，我應秦孝儀先生之邀，結束將近三十年的國外生活，回國服務於中國國民黨中央黨史會，不久，經國先生在總統府召見我。這是我最後一次與經國先生交談。經國先生說馬樹禮秘書長告訴他：我是國內日文最好的一個，將來希望我多幫幫孝武。

經國先生逝世大約兩年後，曾任日本京都外國語大學教授、現任姬路學院短期大學校長的小谷豪治郎先生寫了一本經國先生傳，我把它譯成中文，以《蔣經國傳》的書名，於民國七十九年四月，由中央日報社出版。此書可以說是外國人所寫最完整的一本經國先生的傳記。

一九九五年四月，莫斯科大學亞非學院舉辦蔣中正先生逝世二十周年學術研討會，李雲漢主任委員和我應邀前往參加。當時我們兩個人特地往訪孫逸仙大學（亦稱中山大學），為的是要緬懷經國先生的母校，雖然它已經完全沒有昔日的面貌。

經國先生是一位有膽識、有遠見、有抱負和有擔當的非凡政治家。他為中華民國奠定了經濟起飛和落實主權在民之民主憲政的基礎，因而為世界各國所肯定和讚許。李登輝主席在中央常會曾經特別提到這一點。

小谷教授在前述經國先生傳說：「政治家的本領如果在於以國民的痛苦為痛苦，以國民的喜悅而喜悅，實行一切與國民生活打成一片之政治的話，經國先生的確是超群的政治家。」我認為，經國先生是政治家永遠的楷模。

嚴靈峰先生（書面意見）

來函敬悉。因健康不佳未克參加為歉！茲提供經國先生個人操守及對臺灣貢獻以供參考。

一、操守廉潔，一生無私人財產觀念，來臺灣時僅借用長安東路華南銀行宿舍，以後遷至大直七海新村，目前蔣夫人方良女士仍住其中，可說上無片瓦，下無寸土，為其他政府官員所不及。

二、對臺灣的貢獻：由大陸帶來大量黃金，使臺灣財政貨幣得以改革，日趨穩定。

三、開闢東西橫貫公路，使臺灣社會經濟日趨繁榮，充分利用剩餘勞力從事各項建設，安置大部退役官兵，使他們得安居樂業，社會無散兵遊勇之患。

四、開放大陸探親，使兩岸人民得以互相往來，無父子不相見、兄弟妻女離散之苦，並促進經濟文化交流，使國家和平統一日漸進展。

曹聖芬先生（書面意見）

蔣經國先生的政治風範

筆者從青年時期認識蔣經國先生，想就自己管窺所得，談談他在行政院長和總統任內的政治風範。

經國先生於民國六十一年主持行政院，六十七年當選第六任總統，七十三年當選連任。在這十六年間，他給中國政治樹立了兩種風氣：一是親民，一是力行。政府機關樹立了這兩種風氣之後，中國政治等於進行了一次無形的革命，而成為切合人民需要，活力充沛的政治。現在分別說明如次。

親民教民為民主政治奠基

先說「親民」。「親民」原是中國政治哲學的中心。歷代政治家莫不以此為施政的重點。國父孫先生為政治下定義便說：「管理眾人之事，便是政治。」又說：「建設之首要在民生。」都是說要政府施政必須以人民的願望和福祉為依歸。先總統蔣公畢生為人民服務，更是確立了政府工作的方向。然而二十多年前，經國先生擔任行政院長的時候，無可諱言的還有許多公務員以坐辦公廳，寫「等因」「奉此」為從政的唯一方向。那時公務員考試，「公文程式」是一門很重要的科目。「紹興師爺」的陰影，還活在各機關的秘書科長的心裡。經國先生作了行政院長，他首先簡化了公文格式。只須知道要辦的事情，交涉的對象，連中學生都可以寫的出來。這樣，才將一般公務員從咬文嚼字的紙堆裡解放出來，把心思用到實際問題的解決上去。至於經國先生自己呢？他每週幾乎有一半的時間在民間訪問。他到過臺灣的每一角落，接觸過每一種職業的民眾。他身居中央而關心地方，他重視工業而關心農業，所以他制定的施政計畫，能平衡各方面的利益而切合人民的需要。

因為經國先生經常訪問民眾，民眾也從他的訪問得到教育，使民眾知道：「政治並非什麼高深的道理，只是我們日常的公共事務。」「既然是大家共同的事，那我們就應該共同參與。」因此而引發大家參與政治的興趣，政府與人民對公家的事才能通力合作——這是中國民主政治真實基礎之所在。外國記者每以為臺灣民主政治之推進，是「解嚴」以後的事，殊不知二十多年前，經國先生早已在作奠基的工作了。

以實例培育國人力行精神

其次要說「力行」。國父孫先生在民國初年深痛國人只知坐言，而不能起行，於是提倡「知難行易」，要改造一般社會心理，共起實行三民主義；但他不及目睹成功。先總統蔣公繼承國父遺志，提倡「力行哲學」，積十年教訓之功，始收抗戰勝利之效。但社會風氣改革，尚未推動。到經國先生負責行政院，他在民國六十二年執政黨的全會中作政治報告，宣布行政院將推動十項大規模的建設，包括國家的基本工業和重要的公用設施，預期在六年以內全部完成。當時與會同志一千餘人，多年來因國難當前，財力維艱，習慣於因陋就簡，過「克難」的生活。及至聽了蔣院長宣布十項建設計畫，規模宏大，前所未有，莫不感到興奮，恍惚覺得自己已走進一個新的時代。但到了那天下午復會的時候，服務於財經界的同志傳出了不樂觀的消息。當時正在第一次石油危機之後，政府支出增加；這十項建設所需經費，初步估計在兩千億元以上，在當時是個天文數字，大家都不知如何籌措，心裡不由發生疑問。但蔣院長迅即與有關首長一一釐定具體計畫，決定先後緩急，籌闢財源，廣羅工程人員，分頭進行。他自己也常到山巔海涯的工地，視察施工進度，鼓勵員工士氣。後來各項計畫，一一如計完成。國家有了現代化的基本工業及公共設施，經濟進一步發展才能實現。因此可以說：經國先生是以具體的物質建設，來培育國人的力行精神，使國人認識了國父知難行易學說的真理，從而確信：無論什麼巨大事業，只要有決心，有計畫，雖移山填海之難，必有完成之日。現在我國教育普及，人民知識提高，在知行學說的實踐上，已經進入知而後行的境界了。

任重致遠危疑中處變不驚

「親民」和「力行」在政治上所產生的效果是政通人和，百廢俱興。尤其是經濟建設突飛猛進，物質生活日益豐富，這些都是顯而易見的。但經國先生的領導，有其不易為社會察知的一面，那就是他居安思危，高瞻遠矚，領導國人，迂迴曲折，避免危難；忍辱負重，持志養氣，奔赴目標的定識和毅力！他這種定識和毅力乃是來自他的憂患意識！經國先生常常引述兩句古詩——「君子有遠慮，志士多苦心」來勉勵同志，這「遠慮」和「苦心」正是憂患意識意識的具體表現。憂患意識的形成是自覺的，理智的，積極的；其表現之極致是悲天憫人的襟懷，任重致遠的擔當，戒慎恐懼的警覺與未雨綢繆的準備。這些要素，正是經國先生十餘年間領導國人的特質。每當國家遭逢橫逆，社會人心危疑震撼之時，他的堅定的立場，具體而明確的方針，立即成為全國同胞信心憑藉，智慧的泉源，而發生處變不驚，莊敬自強的效果。

有許多政治家在年輕的時候英明有為，富於創造；但一到老年銳志消失，便持盈保泰，憚於改革，以致政治停滯，流於腐敗。而經國先生則反是。他晚年以後，體力一年不如一年，到逝世前半年，甚至要用輪椅代步；但他的思想永不停息，目光永遠向前看。民國七十四年三月，中國國民黨十二屆三中全會開幕，經國先生致開幕詞「中國之統一與世界和平」，那是一篇正氣磅礡而又含有血淚的歷史文獻。他敘述國民革命的經過，比較三民主義與共產主義的優劣，指出中國統一的道路以及中國統一後對世界和平所負的責任。當時與會同志聽了，都感到前途光明，自己責無旁貸。筆者也常覺他這篇講詞可作我同胞的政治教科書，能使貪夫廉，懦夫有立志。在那次會議進行中，經國先生鑒於「在國家建設進步的同時，也產生了許多亟待革新和解決的問題」。於是他一一指出，後來歸納為六類，如解除戒嚴，開放人民團體組織，充實中央民意代表，加強地方自治等，其涉及的範圍之廣與層面之深，是當時絕大多數同志所意想不到的。在他去世以前，解嚴和開放民眾團體組織已付實施，充實中央民意代表和加強地方自治也已定案了。

經國先生為恢宏中國民主憲政所作的努力，在執政黨內部並沒有遭遇什麼阻力，當然也有同志擔心改革可能引起社會的不安和混亂，但一經說服，便無異議。惟社會少數躁進政客，則趁解除戒嚴之後，新法尚未樹立之前，結黨成群，造謠惑眾，顛倒是非，混淆善惡，尤其攻擊經國先生個人，極盡其惡毒誣衊之能事。國人忍無所忍，建議政府對之採取法律行動；而經國先生則一律容忍，犯而不校，反而勸大家「不要和他們一般見識」。他曾在一次會議中說：「對於這些不法言論，政府不加取締，有人認為是政府軟弱；但政府有理想、有目標，朝著既定的理想目標，勇往直前，並非軟弱，而是堅定。」

經國先生在行政院長任內，親民力行，一新風氣，積極建設，所向有功，其氣概抱負，可謂豪傑。至其晚年，念茲在茲，恢宏民主憲政，勞怨不辭，死而後已。則由豪傑而進於聖賢之境矣。這樣一位為國為民，鞠躬盡瘁的元首，是會永遠活在每一位愛國同胞的心中的。

楚崧秋先生（書面意見）

歷史將公平對待經國先生他身受的委屈和所作的貢獻

今年元月十三日為蔣經國先生辭世十整年。在臺灣七十歲以下至二十多歲的人，大概對他都會有若干認識，至少腦海中留有或多或少、亦深亦淺的印象，從而對他生平一切，特別是在臺四十年種種感到興趣。加之他是故總統蔣中正的兒子，且曾承繼大位，在所謂近半個世紀威權統治的「蔣氏王朝」中，他無疑是第二號人物，一旦體制解紐，言路大開，對於一個政治領袖，自然可以將其一切攤在萬眾之前，來評頭論足，尋長問短。甚至有人為了達到某種自私自利的目的，不惜捕風捉影，虛構事實，以期聳動聽聞，製造高潮，而蔣經國先生這位向具挑戰性的人物，正可以說是此中典型。因此自他亡故十載以還，他始終是在眾口鑠金、真相未白的情況下受到質疑而毀譽相纏。

面對這樣一個客觀存在的事實，於死無對證的蔣氏個人而言，固然失之不公不正，倘其泉下有知，亦必悱忿不服，而於今日絕大多數的大陸同胞以及國家前途而言，亦應該是一大負面的作用。因為蔣經國先生這個與大家共度四十年悲歡離合的領導人，於今有形生命雖已去十年，然其無形潛在的影子，依然與臺灣的存在價值和命運同在。這並非同胞對他有何特殊倚仗與偏重，而是由於他生前所懷理念、所持政策與今日及未來臺灣走向密切相關。許多人認為：不論將來何黨何人執政，恐都難以完全擺脫這一歷史背景與邏輯發展。

本文的重點不在為其對臺灣的功過作辯護或評估，而只想從幾個大端大節處來分析他與臺灣血肉相連、生死與共的關係。更明白的說，就是他在臺四十年，不論任何職務，乃至貴為總統，他是不是一切以臺灣生存為第一，以同胞利益為最先？也就是史家司馬光所謂：「為國家者，必先實而後文。」

首先我們不妨根據史實，回顧並檢討一下蔣經國先生在保臺反共這場苦戰中所扮演的角色位置。國民黨丟掉中國大陸，以他當時所任職務，最多只能負一個中高級幹部的責任；不過，在他筆下形容為「危急存亡之秋」的民國三十八、九年，他名義上發表為國民黨臺灣省黨部主任委員，事實上則成為蔣中正先生下野後那段時期的護衛和信使。其主要任務顯然是在大陸無任何立足點的情形下，協力轉進到臺澎保有這片「乾淨土」，徐圖再起。這也便是蔣經國先生在爾後近四十年反共保臺這場惡鬥苦戰中，扮演一個重要領導角色的開始。

今天兩岸都有軍事歷史文件透露，美、日、蘇等國亦相繼有解密外交檔案佐證，中共在席捲整個中國大陸後，曾經馬不停蹄於一九五〇年初就有由粟裕統兵攻臺的計劃，同年七月且曾派遣其副主席劉少奇赴蘇向史達林尋求海空支援。後來雖因韓戰爆發而改變了，但其進佔臺灣的野心卻未嘗一日稍懈。當民國四十三年十二月中美「共同防禦條約」簽訂，臺灣安全雖獲美國協防，然中共的軍事威脅與政治滲透甚至變本加厲，四十七年八月的金門戰爭固是一明確的例證，而以後二十年迄於蔣氏逝世之日，他不論擔任何種職責，其最大亦是最具威脅的對手一直是中共。

由於他始終站在保臺反共的最前線，因而「盛名」所至，謗亦隨之。尤其是他來臺之初，就奉命擔任情治方面的總協調、總提調，因此有些人直截視他為「特務頭子」，過去所發生的任何重要案件，特別是與政治扯上關係者，幾乎都把他看作是幕後操盤人或主使者。記得五十九年三月某日他還在行政院副院長任內，於談話中問及：「你聽到民間這類想法嗎？」我當時曾坦直以告，並認為這不公平，且於形象有極大負面作用。當時他十分感慨說了一句：「為了國家，我恐怕只有永遠吞下去了！」

其次，想談到「父子相傳」弔詭對一般人的印象。因為這無疑是為蔣經國先生與臺灣形成密不可分關係的一個著力點。蔣氏父子關係自幼年至於接任大位的種種演化，明載公私史籍，非任何流言或聳動性秘聞所能改變，這大致已為今日治近代史者和一般冷靜的國人所公認。

惟至今仍為不少人竊竊私議，更為反蔣人士所公開抨擊者，乃為老蔣先生以總統權位立意傳於其子，於是近十年父子相傳的「蔣家王朝」一說，從而不逕而走，此說對兩蔣自然都有極大的負面意涵，而於蔣經國先生當然更為不利。因為這樣造成一般人的直覺是：經國先生所以能當到總統，是由於威權體制下父親餘蔭使然，並非基於其本人的領導才能，及其對國家和臺灣的貢獻。

由於一般人對政治人物的價值觀，每每只看結果，不問過程；只知表象，不探內涵，因此對道路傳言或激情批判是通常易於接受的，這本是人性的弱點，是怨怪不了任何人物的。

即以兩蔣父子相傳一事而論，持平的說：老蔣先生自民國二十六年經國先生由蘇返國，命在溪口家鄉閉門苦讀中國史哲，並就其在俄十二年寫成《冰天雪地》一書之後，認為孺子可教，從而寄以期望，這是人情之常，並無特別可議。

後來於二十八年奉命擔任贛南行政區督察專員，為其從政之始，亦即是盼其以在蘇經驗，如何重建中共盤踞了十年的「中國蘇區」，這無疑是對他思想、能力及臨民施政的一大考驗。之後迄於大陸全面赤化的十年之間，他所擔任過的青年組訓、外交折衝、軍事政治、經濟管制以及前面提及的護衛信使工作，無一不是對其具有挑戰性的任務。如果說，這是對他的種種磨練固可，更妥切的認定，應該是給他以開創與應變能力的多方面考量。這些歷史性，甚至亦具若干戲劇性的往事，就無怪蔣氏時興「寒天飲冰水，點滴在心頭」的感慨。

入臺之後，蔣經國先生因通過「時窮節乃見」的考驗，而日受其父的器重，這是十分明顯的，但如果據以認定老蔣先生蓄意培植他為繼承人，不僅言之太早，且與事實還有很大距離。其中最應該釐清的一個關鍵點，乃是他們父子二人都有相當高的民主體認，且具有貫徹憲政的決心，因而深知父子相傳何異於冒天下的大不韙，焉能做這種行不顧言，為世唾棄的謬舉？

可是後來事實的演變，蔣經國先生還是在他父親逝後三年（六十七年）接任了總統。如果人們以此而視為以父傳子，似為對兩蔣的一種誤估及低估，今日海內外治史者已不斷有這種看法與評論，再過若干時日，真相應會更為明白。

再次，必須談到蔣經國先生在威權解構與民主轉型方面是如何思考和掌控的，這應是處於他與臺灣關係的核心部位，甚至可視為他在臺四十年功過是非的一主要分界線。

蔣氏的留俄背景，且與俄女結婚，無疑令很多人直覺的不放心他。他來臺掌管軍中政工那些年間，美國軍政部門並不欣賞他乃是事實。後來經過一、二十年盤根錯節式的交流和考驗，美方才認為小蔣雖在某些方面不免以蘇俄方式反共，但基本觀念上決不排斥民主。就個人經驗舉例，記得民國五十三年，我以所寫《美國總統選舉與民主政治》一書相贈，半年之後還言及書中涉及的問題，此雖閱讀小事，然至少反映了其思想方位的所在。

在蔣經國先生於民國六十一年六月出任行政院長以前，雖然歷任相當重職，在國民黨內的分量不可輕估，但他畢竟只是一個要員或能員，對於高度敏感的政治與軍事決策，據多方研究仍只有適度的發言權，而無決定權之可言。這原本是老蔣先生用人的一貫原則，對經國先生自更不宜亦不應例外。況且經國先生本人個性向頗謙沖自約，不為人先，這對他自己也是有利無害的。

本此而論，蔣經國先生對臺灣民主化應該負起指標責任的開始，應為六十四年四月國民黨蔣中正總裁辭世不久，他被推任為黨的主席。尤其是六十七年五月他當選為第六任總統，顯然已集黨政大權於一身，開啟了所謂「蔣經國時代」。

人們只要稍一回顧，民國六十年代中期以後，國內外包括中國大陸在內，不論冷戰策略、外交關係、經貿利益以及民主趨勢各方面，都發生了若干前所未有的變化，任何一個重要地區及國家幾乎都難置身事外。臺灣由於主觀與客觀多元因素的影響，彷彿處於此一重大變化的漩渦中心地帶。這也正是蔣經國先生必須面對的空前挑戰，在時代、環境、潮流三者都在急變之秋，他究竟如何為臺灣生存和發展領航。

吾人今日試一解析「蔣經國時代」的十年期間，他似乎一直在思考如何求新求變，面對大的方向與最重要的目標，必須要有優先次序，並分別輕重緩急。他每每慨乎言之：「今日不做，明天就會後悔」；審察他肆應並望掌握此一變局的主要方針策略，約有數端：

一、繼續充實軍力，確保臺海安全，尤其是在六十七年底美國宣布與我斷交廢約之後。

二、加強經濟建設與臺灣現代化，提高自存能力，擴大發展空間。

三、面對反對勢力的形成，逐步走向民主化，並期許國民黨大力自我改革，面對群眾。

四、勤跑基層，接近民眾，促成族群融和，增進人民福利，以具體行動加強對政府的向心力。

五、面對兩岸關係逼人而來的變化，妥籌自處與因應之道。

論者認為蔣氏的幾項大政方針，不僅能提綱挈領，抓住要害，而且也確實反映了他要帶領臺灣立於不敗之地的一番苦心。不過對於第三點政治走向民主化一端，每有認為他的態度與決策，太拘泥於過去的傳統立場和作法，未能面對民國六十年代中期以後國內政治生態的急遽變化，從而加快一些民主開放的腳步，讓反對意見更能及早充分表達，包括人民自由結社組黨的權利，何妨提早於民國七十年代之前，就能獲得適當保障。

當然也有不少謀國論政之士，認為在這一點上，對蔣經國先生不免責之太苛，求之太切。因為在他切身領導國家的十二年期間，國內外的大形勢及其所衍生的種種重大問題，有如排山倒海般地衝擊，蔣氏為確保臺灣生存惟恐不及，實難同時進行大幅度的政治改革。這種仁智互見的看法，一時也許難以論斷，然歷史必然會有公正的對待，而不少近期民調如《商業周刊》等所作，就以數據肯定蔣經國先生對臺灣的貢獻高於歷任及現任總統，多少亦反映此種趨向。

回溯蔣經國先生在臺近四十年，綜析其與臺灣這片土地及二千萬同胞的關係，大別之可分三個階段。第一段是自他三十八年在臺定居至五十四年一月出任國防部長之前，先後約十六年。他給民間的總印象，大概是身分特殊，有些神秘兮兮，前面說過這與他幕後主持情治工作有密不可分的關係。幸虧他自四十一年起擔任青年反共救國團主任時間甚長，最初不少人懷疑這與共黨青年團的組織有無同質之處，後來事實證明是一單純的青年愛國自強的團體，蔣氏本人亦充分自然顯現為一站在青年一邊的領導者，這對於其民間印象反而有助。

第二段是從五十四年至六十一年出任閣揆先後六年，共為十三年左右。這無疑是他在臺權力梯上攀昇快速的年代，也是他獨當一面、展現才能、魄力、見識、建樹的年代。尤其是他於接掌政院之初，以大有為政府高度自我期許，先是六十二年底提出五年內完成十大建設計劃，在全般設計定案之後，嚴格要求各級政府及網羅各方面的人才，全力以赴，計日程功，老實說這是日後被譽為「臺灣經驗」最重要的基礎工程，更是國際間所謂「臺灣奇蹟」能夠出現的根本。無疑蔣氏為民間視為最有擔當，亦有具體政績的好閣揆，他為大多數同胞接受的程度，顯然在節節升高。

第三段則為他擔任總統至去世的十年。這固是他個人功業的最高峰，但也是他為臺灣這塊風雨飄搖的土地、為中華民國這個災難頻仍的國家作犧牲奉獻的黃昏時日。人們所見到的蔣經國總統，從來看不出一點意氣風發、志得意滿的模樣，相反的，只覺得一個平凡、平淡、平實的老人，像苦行僧般，穿梭於民眾與田野之間，一切用行動和事實來證明：他不是個外來的過客，更不是一個高高在上的領導人，而是一個十足生根於此的在地人，有高度的責任與義務來求其生存發展。正因此故，這是他與臺灣相互融入的十年，也是同胞們對他最為感念不忘的十年。

尤其難能可貴者，應屬他於民國七十三年三月連任總統之後至其辭世之日的三年多時間，雖因國事操勞而健康日損，但其對世事的敏銳觀察力和判斷力，並及時妥籌善策，肆應未來，決無愧為一老成謀國、洞燭機先的領導人。又由於自然知道糖尿病對他健康的威脅日深，一切不能不早作明智的準備、抉擇和計劃，以免因他一旦無法執行職務時，而造成任何內外不安或失調的現象。

為了爭取時間，為了穩定大局，更為了臺灣的前途與同胞的福祉，他十分明顯的讓世人了解：只有中華民國存在，臺灣才有安全，任何執掌大局的人才有生存與打拚的空間。為了這個總的目標，也為了二千萬同胞的長遠利益，他於是憑藉國民黨人對他的高度信賴，同胞們對他的一分濃烈情義，乃斷然決定：

一、藉七十五年十月美《華盛頓郵報》女發行人來訪機會，讓舉世知道我國行之三十餘年的戒嚴法，將於七十六年七月依法定程序廢止。

二、人民組黨權利以及政黨的合法成立因戒嚴法的失效而獲保障，是為「黨禁」的取消。

三、七十六年下半年行政院表示報紙限制登記自七十七年元旦解除，亦即行之已三十餘年的「報禁」由此開放。

四、七十六年十一月五日內政部通過並宣布大陸探親辦法，為兩岸同胞親屬隔離四十年建立合法公開來往管道，對退除役老兵無異為一及時雨，同時也對兩岸緩和開啟一扇門。

這幾項影響廣泛而且深遠的決策，到今天已視為理所應為，不足為奇，可是在當時卻都是屬於驚天動地的。由於這些重大決定來得相當匆遽，且每發現有許多未能配套作業的地方，我曾問當時一直參與研決的國家安全方面最高負責人，為什麼沒有準備得更周延一些，他的答復是：「經國先生恐怕他的身體等不及了，如不在他手中處理好，深恐節外生枝，反增一些不好也不需要的困擾。」對於他這一說法，不但可深深體察出蔣氏當時的用心和苦心，而且也確能反映大眾諒解其所作決策的適時與適切性。

自認是「臺灣人」的蔣經國先生，與我們一同走過四十年艱難歲月，故世已匆匆十年。

史學家梁啟超說過：「歷史的目的，在將過去真事實，予以新意義或新價值，就是把過去的事實，從新估價。」當我們回顧蔣氏一生的史實，檢視他在臺究竟作了些什麼，尤其他作為一個與臺灣現代歷史結緣如此深長的領導者，我認為最公平正直的態度，應該是拋開一切是非恩怨的包袱，而能以實事求是的態度與居心來予以評價。

所謂「實事」，就是對蔣氏這位歷史人物所處的時代背景與客觀環境，以及與此緊相關連的個人思想、理念、行為和一切與公眾利益相結合的活動資料。所謂「求是」，就是要把他以上種種重置於當時歷史環境中，來判斷他和時代潮流是否相違背，其客觀存在是否相叛離，與大眾意志是否相抗逆，從而作出客觀冷靜的評估，來確定其應具的地位和價值。

指引大家待走的路

準此以觀，蔣先生以其長期留俄的背景，身逢一個家庭、社會、國家都處於天旋地轉的年代，尤其是來臺四十年的後半生，他所面臨的是如何以孤臣孽子的大義血忱，來支撐他父親蔣中正先生的保臺反共職志，讓全中國人在共產統治之外，還能保有另一種選擇。

以往史實在在說明：蔣經國先生曾經在臺灣度過不少天人交戰、是非混淆的日子，可是他似乎不曾有所辯解。他也曾不斷接受國家的召喚與時代的考驗，而把一切視為守分盡責，但求無愧於心。當其處於權力高峰的晚年，更以威權體制的改弦更張，民主開放的大步向前，解開過去許多政治上的死結，將臺灣領向一個嶄新而穩定的境界。

今天在他去世十年之日，不論大家如何來紀念他、評鑑他、論斷他、臧否他，都只具一些衡定歷史人物的作用。而更其重要者，乃是要「將過去真事實予以新意義與新價值」，也就是要以他與臺灣血肉相連的關係為上綱，痛惜得來何等不易的「臺灣機會」，大家捐棄成見，化除畛域，確實掌握住我們應該走，可以走，走得通的穩健道路。

夏功權先生（書面意見）

經國先生對於經濟實有研究，我認為經國先生的想法是，經濟的事務都交給專家來做，但是政策還是在他自己掌握之中。我在紐約的這段時間（六十二、三年代），國家的建設非常快速，但是太快速了，致使經濟上、幣制上都要發生問題。在紐約每個月的會報就要我回國述職，當時經常有新的指導。我見經國先生的時候，就把快速建設的利弊提了一下，經國先生迫不及待的說道桃園機場是一個緩衝的建設，假設經濟稍為發生問題，就把桃園機場暫停興建，假如經濟上不成問題，桃園機場興建計畫就可實施。經國先生的十大建設計畫，全都有盤算，不會有失誤。

李雲漢先生（書面意見）

懷恩與期盼

一

民國六十八年（一九七九）六月，黨史委員會主任委員秦孝儀先生為開展黨史編纂和研究工作，簽請增加副主任委員一人，派雲漢充任，當經蔣主席經國先生核可，並交由第十一屆中央委員會常務委員會第一二三次會議通過。到職時，曾蒙經國先生召見。雖然只是短短幾句話，卻使我感到很大的鼓勵和啟示。記得經國先生和雲漢的幾句對話：

「雲漢同志，請坐。你在政大教什麼課？」

「報告主席，雲漢在歷史系講授『中國現代史』。」

「很好。你教中國現代史當然很了解中國國民黨。現在要你來做黨史會工作，很適當。歷史很重要，黨史更重要。好好的做吧！」

「歷史很重要，黨史更重要」這句話，一直牢記在心頭。後來讀過一些經國先生的講詞，他有好幾次勉勵青年人「絕不向歷史交白卷」，更時常提醒中國國民黨同志要以「向國家負責，向歷史交代的態度，往前邁進，來完成承先啟後，繼往開來的使命」。

二

經國先生於民國七十七年（一九八八）一月十三日逝世，雲漢和其他追隨經國先生工作的先進同志一樣，內心裡感到沉痛和哀戚開始研讀經國先生的主要著述和言論，想更加深刻的了解他的思想、精神、事功和志節，以作效法、闡揚和傳承的依據。當時即曾寫過兩篇文章紀念經國先生，一篇是〈對國家負責，向歷史交代——對蔣故主席經國先生精神志業的體察〉；一篇是〈創造歷史更重視歷史的政治家——研讀經國先生著述的體察之一〉。

經國先生治喪委員會決定籌編《哀思錄》，派雲漢為編輯委員之一，我和黃肇珩負責《哀思錄》第三冊。為了收集經國先生的手蹟和散稿，去過總統府機要室，把機要室所存的文件都過目一遍。同時撰寫一篇〈經國先生與戰後中國東北交涉〉的學術論文，認為經國先生在當時忍辱負重，席不暇煖，「所思慮者國家之安危，所爭持者國家之主權」。經國先生逝世兩週年時，再撰寫一篇學術論文來紀念他，題目是〈蔣經國先生在抗戰時期的奮鬥〉，結語有兩點：

「性剛毅，有氣魄，勇於負責，不畏橫逆，是經國先生的任事精神，也是他成立功業的基本條件。」

「經國先生主張以自己生命的火光，照亮黑暗之四方，一切以人民福祉為出發點，重公而不重私，重義而不重利。」

行政院新聞局奉命籌編《蔣經國先生全集》，組成了「蔣經國先生全集編輯委員會」，雲漢受命為「總審稿」。這是一項很吃力，也不容草率的工作，經過一番辛苦，終於把全部文稿都閱讀一遍，有的並加了注釋。正因為讀過了經國先生的全部著述文字，也才有勇氣為國史館撰寫《蔣經國傳》。雲漢從這些著述文獻中，體會到經國先生是一個「扭轉乾坤，創造奇蹟」的人，他的精神志節歸納為五點：

刻苦耐勞的心性，

廣博深沉的學養，

愛國愛民的胸襟，

無私無畏的人格，

堅貞弘毅的志節。

三

一月六日，參加了由正中書局主辦的漆高儒著《蔣經國評傳》新書發表會，發現這冊書中對經國先生加入中國國民黨的時間記載，與事實有出入。同月八日，出席黨史會主辦的紀念蔣經國先生逝世十周年學術研討會，也聽到有人對經國先生的黨籍作不實的論述，甚至對經國先生何時反共也表示質疑。事實上，這些事經國先生早已有所說明，有些事黨史文獻上也有記載，只是讀書和寫書的人「不求甚解」，反而妄加論斷，無形中對經國先生形成傷害，這是令人感歎和不平的事。

經國先生自己說過，他在民國十四年（一九二五）十月十九日自上海啟程前往蘇聯留學前，曾在上海加入中國民黨。他的話是：

決定前往莫斯科中山大學（註：也作孫逸仙大學）就讀。為準備赴蘇聯，我先到上海，然後搭船北上。離滬之前，我正式加入了國民黨，年方十六歲的我就成了這個革命組織的一員。（蔣經國：《我在蘇聯的日子》）

經國先生入黨介紹人是林業明。林業明，字煥廷，所以有些書直接說是林煥廷，亦作林煥庭。例如吳伯卿編《蔣故總統經國先生年表》民國十四年記事就有一條：

十月初，由林煥廷先生介紹在上海環龍路四十四號中國國民黨上海執行部，宣誓入黨。

林業明是老革命黨人，隸同盟會籍。民國七年（一九一八），奉孫中山先生之命到上海創辦民智書局，任總經理，為國民黨人在上海之唯一出版機構。十二年（一九二三），中國國民黨黨本部改進黨務，中央黨部設總務、黨務、財政、宣傳、交際五部，總理孫先生令派林業明為財政部部長。十三年（一九二四）一月第一次全國代表大會過後，中央黨部再作改組，中央黨部設於廣州，上海設立執行部。中央執行委員會第十次會議決議「委派林業明為黨營上海民智印務公司經理」。經國先生出國前由林業明介紹入黨，顯示其意義並非尋常。經國先生也說過他在赴蘇聯的船上看了一些書，其中「包括孫中山先生的三民主義」。

有人說，經國先生到莫斯科後不久，即加入了「共產黨的托派組織」，因此具有共產黨籍。也有一位青年歷史學者研讀過蘇聯的檔案，發現經國先生《我在蘇聯的日子》所述與蘇檔中的記載未盡相符，因而對經國先生的反共立場表示存疑。其實，經國先生在蘇聯留學時代與共黨關係，並未有任何掩飾。他說在赴蘇聯的船上，「我還細看了布哈林的《共產主義ABC》，到莫斯科後，在一九二五年十二月，也就是我們抵達蘇聯之後幾個星期，我參加了所謂共產主義青年團。」（《蔣經國先生全集》第一冊，六八頁）後來又成為蘇共的「預備黨員」。但由於他的特殊身分和獨立思想，蘇共當局於一九三六年（民國二十五年）九月，決定撤銷經國先生一切職務及「預備黨員」資格。看經國先生自己的說明：

一九三六年九月，我被蘇共烏拉黨委免去烏拉重型機械廠助理廠長及當地《重工業日報》主編的職務。他們還取消了我共黨候補黨員的資格，不讓我參加他們的會議。（《蔣經國先生全集》第一冊，八七頁）

連「候補黨員」都取消了，那裡有共產黨籍！但由於在蘇聯受制於人，斷絕了與中國國民黨的聯繫，因此回國以後重新申請入黨。入黨的時間是民國二十七年（一九三八）四月，地點在漢口，介紹人是陳果夫、陳立夫和張厲生。這年四月二十八日舉行的中央常務委員會第七十五次會議，曾有明確的記錄。

至於經國先生反共的起點，最好的說明是他答復美國新聞記者羅勃馬丁（Robert

Martin）的話：「我不但離開俄國以後反共，而且在俄國的時候就反共，那便是他們把我放逐到西伯利亞和烏拉爾山去的原因。」

四

經國先生逝世已十年了。十年來有關他的傳記著述出版了十多種，但都是以追求「可讀性」為著眼，並沒有嚴謹的學術性專著。年表只有吳伯卿及張瑞成編的兩種，但迄今未聞有那一機關或那一些人計劃為經國先生編一部完整而正確的年譜。

經國先生有記日記的習慣，也有適時發表其日記以對歷史作交代的好習慣。他在民國二十九年發表的『我在蘇聯的生活』，就是從留蘇日記中選出的十三篇日記。到臺灣後，又先後發表了他的六種日記：《訓練日記》、《五百零四小時》、《滬濱日記》、《危急存亡之秋》、《金馬之行》及《難忘的一年—七十歲生日有感》。在日記中，對某些歷史的關鍵性問題都有所說明，具有為歷史作證並澄清某些謠諑的積極作用。可是其他年代的日記呢？不曉得放置何地？由誰管理？將於何時發表？日記的發表是有益於研究經國先生思想勳業的歷史學者們所期待的，這期待能否成為事實呢？

經國先生功在國家和人民，他需要有一種或幾種完整而信度最高的學術性傳記，他的追隨者和國家史政機構也有責任促成這樣對歷史作交代的大事。這又是另一種殷切的期待，不曉得能否及何時可以實現！

孫義宣先生（書面意見）

蔣故總統經國先生逝世十週年追思

經國先生離開我們轉瞬已經十年。這十年中，國家社會的變遷，更引起我們對他的無限懷念與追思。

我自大學畢業進入社會的第一件工作，就是到新贛南專員公署，在他的領導下做事，那時他是江西省第四行政區督察專員兼贛縣縣長。我在民國三十二年秋天自重慶轉往贛州謁見經國先生，在他的指派下，擔任專員公署的科員，並派在秘書室工作。但不到幾個月，他即調我到他的專員辦公室做他的秘書。那時政府正在準備建造贛州飛機場，所以有很多美國軍方人士前來拜訪經國先生，需要一個英文翻譯及接待人員，我就權充他的英文秘書，當然尚有其他很多外國的政、軍界重要人士前來新贛南訪問，所以接待工作也還很忙。在贛州工作不到一年，我即被調到重慶軍事委員會委員長侍從室去了。

在這短短的一年中，我充分體會到經國先生領導為民服務的犧牲奉獻精神，及其堅苦不拔以身作則的領導作風。我參加新贛南建設工作不久，即奉召加入一個短期訓練班，由專員親自領導訓練，在嚴冬時刻每天起來用田裡的冷水洗臉，並赤膊跑步，專員自己都親自參加，與我們同甘共苦，這對青年人的啟發實在很大。記得有一個週末，我忽然接到電話說，專員在正氣中學要我去一趟，等我到達那裡，看見他一個人，坐在辦公室外的園子裡，手上拿著一個冊子，在聚精會神地閱讀。等我坐下後，他即告訴我正在研訂一個新贛南的經建五年計畫，然後即將手中冊子交給我說，你帶回去研究一下是否有無補充，並說其中有許多生產消費等數字要再計算一下是否切實可行。我雖然是經濟系畢業生，但初出茅廬，對實際社會的經濟現象尚是初次接觸，而經國先生能開闊胸襟下問於我，給我的鼓勵不知多大。但由此亦可看出經濟開發早在那時已經受他重視，以後在臺灣的兩次經建計畫，其規模自然大的很多，但是意義卻是相同，即經國先生關懷國家經濟發展、社會物質需要及民生富足的重要性。

　　經國先生畢生犧牲奉獻，從未為個人計算，他身後無一棟自己擁有的房屋，無一塊土地，也沒有在銀行一元錢的存款，像這樣大公無私、終生奉獻的政治人物，全世界也很難見到。其人格、其抱負，及其成就，將彪炳史冊，為民族的光榮歷史寫出光輝燦爛的一頁。

附錄一——我所瞭解的經國先生

作者：陳鵬仁

二〇〇八年七月二八日　臺北　原文刊載大陸《同舟共進》二〇〇八年第十一期

——蔣經國其人——

蔣經國出生於一九一〇年四月十五日，逝世於一九八八年一月十三日。一九二五年蔣經國十六歲時，經老師吳稚暉同意和父親蔣介石許可，去了蘇俄。筆者個人認為主要有兩個原因：一是時人嚮往社會主義的俄國，他很想去看看社會主義到底是怎麼回事；另一個是年輕的蔣經國可能很難接受父母離婚，故想離開中國。

在俄國，蔣經國共住了十二年，其間歷盡滄桑，曾在阿爾泰山金礦作苦工。一九三五年三月，他與俄國人蔣方良結婚。一九三七年，他寫信給史達林三度要求回國始獲批准。

一九三七年七月，抗日戰爭爆發。次年，蔣經國出任江西省保安處副處長兼新兵督練處處長。一九三九年，蔣經國到重慶，在中央訓練團黨政訓練班第二期受訓後，出任江西省第四區行政督查專員兼保安司令及贛縣縣長，專心於新贛南的建設。十二月，日軍趁亂（或故意）轟炸溪口鎮，其母毛福梅被炸死。蔣經國趕回溪口，日後樹立「以血洗血」石碑。

一九四九年，蔣經國將保管於中央銀行的黃金運到臺灣。一九五〇年蔣介石復職，蔣經國出任國防部總政治部主任及中國國民黨幹部訓練總會主任委員。

一九五八年，蔣經國出任行政院政務委員。八月前後，金門炮戰發生。

一九六五年，蔣經國出任國防部長，連任國民黨中央常務委員。一九六七年，出任國家安全會議總動員委員會主任委員。

一九六九年，出任行政院副院長。一九七〇年四月訪問美國，與美國總統尼克森會談。四月二十日在紐約雲場飯店門口遭受臺獨分子黃文雄槍擊，所幸無恙。

一九七二年六月二六日，出任行政院長。

一九七五年四月五日，蔣介石逝世，副總統嚴家淦繼任總統。一九七八年五月二十日，蔣經國就任總統，直至逝世。

—臺灣人民對經國先生如何評價—

臺灣人民認為經國先生對臺灣是有貢獻的。一九六五年秋，筆者有機會與他面談。當時他問我對他和政府有什麼意見。我說臺灣省政府主席應由臺灣人出任，這樣臺灣人一定會更加支持政府。他擔任行政院長不久，一九七二年六月一日，臺灣人謝東閔便出任臺灣省政府主席。

可能因為在俄國的經歷，蔣經國對人民的福祉非常重視，而自己生活卻頗為樸素，穿的夾克只有那麼一件，經常下鄉與民眾在一起，常在小攤子吃小吃，禁止公務員上酒家，高官兒女結婚也不許鋪張。因此，曾發生過這樣的笑話：筆者在亞東關係協會東京辦事處（即臺灣與日本斷交後的駐日代表處）服務時，該處曾以東京某酒家的單據向臺北外交部辦理報銷。結果外交部官員將單據退回並指責說，怎麼可以用酒家的帳單報銷。其實在東京，有些餐廳本身就叫酒家。

一九七三年十一月十二日，蔣經國在國民黨第十屆四中全會第一次會議上宣佈，五年之內完成九項重要建設：南北高速公路、臺中港、北迴鐵路、蘇澳港、石化工業、大煉鋼廠、大造船廠、鐵路電氣化和桃園國際機場；後來加上原子能發電廠，總稱臺灣十大建設。這是蔣經國對臺灣的最大貢獻。

當時國際物價大幅上漲，島內有人認為十大建設太冒險，可蔣經國卻堅決表明態度說：「十項重要建設的完成，將使我國由開發中國家成為開發國家。我們深知，十項建設的同時執行，就現階段而言，對於政府和人民都是相當沉重的負擔。但是，為了突破經濟發展的瓶頸，改變經濟結構的形態，使國力加強，我們就必須勇敢肩負起此項無可規避的責任。這不是我們固執，而是我們深切瞭解，如果不明確地把建設目標訂出來，因循下去，可能十年二十年還不能有明確的方向道路。今天不做，明天必將懊悔！現在，工作的目的既已公諸國人，我們必須匯合政府和民間的力量，一步一步地朝著既定目標前進。」

如果當時因為石油危機而停止十大建設，不可能有今日臺灣經濟的奇跡，臺灣也不會成為「亞洲四小龍」之一。鄧小平說得好，不管白貓黑貓，能抓老鼠的就是好貓。同理，筆者個人認為，無論是什麼政府，能提高國民所得、改善人民生活的，就是有貢獻的政府。在這個意義上，蔣經國對臺灣的貢獻是偉大的。因此，在臺灣民意調查歷任領導人的受尊敬程度中，蔣經國始終列第一位。

—經國先生始終心繫大陸—

一九八七年十一月一日，蔣經國宣佈准許人民回大陸探親，邁出了臺灣與大陸互動的重要一步。過去八年，民進黨極力阻礙兩岸的往來，但時代潮流和經濟上的需要，仍使兩岸保持了密切的關係。

馬英九上臺後，兩岸關係明顯緩和。馬英九曾任蔣經國的秘書，對於他的理念、想法和做法自然比誰都理解，因此相信他會在兩岸關係問題上，作出合乎兩岸同胞利益的決定。

胡錦濤說兩岸要「建立互信，擱置爭議，求同存異，共創雙贏」。我覺得，經國先生心靈深處所想，亦與此同。

大陸經濟發展驚人，國際地位大幅提高。如能好好處理兩岸關係，加強兩岸經濟和文化合作，使臺灣人感覺大陸把他們當作真正的同胞看待，我相信總有一天臺灣人會樂意與大陸人在一起。

經國先生生前，曾寫信給他的好朋友嚴靈峰，表示臺灣畢竟不是他倆久居之地。這說明蔣經國始終心繫大陸，雖然他說過他也是一個臺灣人。

筆者個人有幸，曾與經國先生面談幾次，我從美國或日本回來時，他曾多次找我談話。他為人坦誠，愛護青年，尤其愛護臺灣青年。他從不與商人來往，清廉潔身，這方面可以說是領導者的楷模。他身後，其夫人蔣方良連一游美國的錢都沒有。

我雖然喜歡和尊敬蔣經國，但覺得最可惜的是他選擇李登輝作為繼承人，這是他美中不足的地方。不過，他對臺灣所作的貢獻及推動兩岸互動與交流，是值得讚揚的。

附錄二—蔣經國先生　政治家永遠的楷模

作者：陳鵬仁

中華民國八十八年五月十五日　原文刊載《團結會訊》

今年適值是蔣故總統經國先生的九十歲冥誕。關於經國先生種種，筆者寫過幾篇文章在報紙上發表，並翻譯過日本小谷豪冶郎所著「蔣經國先生傳」一書，於民國七十九年由中央日報社出版。在經國先生九秩誕辰的今日，筆者擬寫些人們似乎不太知道的事，以為紀念。

民國四十八年，發生八七水災時，蔣方良女士曾經自動地，從衣櫃裡掏出自己所儲存的私房錢，有的鈔票已皺巴巴的，共有一百萬臺幣，親自交給經國先生的秘書王家驊先生，以「無名氏」名義，由中央黨部轉捐救災單位。這是多麼地慈悲。

—儉樸風格　始終如一—

同時，王家驊先生也說：某一炎熱的夏天，他到經國先生寓所時，看到夫人蔣方良女士，在陽台拼命地打著扇子。王先生問夫人說：「為什麼不打開冷氣呢？」夫人回答：「先生交待要到二十七度才可以開冷氣。現在還不到二十七度。」可見夫人多遵從經國先生的吩咐，而經國先生儉樸的行事風格，亦可見一斑。

經國先生出任行政院副院長時，依照預算，行政院替他買了一部新的外國轎車。經國先生以現在的車子很不錯，認為不必再買新車。但預算是這樣規定，結果經國先生將這部新車交給當時的副總統謝東閔先生使用。

曾經擔任過經國先生侍衛長的周仲南先生說，經國先生寓所，每天都要升降國旗。即每天早晨六點十分準時升旗，這顯示經國先生非凡的愛國情操。

—解嚴除禁　貫徹民主—

周先生同時表示，經國先生的生母因被日軍轟炸而去逝，所以家裡不用日本貨，但國先生在公開場所卻從來沒有勸過人家不要使用日本貨，即使日本背棄我國與中共建交的時候。這表示經國先生公私分明，處理對日外交的泱泱大國風度。

經國先生在其晚年，解除了實施四十多年的戒嚴，開放臺灣民眾到大陸探親，並取消了黨禁和報禁，即准許國民自由組織政黨和辦報。由於這些措施的落實，使我國在政治、經濟、社會、文化等各方面都有著長足的進步，從而在國際上獲得相當的肯定和評價。李總統登輝先生曾在國民黨中常會公開表示，我國所以能夠往主權在民的民主政治大道裡邁進，其基礎乃由經國先生所奠定。老實說，這是今日我國屹立於世界而不墜的最大憑藉和資產，我們應該好好珍惜它，和發揚光大它。

與此同時，經國先生對於殘障者，非常鼓勵他們奮鬥和向上。筆者知道，有好幾位殘障的朋友，就是因而受到經國先生的鼓勵，而在藝術、音樂等方面有很大的成就。

—鼓勵殘友　造就人才—

中國國民黨中央黨史委員會主編的「追思與懷念—紀念蔣經國先生逝世十周年口述歷史座談會紀實」，最近由近代中國出版社出版。這本書的內容都是曾經追隨過經國先生的學生和工作者，包括章孝嚴、俞國華、孫運璿、李煥、馬樹禮、馬紀壯、秦孝儀、王昇、夏功權、許歷農、曹聖芬、楚崧秋、汪道淵、錢復、馬英九、孔秋泉、曾廣順、李雲漢等諸位先生的回憶，內容精采豐富，對於了解經國先生之思想志業有相當參考價值，很值得我們一讀再讀，在這裡特為推介。相信讀過這本書以後，一定會與筆者一樣認為：經國先生事政治家永遠的楷模。

附錄三─蔣經國親民愛民豈是獨裁者

作者：陳鵬仁

中華民國九十二年九月二十六日　原文刊載《中華日報》「我聞我思」專欄

中研院社科所研究員吳乃德，在國史館所主辦的「中華民國史專題討論會」發表論文說，蔣經國是獨裁者，他從事台灣改革是被美國和人民所迫。

我個人認為這是吳乃德基於現今執政黨的意識形態所做的一種判斷，與實際情況有很大的出入。

獨裁者的定義是廣泛的，大凡政治領袖多少都有獨裁的傾向，問題在他的基本立場是否為整個國家民族的利益。根據我個人與蔣經國的接觸與了解，他不是一般人所說的獨裁者。他很親民、很愛民，所作所為都是為了國家和人民。

譬如一九六五年秋天，我首次與蔣經國個別談話，當時我向他建議，台灣省政府主席，應該請台灣人做。經過沒多久，謝東閔出任了台灣省主席。這說明：凡是對國家人民有益的建議，蔣經國是會採納的。

他在贛南時代的一切言行，以至於他來台灣以後的一切行為，都是為了國家。譬如一九七二年春天我回國，趙聚鈺曾經跟我提，希望我回紐約寫一篇文章主張蔣經國作行政院長，據說當時九百多名國大代表聯名，請老總統任命經國先生為行政院長，老總統沒有同意，故趙先生要我寫一篇文章。

我回紐約之後，寫了這種內容的文章，分頭寄給「中華日報」、「中央日報」、「台灣新生報」、「聯合報」、「中國時報」和香港的「新聞天地」。結果台北五報全都沒有刊登，而刊載於一九七二年五月二十七日的「新聞天地」。為什麼呢？跟在贛南時代一樣，經國先生禁止刊登有關他好的消息和文章。蔣經國就是一位非常平民的人。

至於說他被迫才從事改革也不正確。經國先生腦海中只有人民，沒有私情。他能觀察時代的潮流、社會的脈動、人民的需求。所以他曾經公開宣稱，蔣家不會有人競選總統。他完全民意，尊重民意。因此他的改革是自主的、自動的，不是任何國家、團體或個人迫的。友邦美國的建議，對國家民族有益的，他採納；對國家人民有害的，他便斷然拒絕。對於蔣經國的功過，在意識形態這樣分歧的今日台灣，實很難斷定。我認為應該再過一段時間，由社會、學術界去公斷。我個人認為他還是一位開明，對國家社會有極大貢獻的政治家。

附錄四－也談蔣經國

作者：陳鵬仁

中華民國九十八年四月十七日　星期五　原文刊載《民眾日報》「政治綜合　學者專欄」

四月十三日是將經國先生的一百歲冥誕，許多人在談蔣經國的種種，包括馬英九總統在內，今天我也要來談蔣經國。

我認為蔣經國是一個了不起的人，是一位政治家的典範和模範。他的政治風範可以這六個字來形容。曰：「清廉、勤政、愛民」。

經國先生極為清廉，生活簡單、樸素，經常穿那一件為人們所熟悉夾克。他到鄉下去，吃一般老百姓吃的東西，他擔任行政院長和總統期間內，禁止官員鋪張、上酒家等等。

蔣經國夫人蔣方良女士，在經國先生去世後很傷心，無所事事，有一次我們建議她應該到美國走走，她回答說她沒錢。

蔣經國的機要秘書王家驊告訴我說，在一次台灣大颱風災情非常嚴重時，蔣方良交他一百萬皺巴巴的台幣，以無名氏名義捐款給災民。

一九六五年秋天，我回國準備由東京轉往美國紐約繼續讀書時，在救國團經國先生召見我，我建議他台灣省政府主席應該由台灣人出任。後來謝東閔出任了省主席，他很能夠接受人家的建議，只要這個建議對國家社會有幫助。

我認為蔣經國對於台灣最大的貢獻是十大建設。一九七三年十一月十二日，中國國民黨第十屆四中全會第一次大會的行政工作報告，發表了五年之內將完成九項國家重大建設。

這九項建設是：南北高速公路、台中港、北迴鐵路、蘇澳港、石化工業、大造船廠、大煉鋼廠、鐵路電氣化和桃園國際機場的建設，後來加上原子能發電的建設，稱為十大建設。當時我在亞東關係協會東京辦事處服務，內政部長林金生一再寫信告訴我，十大建設完成後台灣經濟的美好前景，今日台灣有這樣良好的經濟景況，實奠基於這個十大建設。

蔣經國的另外一個遠見是解除戒嚴、報禁和自由組織政黨，因為這個決定，台灣才真正走上民主政治的道路，台灣才名符其實的成為自由民主的社會，在經濟取代軍事的今日，世界唯有日益地球村化，歐洲二十七個國家的歐盟就是地球村化的一個最好的例子。曾經打得你死我活的德國和法國，現今都是歐盟的成員，互相合作就是最好的寫照。

今日台灣與中國大陸的經貿、農業、衛生、警務等的合作，對於台灣是有利的。在武器這樣發達的今日，中共不可能以武力對付台灣，他們深知這個道理，所以才那麼積極地要與台灣進行這麼多邊的合作。而這也應該是蔣經國所預期和希望的局面。

我與蔣經國有幾次的互動，最後一次是一九八六年一月我回國服務時，他在總統府接見我，那時他已經坐輪椅。他要我坐在他旁邊。他說馬樹禮秘書告訴他，我的日文最好。臨別時他對我說：「你要多幫孝武」。

蔣經國是人，我們不必也不應該把他神化，不錯他整過蔣夫人手下的政治人物，但我覺得他還是一個了不起的人，我們應該感謝他清廉、勤政、愛民的為人。政治人物愛錢的太多，有的人甚至於什麼錢都要。這些人實愧對經國先生。他們人格差得太遠了。

報載，有些將官之官位，以金錢買來的，真是不要臉之至。馬總統表示要徹底查辦。我希望馬總統效法經國精神，不能雷大雨小，一定要辦到底。

一個國家的武官怕死，文官愛錢，這樣的國家是絕對不會有前途的。我要再聲疾呼：貪官污吏應該抓來剝皮裝粗糠。我們不能容忍這樣的貪官污吏繼續吃錢。

附錄五——令人憤慨

不要把兇犯當作「英雄」

中華民國八十年六月二十六日　原文刊載《中央日報》

作者：陳鵬仁

這兩天，因爲二十一年前在紐約與黃文雄共同謀刺蔣經國先生的鄭自才突然出現於臺灣，國內報紙競相報導有關這件事和鄭自才的消息。

當時我是紐約臺灣同鄉福利會會長，曾與同鄉們到機場去歡迎經國先生一行。四月二十四日（似乎是經國先生到達紐約當天），經國先生應邀前往布拉薩大飯店爲一個團體的午餐會發表演講。在進入飯店旋轉門之前，黃文雄舉槍，意圖槍殺經國先生，美國情治人員推黃文雄的肘，幸未擊中。我一聽到槍聲，就跑上去。

這時，經國先生已進去飯店，黃文雄已被帶走，鄭自才在旋轉門前被警察扭住，並將其額部碰在地上，我聽到鄭自才用英語大叫「我要看醫生！」

我衝上去的時候，有一位矮矮、胖胖，幾乎光頭，戴著眼鏡的東方人，由旋轉門前往外面跑出來，與我擦肩而過。跟著我後面跑上去的還有兩個人，一位是現任中國國民黨南區知識青年黨部書記長的步天鵬兄，另外一位叫什麼名字，我想不起來了。此時我才認識天鵬兄。

我從旋轉門往下看出去，看到當時服務於紐約總領事館的鄧權昌領事，他站的位置離開旋轉門大約三十公尺，這中間有臺階，他身著近乎草綠色的風衣，兩隻手插在口袋裏往旋轉門這邊瞪著。

他的後面，有十五個左右的「臺獨」分子，戴著斗笠、白口罩、太陽眼鏡，身上胸前背後掛著白布條，寫著各種各樣標語，並喊著反政府的口號。

當天晚上，在紐約中華街的中華公所，僑界、學界和留學生盛大歡迎經國先生一行。據說，紐約市警察局曾經對經國先生表示：最好取消這個歡迎宴會，但經國先生不同意，因而要求經國先生不要從正面進去，但經國先生卻說，他一定要從大門進出。我一直站在中華公所大門口，看到五、六位身高魁偉高大的美國警察圍著經國先生進來，我才到宴會席位。

以上是當天我所看到的情形。日後據說黃文雄逃到中國大陸，目前他可能還在那裏；今天，當日的「兇犯」顯身於國人面前，竟有人把他當作「英雄」看待，不禁令我憤慨萬千；至於政府對鄭某將作如何的處置，那就祇有拭目以待了。

國家圖書館出版品預行編目資料

蔣經國先生傳 / 小谷豪冶郎著 ; 陳鵬仁譯著. -- 初版. --
臺北市 : 蘭臺, 2018.01
面 ;　公分. -- (中國現代史研究 ; 2)
ISBN 978-986-5633-67-7(平裝)
1.蔣經國 2.臺灣傳記
005.33　　　106025196

中國現代史研究 2

蔣經國先生傳

作　　者：小谷豪冶郎/著 陳鵬仁/譯著
編　　輯：王啓明
美　　編：陳勁宏
封面設計：陳勁宏
出 版 者：蘭臺出版社
發　　行：蘭臺出版社
地　　址：台北市中正區重慶南路1段121號8樓之14
電　　話：(02)2331-1675或(02)2331-1691
傳　　真：(02)2382-6225
E—MAIL：books5w@yahoo.com.tw或books5w@gmail.com
網路書店：http://bookstv.com.tw/
http://store.pchome.com.tw/yesbooks/
博客來網路書店、博客思網路書店、三民書局、金石堂書店
總 經 銷：聯合發行股份有限公司
電　　話：(02) 2917-8022　傳 真：(02) 2915-7212
劃撥户名：蘭臺出版社　帳號：18995335
香港代理：香港聯合零售有限公司
地　　址：香港新界大蒲汀麗路 36 號中華商務印刷大樓
C&C Building, 36,Ting, Lai, Road, Tai,Po, New,Territories
電　　話：(852)2150-2100　傳真：(852)2356-0735
經　　銷：廈門外圖集團有限公司
地　　址：廈門市湖里區悦華路 8 號 4 樓
電　　話：86-592-2230177　傳 真：86-592-5365089
出版日期：2018年1月 初版
定　　價：新臺幣520元整(平裝)
ISBN：978-986-5633-67-7